SAISON 3

B1

Cahier **d'activités**

Marion Alcaraz
Fabienne Beduchaud
Céline Braud
Aurélien Calvez
Camille Dereeper
Émilie Pommier
Delphine Ripaud

Références des images

Couverture - Fabrice Lerouge/GettyImages
4 skreksto.re
6 GettyImages/Lonely Planet Image
6 bd white - Fotolia.com
6 bg ThomasAmby - Fotolia.com
7 a Juices Images/Photononstop
7 b PureStock - www.agefotostock.com
8 PiLensPhoto - Fotolia.com
10 Jean-Francois Humbert/Iconotec/Photononstop
16 Hill Street Studios/GettyImages
19 Stephane Audras/Réa
26 Laurence Delderfield/GettyImages
28 Bart Coenders/GettyImages
36 AFP PHOTO/Pierre Verdy
40 arrow - Fotolia.com
43 md J.D.Dallet- www.agefotostock.com
43 mg Eric Bouloumie/hemis.fr
52 AFP PHOTO/François Guillot
56 Carte postale de 1899, « La station aéro-cab » - la cab étant une voiture hippomobile à deux roues ancêtre du taxi - de Jean-Marc Côté (Wikimédia commons)
58 Matteo Prandoni/BFAnyc/Sipa USA/Sipa
62 bd Alain Le Bot/Photononstop
62 bm Alain Le Bot/Photononstop
62 bg Charlie Abad/Photononstop
62 hd Sami Suni/GettyImages
62 hm AFP PHOTO
62 hg Georges Azenstarck/Roger-Viollet
64 AFP PHOTO
76 Sergio Pitamitz - www.agefotostock.com
86 lev dolgachov - www.agefotostock.com
87 Mauritius/Photononstop
88 Mark Thomas - www.agefotostock.com
89 bd Daniela Franceschelli/Demotix/Corbis
89 bg AP/Sipa
89 hd Stéphane Urbano - Fotolia.com
89 hg Anatoli Styf - www.agefotostock.com
89 hm Mike & Valerie Miller - Fotolia.com
90 hd J.Enrique Molina/Alamy/hemis.fr
90 hg Xue Jun/Xinhua Press/Corbis
91 bd ekix - Fotolia.com
91 bg pcalapre - Fotolia.com
91 hd tobago77 - Fotolia.com
91 hg pixs:sell - Fotolia.com
93 a Fancy/Photononstop
93 b Richard Villalon - Fotolia.com
93 c Oliver Rossi/Corbis
93 d Xavier Popy/Réa
93 e Véviga - Fotolia.com
93 f AFP PHOTO/Dozier Marc
94 Stéphane Ouzounoff/Photononstop
101 Fancy/Photononstop
105 Ale Ventura - www.agefotostock.com
107 bd Fotolia.com
107 bg Marc Soler - www.agefotostock.com
108 hd Jacques Loic/Photononstop
108 hg Fotolia.com
110 GettyImages/WIN-Initiative RM
112 bd Cultúra Creative/Photononstop
112 bg JGI/Jamie Grill - www.agefotostock.com
112 hd Onoky/Photononstop
112 hg Robert Daly - www.agefotostock.com

Références des textes

40 L'identité numérique... Pourquoi et comment en parler ? par Infobourg · 19 mai 2011

52 Marche pour le climat à Paris : « Chefs d'Etat, agissez ! » Le Monde.fr | 21.09.2014 | Par Audrey Garric

Références des audios

9 p4 RTL : L'impact de la météo sur notre humeur - émission « On est fait pour s'entendre » du 9/12/2013

21 p14 RFI : L'école des savoirs - « Les infos pratiques d'Amélie Niard » Par Emmanuelle Bastide - Diffusion : samedi 18 septembre 2010

33 p23 France Info : 20 octobre 2014 : Chronique - Expliquez-nous - L'Art contemporain - Gérald Roux, Fabienne Sintes

46 p38 RFI : Vivre ailleurs « Ils sont partis vivre ailleurs », 28 portraits d'expatriés français - Par Corinne Mandjou - Sandrine Mercier et Michel Fonovich - Diffusion : samedi 27 septembre 2014

58 p48 RFI - Grand reportage - Laurent Sadoux - Daniel Vallot « Tous patrons, tous salariés : la renaissance des coopératives de productio Diffusion : vendredi 13 mai 2011 »

69 p61 « Radio Ethic » - un reportage de Céline Merrichelli

82 p74 Europe 1 : « En Français dans le texte - Yann Legendre » - Sophie Larmoyer, Nicolas Carreau

94 p88 RTL : Stéphane Bern : « Il ne faut pas hésiter à aller visiter notre patrimoine » À la veille des Journées du Patrimoine, le journaliste et animateur répondait aux questions de RTL vendredi matin depuis le château de Carcahu, en Eure-et-Loir publié le 13/09/2013

Édition : Johanna Singer
Iconographe : Aurélia Galicher
Principe de couverture et direction artistique : Vivan Mai
Conception graphique intérieur : Marie-Astrid Bailly-Maître
Mise en page et adaptation maquette : Créators' Studio
Illustrations : Domas
Enregistrements, montage et mixage : Olivier Ledoux (Studio EURODVD)

Imprimé en Italie

Achevé d'imprimer en février 2017 par L.E.G.O. S.p.A.
Dépôt légal : 8109/06

Sommaire

1 Prendre le temps

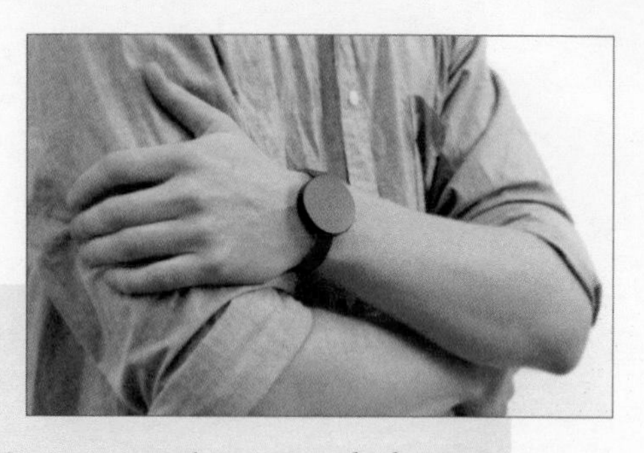

COMPRÉHENSION ÉCRITE Notre rapport au temps

La montre Durr, un concept innovant qui change votre perception du temps

Elle est ronde, se porte au poignet, a un bracelet en cuir mais n'affiche ni les heures, ni les minutes, ni même les secondes… Alors, à quoi peut bien servir ce drôle d'objet baptisé Durr ? Imaginée et créée par deux designers norvégiens, cette montre, totalement originale et innovante, vous rappelle que le temps passe.
Vous vous demandez quelle heure il est ? La montre Durr n'est pas faite pour ça. En effet, elle vibre toutes les 5 minutes et vous signale le temps écoulé. De quoi changer complètement votre perception du temps, et donc votre rapport au temps. Notre journaliste Aldo Renucci en a fait l'expérience.

Top chrono !

Par curiosité, il a commandé la montre sur Skrekstore, le site des deux designers norvégiens. Une matinée comme les autres, Aldo se met au travail, montre au poignet. Une dépêche tombe, il la lit et commence à écrire son article. Deux lignes, et voilà que la montre vibre. Cinq minutes. Une fois l'article terminé, le journaliste relit et apporte quelques corrections. La montre vibre à nouveau. Cinq minutes. « Je pensais avoir pris 3 minutes pour écrire cet article alors que j'en ai mis en réalité 12. », remarque-t-il.

Les temps sont Durr…

L'objectif de Durr est-il de nous rappeler à quel point le temps passe vite ? Tout dépend de la situation. Quelques jours plus tard, Aldo se trouve à une conférence sur les mathématiques appliquées, sujet qu'il ne maîtrise absolument pas et, en plus, il est épuisé. « Durr m'a ramené à la réalité ! Je croyais que trois heures s'étaient écoulées et non… Seulement 5 minutes ». Dur dur. Mais il n'y aurait pas que des inconvénients. « Jour après jour, les vibrations m'ont accompagné au quotidien et je les ai utilisées à mon avantage. Cette montre d'un nouveau genre m'a rendu plus efficace qu'aucune montre intelligente n'a pu le faire. »
50 montres ont été fabriquées, vendues au prix de 90 euros. Après une rupture de stock rapide, les retours des usagers ont été contrastés. Outil d'automutilation pour les uns, stimulateur de productivité pour les autres, cet objet ne fait pas que des adeptes.

Source : Le Huffpost, 2014

1 Lisez le texte puis répondez par vrai ou faux.

	Vrai	Faux
a. La montre Durr n'est pas une montre comme les autres.	☐	☐
b. Avec la montre Durr, on a toujours l'impression que le temps passe rapidement.	☐	☐
c. Le journaliste Aldo Renucci pense que cette montre lui a permis d'être plus efficace dans son travail.	☐	☐
d. Tous les clients ayant acheté la montre Durr en sont très satisfaits.	☐	☐

2 Quel est le sens de la conclusion du texte ?

« Outil d'automutilation pour les uns, stimulateur de productivité pour les autres, cet objet ne fait pas que des adeptes. »

☐ **a.** Pour certaines personnes, cette montre est un objet de souffrance, pour d'autres, c'est une aide pour être plus efficace.

☐ **b.** Cette montre est utile dans toutes les situations, que ce soit en voiture ou au travail.

☐ **c.** Cette montre peut être utile pour changer notre propre perception du temps, mais aussi pour aider les autres personnes à être plus productifs.

3 Agissez ! Pour vous, dans quelles situations le temps passe plus vite ? Et plus lentement ?

....

....

....

....

LEXIQUE Le temps qui passe

→ Point Récap', livre p. 28

4 À l'aide des expressions proposées, complétez ces conseils pour les étudiants stressés.

une course effrénée - détendre - la lenteur - oxygéner - freiner la machine - distraire - en même temps - en priorité

LE + STRATÉGIE

Lorsque j'apprends un nouveau mot, j'essaye de comprendre les nuances entre ce mot et les mots de sens proche.
Exemple : se détendre ; se distraire ; s'oxygéner.

Vie étudiante

Contre le stress, privilégiez l'efficacité (et (1) .... !)

Bon nombre d'étudiants se disent stressés.
Leur quotidien ressemble à (2) .... : journées entières passées en cours, dossiers ou dissertations à rendre avant une date limite, recherche de stage ou de petit boulot...
Si, comme eux, vous avez l'impression de courir après le temps, voici quelques conseils pour (3) ....

- Apprenez à gérer votre temps. N'essayez pas de tout faire (4) .... mais faites les choses les unes après les autres. Définissez ce que vous devez faire (5) .... et ce qui est secondaire. Vous n'en serez que plus efficace.

- Accordez-vous de courtes pauses. Prenez le temps de (6) .... votre corps (en faisant du sport ou tout simplement en marchant) et de (7) .... votre esprit (cinéma, spectacles, expositions...).

- Accordez-vous des pauses plus longues. Profitez des week-ends pour prendre un bol d'air et vous (8) .... au bord de la mer ou à la campagne.

GRAMMAIRE L'expression du but

→ Point Grammaire, livre p. 20

5 Transformez les phrases en utilisant l'expression de but proposée comme dans l'exemple. Attention à l'utilisation de l'infinitif ou du subjonctif.

Exemple : Je fais un dîner léger et je me couche tôt. Comme ça, je serai en forme demain. (pour)
→ Je fais un dîner léger et je me couche tôt pour être en forme demain.

a. Quand nous faisons une longue route, nous mettons de la musique dans la voiture. Le temps passe plus vite. (de manière)
→ ....

b. Le ministre a décidé d'allonger la pause déjeuner des écoliers. Ils seront plus concentrés l'après-midi. (de sorte)
→ ....

c. Tous les vendredis, elle va faire une marche avec ses amies. Ainsi, elle se détend après sa semaine de travail. (afin)
→ ....

d. Je vérifie mon agenda tous les matins. Comme ça, je n'oublie pas de rendez-vous important. (de peur)

→ ....

e. J'ai demandé de ne plus travailler le lundi matin. J'espère que je profiterai mieux de ma journée du dimanche. (dans l'espoir)

→ ....

6 Vous êtes journaliste et faites un article sur la préparation des vacances des Français. Vous avez interviewé Lætitia. Écoutez-la et réécrivez son témoignage avec des expressions de but. 1

Lætitia ne veut pas réserver ses vacances longtemps à l'avance de crainte (1) .... Une semaine avant le départ, elle consulte les sites météo pour (2) .... Ensuite, elle réserve un billet de train ou d'avion de manière à (3) .... Les compagnies aériennes et ferroviaires proposent des billets moins chers pour (4) .... Lætitia pratique souvent le couchsurfing dans l'idée (5) ....

Culture
Le couchsurfing permet aux touristes de dormir gratuitement chez l'habitant.

CONJUGAISON

7 Formez deux groupes. En une minute, chaque groupe doit donner un maximum d'expressions de but pour expliquer ces décisions. Utilisez au moins une expression de but suivie du subjonctif.

a. Quand je me déplace à vélo, je porte toujours un casque et un gilet jaune…

b. Quand je pars en vacances, je n'emporte jamais mon ordinateur portable…

LEXIQUE Le temps qu'il fait

→ Point Récap', livre p. 28

8 Écoutez et indiquez le temps qu'il fait avec les symboles météo sur la carte de France. 2

a. 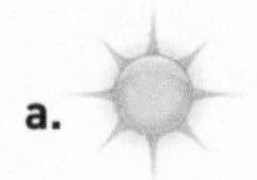 b.  c. 

d.  e. 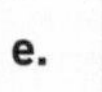  f. 

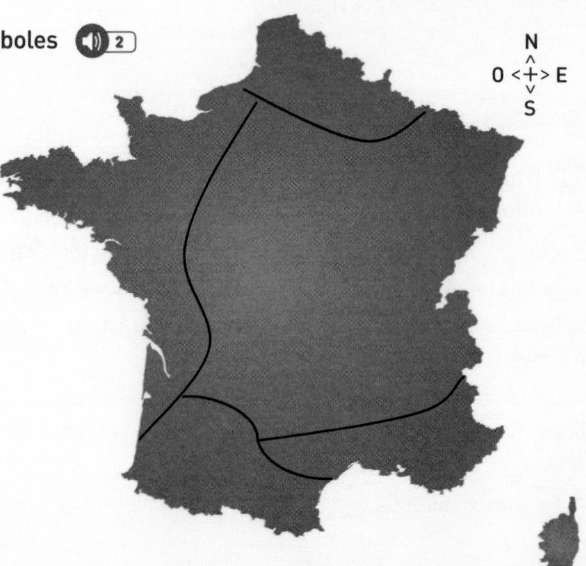

LE + STRATÉGIE
Pour mémoriser le vocabulaire, j'utilise le lexique vu dans un contexte familier.
Exemple : le temps qu'il fait dans mon pays.

GRAMMAIRE L'expression du souhait

→ Point Grammaire, livre p. 20

9 Reconstituez ces phrases qui expriment des souhaits.

1. S'il fait beau demain, j'aimerais…
2. Quand il pleut, les Français surfent sur les sites de voyages car ils rêvent…
3. Après ce printemps pluvieux, les professionnels du tourisme espèrent…
4. S'ils annoncent du mauvais temps pour le week-end, ce serait préférable…
5. J'ai un week-end de quatre jours ! Ça serait bien…
6. Oh ! Là, là ! Le ciel se couvre. Je préférerais…

a. de partir au soleil.
b. qu'on en profite pour aller visiter Lisbonne.
c. que l'été sera ensoleillé.
d. aller faire une balade en forêt.
e. qu'on annule notre pique-nique.
f. rentrer avant la pluie.

10 Regardez ces deux images. Imaginez quels souhaits ces personnes peuvent exprimer.

a

b

Exemple : Ce serait bien de partir en vacances, j'ai envie de faire une pause.

....

....

....

CONJUGAISON

11 Préparez des petits papiers avec les chiffres de 1 à 6. Tirez au sort un papier pour déterminer le sujet. Puis, tirez au sort un deuxième papier pour déterminer le verbe à conjuguer au conditionnel présent. À vous de jouer !

Sujets

1. je	**2.** tu	**3.** il	**4.** nous	**5.** vous	**6.** ils

Verbes

1. souhaiter	**2.** avoir envie	**3.** préférer	**4.** vouloir	**5.** aimer	**6.** apprécier

LEXIQUE La nature

→ Point Récap', livre p. 28

12 Écoutez cette conversation entre un employé d'une agence de voyages et un client. 
Relevez les mots qui désignent un élément de la faune, de la flore ou du paysage et classez-les dans le tableau ci-dessous.

La faune	La flore	Le paysage
- - - - -	- -	- - - - -

Lexique

La toundra est un paysage végétal typique des régions polaires. Elle se présente comme un tapis d'herbes basses et de mousses avec quelques petits arbres.

LE + STRATÉGIE

Pour me souvenir d'un mot, je l'écris dans une liste de mots provenant d'un même champ lexical.

GRAMMAIRE Les pronoms possessifs

→ Point Grammaire, livre p. 20

13 Choisissez le pronom possessif qui convient.

a. Je viens de goûter ta tarte aux prunes. Je l'adore ! **(Le tien / Le mien / La mienne)** n'est pas aussi bonne.
b. Je rentre ma voiture dans le garage alors que mes voisins garent **(la mienne / la sienne / la leur)** dans la rue.
c. — C'est ton parapluie ? Oh non, je crois que j'ai perdu **(le mien / le tien / le sien)** !
d. — Nous avons vu un petit chat gris qui avait l'air perdu. C'est **(le vôtre / la vôtre / les vôtres)** ?
— Non, **(le sien / le nôtre / le vôtre)** est blanc et noir.
e. — Voulez-vous un peu de nos tomates ? Je les ai récoltées hier.
— Ah oui ! **(Les miens / Les siennes / Les vôtres)** sont meilleures que celles du supermarché !

14 Comparez ces deux jardins. Complétez les phrases avec des pronoms possessifs.

Mon jardin

Le jardin de mes voisins

Mes voisins et moi, avons des personnalités très différentes. Il suffit d'observer nos jardins pour comprendre. Dans mon jardin, je laisse les arbres pousser comme ils veulent alors que dans (1) ...., les arbustes sont bien taillés.
Les insectes viennent peu dans leur jardin alors que j'ai plein d'abeilles et de papillons dans (2) ....
Mes enfants sont libres de cueillir des fleurs, de creuser la terre, de jouer dans l'herbe, tandis que (3) .... n'ont pas le droit de jouer sur le gazon.
Moi, je ne tonds ma pelouse que tous les mois. Mon voisin, lui, tond (4) .... toutes les semaines.

COMPRÉHENSION ORALE La météo et notre humeur

15 Écoutez le document et répondez aux questions. 4

a. Quel type de document est-ce ?
- ☐ un reportage radio
- ☐ une discussion
- ☐ un débat

b. Quel est le thème général de cet extrait ?
- ☐ les conséquences du réchauffement climatique
- ☐ la perception du temps qui passe
- ☐ notre rapport aux saisons

16 Écoutez à nouveau le document puis répondez par vrai ou faux. 4

	Vrai	Faux
a. D'après Louis Bodin, l'hiver dernier a été particulièrement froid.	☐	☐
b. D'après lui, en règle générale, l'hiver n'est pas plus long qu'avant.	☐	☐
c. Déjà, au XIXe siècle, les gens avaient l'impression que le climat changeait en France.	☐	☐
d. D'après Valérie Josselin, les gens sont de meilleure humeur en été.	☐	☐
e. Pour elle, il faut profiter de l'hiver pour faire des activités à l'extérieur.	☐	☐

17 Réagissez ! Avez-vous l'impression vous aussi que certaines saisons sont plus longues qu'avant ? Exprimez à l'oral vos souhaits à ce sujet.

LEXIQUE La géographie

→ Point Récap', livre p. 28

18 Associez ces différents types de paysages à l'image.

a. une montagne - **b.** une vallée - **c.** un marais - **d.** un étang - **e.** une côte rocheuse - **f.** une côte sableuse - **g.** une falaise

1. ....
2. ....
3. ....
4. ....
5. ....
6. ....
7. ....

LE + STRATÉGIE

Pour mémoriser un mot et bien comprendre son sens, je peux l'associer à une image.

GRAMMAIRE Les pronoms relatifs

→ Point Grammaire, livre p. 20

19 Vous êtes guide dans le marais poitevin. Les touristes vous posent des questions. Réécrivez ces réponses en évitant les répétitions et en utilisant des pronoms relatifs comme dans l'exemple.

a. Un marais, qu'est-ce que c'est exactement ?
Un marais est une région basse. Le sol est très humide dans cette région. La végétation de cette région est particulière.
→ Un marais est une région basse ***où le sol est très humide*** et ....
....

b. Comment peut-on se déplacer dans un marais ?
Sur l'eau, les habitants se déplacent en barque. C'est un petit bateau en bois. Les habitants utilisent ce petit bateau pour pêcher, par exemple. Ce bateau permet d'aller dans les eaux peu profondes.
→ Une barque est un petit bateau en bois ....
.... et ....

c. On voit un oiseau là-bas. Quel est le nom de cet oiseau ?
C'est un héron. Les pattes de cet oiseau sont très longues.
Cet oiseau se nourrit essentiellement de poissons.
→ Le héron est un oiseau ....
et ....

Culture

Surnommé la Venise verte, le marais poitevin se trouve à l'Ouest de la France et s'étend sur 100 000 hectares environ.

20 Complétez cet article avec les pronoms relatifs suivants.

qui - que - où - dont - ce qui - ce que - ce dont

Environnement

L'érosion du littoral... Pourquoi ? Comment ?

L'érosion est un phénomène naturel (1) .... touche toutes les côtes françaises. Ce phénomène n'est pas nouveau mais on observe une accélération de l'érosion dont les causes sont multiples.

- L'élévation du niveau de la mer dû au changement climatique. De nombreuses communes ont déjà construit des digues (2) .... sont censées protéger les habitations des vagues et des grandes marées.

- La multiplication des tempêtes (3) .... est également responsable le changement climatique. Ces 10 dernières années, une trentaine de tempêtes successives ont grignoté 1 700 km de côtes, (4) .... représente un quart du littoral français.

- Le développement des villes du littoral. Dans tous les pays, et en France en particulier, les zones littorales sont en effet celles (5) .... l'on construit le plus d'habitations et de routes.

- Les habitants et les maires des communes littorales semblent impuissants face à (6) .... représente un vrai danger. En 2010, la tempête Xynthia, (7) .... a touché le littoral vendéen, a profondément modifié le paysage local.
(8) .... redoutent les maires, c'est de devoir faire face à des tempêtes de plus en plus fréquentes et de plus en plus violentes. Suite à Xynthia, l'État a fait appel à des géologues (9) .... sont chargés de surveiller les côtes soumises à l'érosion et de faire évacuer les habitations et les zones (10) .... la sécurité est menacée.

PHONÉTIQUE Les voyelles [u], [o] et [ø]

21 On analyse ! Observez les schémas des voyelles et complétez le tableau avec les mots suivants.

fermée - très fermée – arrondies - en arrière - en avant

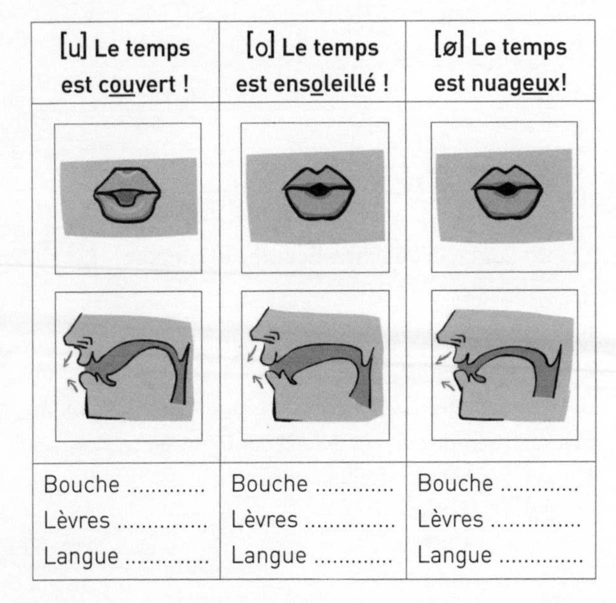

[u] Le temps est c<u>ou</u>vert !	[o] Le temps est ens<u>o</u>leillé !	[ø] Le temps est nuag<u>eu</u>x!
Bouche .... Lèvres .... Langue	Bouche .... Lèvres .... Langue	Bouche .... Lèvres .... Langue ....

22 On fait la différence ! Cochez le(s) son(s) que vous entendez. 5

	[u]	[o]	[ø]
a.			
b.			
c.			
d.			
e.			

23 On bouge la bouche ! Écoutez et répétez. 6

a. Je me la coule douce !
b. J'ai le moral à zéro !
c. Le temps ? Pluvieux et nuageux...
d. C'est un beau feu de forêt !
e. Des côtes rocheuses soumises à l'érosion.

24 Phonie-graphie.

a. Retrouvez dans la grille les mots liés au temps et contenant [u], [o] ou [ø].

chaud - journée - chronomètre - orageux - souffler - beau - course - douceur - tôt - météo - nuageux - moment - pluvieux - soleil

c	h	r	o	n	o	m	è	t	r	e
h	m	o	r	a	g	e	u	x	m	j
a	e	t	r	o	■	t	n	b	o	o
u	p	l	u	v	i	e	u	x	m	u
d	o	u	l	o	t	o	a	■	e	r
s	o	l	e	i	l	d	g	o	n	n
d	s	o	u	f	f	l	e	r	t	é
b	e	a	u	o	c	o	u	r	s	e
d	o	u	c	e	u	r	x	t	ô	t

b. Avec les lettres restantes, écrivez la formule signifiant « routine ».

m _ _ _ _   _ _ _ _ _ _   _ _ _ o

c. Comment ça s'écrit ?

[u] : ....
[o] : ....
[ø] : ....

PHONÉTIQUE L'hésitation

25 On analyse ! Écoutez et répondez aux questions. 7

a. Dans quelle version, Frédéric...

- présente son projet avec assurance : ....
- présente son projet en hésitant : ....

b. Notez dans le texte les endroits où Frédéric hésite.

Je m'appelle Frédéric et j'ai 31 ans. Avec un ami de l'université, on a monté un projet innovant en rapport avec la météo. On en avait marre de déprimer dès qu'il fait gris. Du coup, on a créé une lampe qui diffuse une couleur différente selon le temps qu'il fait dehors. On est au courant de la météo depuis son salon !

c. Comment se manifestent ces hésitations ?

....

....

....

26 On fait la différence ! Dites si la phrase est prononcée avec assurance ou avec hésitation. 8

	assurance	hésitation
a.		
b.		
c.		
d.		
e.		

27 On bouge la bouche ! Écoutez et répétez. 

a. C'est un projet qui m'intéresse.
b. C'est un projet qui m'intéresse.
c. Mes passe-temps préférés ? Le jardinage et la couture.
d. Mes passe-temps préférés ? Le jardinage et la couture.
e. Il va y avoir des précipitations sur toute la France.
f. Il va y avoir des précipitations sur toute la France.

PRODUCTION ORALE Présenter un projet

28 Vous allez en quatre étapes construire la présentation d'un projet. Vous êtes ingénieur et, avec votre collègue, vous avez mis au point une machine à fabriquer les nuages. Dans un premier temps, donnez un nom à votre projet. Choisissez un nom accrocheur et assez court.

....

29 Vous allez ensuite décrire votre projet. Complétez cette description avec les pronoms relatifs manquants.

C'est une machine (1) .... permet de fabriquer des nuages et (2) .... l'utilisation est très simple.
Il vous suffit de placer la machine à l'extérieur, dans un endroit (3) .... les nuages pourront facilement s'élever dans le ciel. Il faut ensuite verser un peu d'eau dans un réservoir (4) .... se trouve sous la machine, puis appuyer sur le bouton rouge (5) .... vous verrez à gauche du réservoir.
Les nuages (6) .... vous formerez avec cet objet sont sans danger pour l'environnement. En effet, le processus de fabrication (7) .... ils sont issus est naturel à 100 %.

30 Vous exprimez vos objectifs, puis vos souhaits. Pour organiser vos idées, dites si ces phrases expriment le but ou le souhait.

a. Nous avons imaginé ce projet dans le but de lutter contre la sécheresse.
b. Nous espérons que les agriculteurs profiteront de cette innovation technologique.
c. De peur de dégrader l'environnement, nous avons élaboré un processus de fabrication des nuages tout à fait écologique.
d. Nous souhaitons que les professionnels du tourisme (à la montagne notamment) puissent bénéficier également des avantages de cette machine.
e. Cette machine permet de fabriquer des nuages afin de faire tomber la pluie ou la neige, si les températures le permettent.
f. Bien sûr, il serait préférable de demander l'accord de vos voisins avant d'utiliser cette machine !

Expression d'un but	Expression d'un souhait

31 À vous d'imaginer une machine, un objet, une installation... et de présenter votre projet. 

PRODUCTION ÉCRITE — Écrire un texte personnel

32 Vous allez en trois étapes écrire un texte personnel. Lisez cet extrait d'un journal intime puis soulignez les différentes sensations décrites (le toucher, la vue, l'odorat, l'ouïe et le goût).

La découverte des saisons,

Le choc ! Je découvre le cycle des saisons. Bercé par la douce humidité du Brésil depuis mon enfance, mon arrivée en France va de surprise en surprise. J'adore observer les changements de la nature au fil du temps.
Jour de neige, en plein hiver. Je me souviens très bien du vent glacial qui fouettait mon visage lorsque je suis sorti de l'aéroport. Un nouveau bruit : le crissement de la neige sous mes pieds. Je ne savais pas que la neige avait un bruit !
Heureusement, le printemps est vite arrivé, avec ses chants d'oiseaux et l'odeur fraîche et tendre des fleurs ! J'aime aussi la chaleur écrasante de l'été qui me rappelle (un peu) mon pays. Comme les saisons peuvent marquer le cours de la vie ici ! Mais, vraiment, ma saison préférée, c'est l'automne. Je n'imaginais pas une telle explosion de couleurs ! J'aime aussi l'automne pour son odeur d'humidité et de champignons. D'ailleurs, je raffole des omelettes aux cèpes.

33 Complétez ce deuxième extrait à l'aide des expressions du goût et de l'impatience proposées dans le tableau.

> Le 25 février,
>
> Il fait trop froid aujourd'hui. Je reste chez moi... Ah, (1) .... l'hiver ! Quand le réveil sonne, il fait encore nuit, (2) .... ça ! Le plus douloureux est de sortir de mon lit, (3) .... de quitter la chaleur de mes draps pour aller prendre une douche qui, en plus, met du temps à se réchauffer ! (4) .... que le printemps arrive ! (5) .... de sentir la douce caresse du soleil.
> Au printemps, (6) .... m'asseoir dans un parc et observer les gens, tout simplement. (7) .... aussi de pouvoir sortir sans manteau, sans écharpe, sans bonnet... Le printemps, c'est la liberté !

Expressions du goût	Expressions de l'impatience
j'aime bien / j'apprécie / j'adore / je ne supporte pas / je n'aime pas du tout / je déteste / j'ai horreur / je ne me ferai jamais à	j'ai hâte / vivement / je suis impatient / je suis pressé / j'ai trop attendu

34 À vous ! Sur une feuille séparée, écrivez un texte personnel pour expliquer votre rapport au temps.

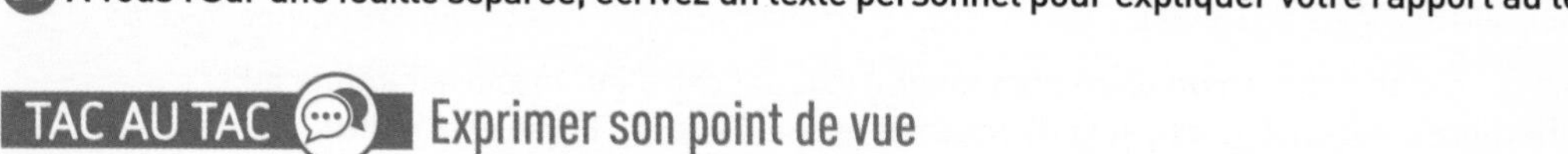

TAC AU TAC — Exprimer son point de vue

35 Travail par deux. Choisissez chacun une des deux illustrations de l'expression « métro-boulot-dodo » et décrivez-la à votre voisin. Exprimez votre point de vue sur ce rythme de vie. Vous avez deux minutes !

1 Compréhension orale : notre rapport au temps

Écoutez et répondez aux questions. 10

a. Choisissez les propositions correctes.

- ☐ À Paris, Antoine et Sophie avaient l'impression de manquer de temps.
- ☐ Antoine passait une heure et demie dans les transports chaque jour.
- ☐ Antoine et Sophie passaient beaucoup de temps avec leur fille.
- ☐ C'était généralement Sophie qui s'occupait de leur fille.
- ☐ C'est Antoine qui a trouvé un emploi à Nantes.
- ☐ À Nantes, Antoine termine son travail plus tôt qu'à Paris.
- ☐ Antoine et Sophie profitent de leurs soirées pour s'amuser avec leur fille.
- ☐ À Nantes, ils ont l'impression que les saisons passent plus lentement.

b. Expliquez ce que dit Sophie.

« À Nantes, même si le ciel est souvent couvert, ce n'est pas la même grisaille déprimante qu'à Paris. »

....

....

2 Production écrite : exprimer un souhait

Vous avez décidé de réduire votre temps de travail. Vous écrivez un message (environ 150 mots) à un(e) ami(e) pour lui expliquer dans quel but vous avez pris cette décision et ce que vous allez faire de votre temps libre. Vous exprimez des souhaits concernant la nouvelle organisation de votre temps.

....

....

....

....

....

....

....

....

....

....

....

....

....

....

....

....

....

....

....

2 Apprendre autrement

COMPRÉHENSION ÉCRITE L'apprentissage informel

Entretien avec Salim Galy, formateur dans le documentaire « École… Ça tourne ! »

JOURNAL. : « École… Ça tourne ! » c'est un peu votre histoire ? Que raconte ce film ?

S.G. : Oui c'est un peu mon histoire, c'est vrai. J'ai commencé l'improvisation quand j'avais 14 ans, et c'est aussi là que j'ai commencé à m'accepter. Encore plus qu'au théâtre, l'improvisation aide à se découvrir, à être soi-même, sans avoir peur de ce que pensent les autres. C'est une clé, un outil indispensable pour trouver sa place dans la société, parmi les autres. Voilà ce qu'explique le documentaire : pendant une année scolaire, l'équipe de tournage nous a suivis, moi et la classe de 4e avec laquelle je travaille à Toulouse. Ce sont des enfants qui viennent de familles et de milieux sociaux différents. Ils commencent l'impro et on les voit changer, petit à petit, au fil des semaines. À la fin de l'année, ils arrivent à s'affirmer, à s'ouvrir, à s'aimer un peu plus…

JOURNAL. : Que vous ont dit les collégiens de leur expérience ? Est-ce que vous pensez recommencer l'année prochaine et est-ce que vous avez des demandes d'autres écoles ?

S.G. : Les élèves qui se sont inscrits au cours cette année m'ont dit qu'ils avaient beaucoup aimé cette matière. D'autres cours d'impro existent déjà dans plusieurs établissements en France mais il y en a peu. J'espère que grâce à ce film des formateurs en impro seront invités dans de nombreux collèges.

JOURNAL. : À votre avis est-ce que l'improvisation pourrait devenir une discipline scolaire ?

S.G. : On voudrait bien ! C'était d'ailleurs l'un des buts du film… Deux ministres sont venus assister à des matchs d'impro pendant le tournage : le ministre de la Culture et le ministre de l'Éducation ; et même le président de la République qui a été très touché par le talent, l'envie et le dynamisme des gamins. Ils ne deviendront pas acteurs ou artistes professionnels, ce n'est pas l'objectif. Mais c'est un formidable moyen pour aider la jeunesse d'aujourd'hui à grandir et à se construire. Le théâtre d'improvisation apprend à écouter les autres, à les respecter et à être solidaire : ce sont des éléments essentiels pour évoluer et vivre ensemble, et pour être heureux tout simplement.

Source : Sunnysideofthedoc.com, 2014

Lexique

« Improviser » signifie produire un discours, un morceau de musique, un poème… sans préparation.
Au théâtre, lorsque les comédiens « improvisent », ils inventent leur texte et leur jeu au fur et à mesure de la pièce.

1 Dites si les affirmations suivantes sont vraies ou fausses.

	Vrai	Faux
a. « École… Ça tourne ! » est un film de fiction.	☐	☐
b. L'improvisation est une discipline obligatoire au collège en France.	☐	☐
c. L'improvisation se pratique en groupe.	☐	☐
d. C'est une activité qui apprend aux enfants à s'aimer, qui leur donne confiance en eux.	☐	☐
e. Cette matière encourage les élèves à être en compétition les uns avec les autres.	☐	☐
f. Quand ils auront fini le collège, les enfants deviendront acteurs.	☐	☐

2 **Retrouvez les termes du texte qui se rapportent à l'apprentissage et complétez ce tableau.**

Qui apprend ?	Comment apprendre ?	Pourquoi apprendre ?	Où apprendre ?

3 **Agissez ! Racontez quel adolescent vous étiez (timide ou extraverti, sûr de lui ou peu confiant) et quels apprentissages vous ont fait évoluer ?**

....

....

....

LEXIQUE Les lieux de formation

→ Point Récap', livre p. 48

4 **Vous travaillez dans un centre d'orientation. Vous recevez des personnes qui veulent des renseignements sur des formations. Écoutez leurs demandes et proposez-leur la formation la mieux adaptée.**

LE + STRATÉGIE

Pour enrichir mon vocabulaire, j'essaie de placer un même mot dans des contextes différents.

Fiche 1

Master professionnel « culture, patrimoine, tourisme » - Université de Marseille

■ Une formation spécialisée de deux années sur les métiers de la culture, des arts et du patrimoine avec une option « Développement touristique des territoires ». Nous offrons la possibilité à des étudiants intéressés par la culture et le tourisme de devenir de futurs spécialistes en développement territorial et en valorisation économique de sites culturels et patrimoniaux en France et à l'étranger.

Fiche 2

Licence Langues étrangères appliquées - Université Paris Diderot

■ Ce diplôme propose différents parcours correspondant à une combinaison de langues et à un ensemble de matières d'application spécifiques. Selon le parcours choisi, cette formation permet donc l'accès à une grande variété de domaines professionnels : échanges internationaux, traduction, interprétation, management interculturel.

Fiche 3

Le bilan de compétence

■ Pour changer de branche d'activité, évoluer dans votre entreprise, retrouver un emploi ou simplement pour prendre conscience de vos aptitudes et de vos motivations, le cabinet « formation et orientation » vous propose un bilan complet et personnalisé en une semaine. Tests psychologiques, entretiens avec nos conseillers, simulations… Nous vous aidons à trouver votre voie et à construire un projet professionnel qui vous corresponde.

Fiche 4

Institut d'administration des entreprises - Formation continue Import/Export à distance

■ Ce diplôme s'adresse aux personnes qui doivent gérer les opérations d'importation et d'exportation, s'entretenir avec des interlocuteurs au-delà des frontières nationales et conduire les opérations commerciales à l'international sous tous leurs aspects. Il est composé d'un module « techniques de commerce international », un module « marketing et stratégie de l'innovation » et un module « langues et cultures des marchés internationaux ».

a. Dialogue 1. Pablo : ....

b. Dialogue 2. Éléna : ....

c. Dialogue 3. Rémi : ....

GRAMMAIRE Le participe passé

→ Point Grammaire, livre p. 40

5 Complétez les phrases avec la forme correcte du participe passé du verbe « étudier ».

a. J'ai surtout .... seule, à la maison.
b. Ces événements, nous les avons .... pendant les cours d'histoire au lycée.
c. Vous avez .... les mathématiques à l'université ?
d. L'économie n'est .... qu'à partir de la seconde.
e. Les écrivaines ne sont pas assez .... à l'école.
f. Cette pièce de théâtre est .... dans tous les collèges.

6 Complétez l'article suivant en utilisant le participe passé des verbes : « venir », « lire » et « étudier ».

Claudia Ryes fait beaucoup parler d'elle en cette rentrée littéraire avec la parution de son ouvrage *Enquête dans les multinationales agroalimentaires.*

Les Bonnes feuilles. : Madame Ryes, parlez-nous de votre domaine d'études : comment êtes-vous (1) .... à la sociologie ?

C. R. : C'est une discipline que j'ai d'abord (2) .... au lycée. En terminale, nous avons (3) .... quelques auteurs importants pour la préparation au baccalauréat. Ensuite, j'ai (4) .... en licence de Sociologie, et à partir de la 3e année de fac, avec les autres étudiants nous nous sommes lancés dans des enquêtes en milieu professionnel.

Les Bonnes feuilles. : C'est comme ça qu'avec votre mari, vous êtes (5) .... vous installer à Marseille ?

C. R. : Oui. Avant de cibler mon champ de recherche sur les entreprises agroalimentaires, ce sont les pêcheurs que j'ai (6) .... Un milieu passionnant.

CONJUGAISON

7 Vous avez une minute pour mettre chaque participe passé ci-dessous dans une phrase.

- rencontr**és**
- motiv**ée**
- découver**t**
- sort**is**

LEXIQUE La formation professionnelle

→ Point Récap', livre p. 48

8 Complétez les phrases en choisissant la bonne proposition. 

Cécile est **(employée / chômeuse / cadre)**. Elle fait **(un métier / une formation / un atelier)** en alternance. Cela signifie qu'elle a **(des cours / des vacances / un bureau)** dans un centre de formation une partie du temps et qu'elle travaille l'autre partie **(dans son entreprise / à la maison / sur Internet)**. À la fin de ses études, elle aura **(une attestation / un curriculum vitae / un diplôme)** mais aussi une solide expérience **(professionnelle / de la vie / de l'université)**.

LE + STRATÉGIE

Pour enrichir mon vocabulaire, je cherche des documents (texte, audio ou vidéo) sur Internet en rapport avec le thème que j'étudie.

GRAMMAIRE Les temps du passé

→ Point Grammaire, livre p. 40

9 Placez les phrases du texte dans la colonne qui convient.

(1) Depuis 10 ans, Marc se rendait à l'hôpital sans beaucoup de motivation. (2) Il avait fini ses études à 26 ans et était devenu médecin au service des urgences. (3) C'était une tradition dans sa famille : son père était médecin, sa grand-mère également. Même sa sœur travaillait dans un cabinet vétérinaire. (4) À presque 40 ans, il a décidé de changer de carrière. (5) Marc s'est inscrit à un atelier d'écriture. Il a commencé un roman et a obtenu l'année dernière le prix Goncourt des lycéens. (6) Il ne s'en était pas rendu compte mais cette passion ne l'avait jamais quitté.

Description ou habitude	Actions(s) ponctuelle(s) ou limitées dans le temps	Action antérieure à une action passée

10 Choisissez les phrases qui conviennent le mieux pour reconstituer la présentation de l'université Jean Moulin Lyon 3.

a.

☐ Depuis 1932, l'une des 22 manufactures des tabacs françaises **s'était trouvée** à Lyon, dans le 8e arrondissement.

☐ Depuis 1932, l'une des 22 manufactures des tabacs françaises **se trouvait** à Lyon, dans le 8e arrondissement.

☐ Depuis 1932, l'une des 22 manufactures des tabacs françaises **s'est trouvée** à Lyon, dans le 8e arrondissement.

b.

☐ L'ingénieur Joseph Clugnet l'**avait construite** au début du XXe siècle.

☐ L'ingénieur Joseph Clugnet la **construisait** au début du XXe siècle.

☐ L'ingénieur Joseph Clugnet l'**a construite** au début du XXe siècle.

c.

☐ En 1987, la production **s'était arrêtée** et la ville **avait décidé** de transformer le bâtiment en campus pour l'université Jean Moulin Lyon 3.

☐ En 1987, la production **s'arrêtait** et la ville **décidait** de transformer le bâtiment en campus pour l'université Jean Moulin Lyon 3.

☐ En 1987, la production **s'est arrêtée** et la ville **a décidé** de transformer le bâtiment en campus pour l'université Jean Moulin Lyon 3.

LEXIQUE Les jeux

→ Point Récap', livre p. 48

11 Il existe de nombreux types de jeux. Écoutez les publicités radio de six jeux différents et dites à quelle catégorie ils appartiennent. (piste 13)

LE + STRATÉGIE

Pour enrichir mon vocabulaire, je décline le mot sous différentes formes : nom, verbe, adjectif, etc.
Par exemple « jeu », « joueur », « joueuse », « jouer »...

Type de jeu	Jeu de culture générale	Jeu d'aventure	Jeu de cartes	Jeu de construction	Jeu de simulation	Jeu sportif
Publicité n° :						

GRAMMAIRE Le gérondif

→ Point Grammaire, livre p. 40

12 Complétez ces proverbes et ces citations en mettant le verbe entre parenthèses au gérondif.

a. « Apprends .... (pleurer) et tu gagneras .... (rire). » *Proverbe espagnol*
b. « C'est .... (travailler) qu'on s'instruit, c'est .... (chercher) qu'on trouve. » *Proverbe cambodgien*
c. « On ne devient pas amoureux .... (dénicher) la personne parfaite mais .... (apprendre) à connaître parfaitement quelqu'un d'imparfait. » *Sam Keen, auteur américain*
d. « On peut gagner .... (perdre) et perdre .... (gagner). » *Charles de Gaulle, président de la République français*
e. « Elle disait, en effet, qu'on ne joue bien qu'.................... (jouer) avec son cœur. » *Anatole France, auteur français*
f. « Qui vit .... (s'amuser) vit plus longtemps. » *Daniel Desbiens, auteur québécois*

13 Complétez les phrases comme dans l'exemple.

Exemple : Julie a appelé le centre d'orientation ; c'est comme ça qu'elle a trouvé une formation.
→ Julie a trouvé une formation en appelant le centre d'orientation.

Belal a fait un BTS en informatique. C'est comme ça qu'il a appris son métier. L'année dernière, il cherchait une formation sur Internet. C'est là qu'il a découvert **les MOOC.** Belal travaillait toute la semaine mais il a quand même pu étudier. Quand on lui demande de nous parler de sa formation, il explique : « C'était très intéressant. Je pouvais apprendre de nouvelles techniques et ensuite, dans mon entreprise, je les testais. Et puis je suis resté chez moi pour étudier : c'était très pratique ». Aujourd'hui, il a obtenu une nouvelle qualification. C'est ce qui lui a permis de devenir responsable de l'équipe des développeurs au sein de son entreprise.

a. Belal a appris son métier ....
b. L'année dernière, il a découvert les MOOC ....
c. Belal a pu étudier ....
d. Il apprenait de nouvelles techniques ....
e. Il a étudié..
f. Belal est devenu responsable de l'équipe des développeurs ....

CONJUGAISON

14 Décrivez cette scène en utilisant un maximum de participes présents. Vous avez une minute.

COMPRÉHENSION ORALE La formation à distance

15 Écoutez le document puis complétez les phrases en choisissant la bonne proposition. 14

Il existe **(beaucoup de / quelques / aucune)** formation(s) à distance pour devenir ingénieur ; elles s'adressent d'abord à des **(professionnels / étudiants / africains)** qui veulent compléter leur formation. **(Il existe / Il n'existe pas / Il existe peu)** de formation d'ingénieur entièrement à distance. La formation 2iE de Ouagadougou est un diplôme de **(BTS / Licence / Master)** en Ingénierie de l'eau et de l'environnement. On ne va à l'université que pour **(les cours pratiques / les cours de français / les cours sur l'ingénierie)** et **(l'inscription / les examens / récupérer son diplôme)**.

16 Écoutez à nouveau le document. Parmi les affirmations suivantes, lesquelles correspondent à la formation à distance « 2iE » ? 14

- ☐ **a.** Les cours sont faciles.
- ☐ **b.** On accède directement au Master sans aller à l'Université.
- ☐ **c.** La formation revient moins chère.
- ☐ **d.** La formation dure deux ans.
- ☐ **e.** Il n'y a pas d'examens.
- ☐ **f.** Le diplôme est reconnu.

17 Réagissez ! Quelle est votre expérience de l'apprentissage, de l'école, des études ? Comment avez-vous accordé votre vie d'étudiant(e) et votre vie professionnelle, votre vie familiale ou personnelle ? Est-ce que vous encourageriez d'autres personnes à suivre le même parcours que vous ? Expliquez pourquoi.

LEXIQUE Le numérique

→ Point Récap', livre p. 48

18 Écoutez puis retrouvez la définition des mots d'après le document audio. 15

a. Classe virtuelle
- ☐ Cours d'informatique en formation à distance.
- ☐ Reproduction sur Internet d'une salle de classe.
- ☐ Salle de classe dans laquelle on travaille sur ordinateur.

b. Tuteur
- ☐ Objet qui sert à maintenir, supporter un autre objet, par exemple une plante.
- ☐ Responsable légal d'un enfant qui n'a plus ses parents.
- ☐ Personne qui encadre, encourage, les étudiants dans une formation à distance.

c. Menu
- ☐ Liste des plats que vous pouvez commander dans un restaurant.
- ☐ Synonyme de petit, frêle. Par exemple, une jeune fille toute menue.
- ☐ Ensemble des outils ou des fonctions que l'on peut utiliser dans un logiciel.

d. Chat
- ☐ Mammifère, animal domestique de la famille des félidés.
- ☐ Logiciel de discussion instantanée sur Internet.
- ☐ Site de rencontre sur Internet.

LE + STRATÉGIE

Pour enrichir mon vocabulaire, lorsque j'apprends un nouveau mot, en particulier dans le vocabulaire lié au numérique, je recherche ses homonymes.

e. Cliquer

☐ Utiliser la souris pour sélectionner quelque chose sur un écran.
☐ Vider la corbeille de son ordinateur.
☐ Faire du bruit, résonner.

f. Tableau virtuel

☐ Support pour présenter un document avec un ordinateur et un projecteur, lors d'une réunion par exemple.
☐ Tableau que l'on utilise en salle de classe pour montrer des supports numériques aux élèves.
☐ Espace que l'on utilise dans une classe virtuelle pour montrer des documents aux étudiants connectés ou prendre des notes au fur et à mesure du cours.

GRAMMAIRE La négation

→ Point Grammaire, livre p. 40

19 Complétez les phrases avec l'élément de négation qui convient.

plus - jamais - personne - aucun - nulle part - rien - ne/n'

a. J'ai commencé ma formation lundi. Parmi les étudiants, je .... connaissais ....
b. .... cours .... m'a autant appris que celui-là.
c. Je ne comprends pas : j'ai cherché le professeur partout. Je .... l'ai vu ....
d. Tu te trompes : ça fait longtemps que les dinosaures .... existent .... !
e. Je ne connais pas les États-Unis. Je .... y suis .... allée.
f. .... me fera changer d'avis : je pars faire mes études au Brésil !

20 Complétez les phrases avec les éléments de négation qui conviennent.

Envoyer Discussion Joindre Adresses Polices Couleurs Enr. brouillon

Chère nouvelle étudiante,
« Edu-web » (1)......... est (2) .... un site de rencontre, (3)......... une plateforme de jeu en ligne. Les étudiants (4)......... se connectent (5)......... pour obtenir des cours, (6)......... pour déposer des devoirs. Ce (7)......... est qu'un réseau d'entraide : on peut y déposer des documents intéressants, trouver d'autres étudiants pour faire des travaux en groupe ou demander des explications sur le forum lorsqu'on (8)......... a (9)......... compris une partie du cours. Les règles sont très strictes : on (10)......... peut (11)......... diffuser un sujet d'examen, (12)......... critiquer les enseignants ou d'autres étudiants. Les trolls (13)......... sont (14)......... acceptés : ils sont automatiquement et définitivement exclus.
Bonne navigation et belle année universitaire !
L'administrateur

CONJUGAISON

21 Utilisez les verbes proposés avec les deux auxiliaires « être » et « avoir » pour décrire vos activités et celles de vos proches ces derniers jours.

Exemple : Retourner → Je suis retournée à l'école. J'ai retourné mon colis à la boutique.

monter – sortir – descendre – passer – rentrer

PHONÉTIQUE Les voyelles nasales

22 On analyse ! Observez les schémas des voyelles nasales et complétez le tableau avec les mots suivants.

ouverte - fermée - très ouverte - arrondies - tirées - tirées et arrondies - au milieu - en arrière - en avant

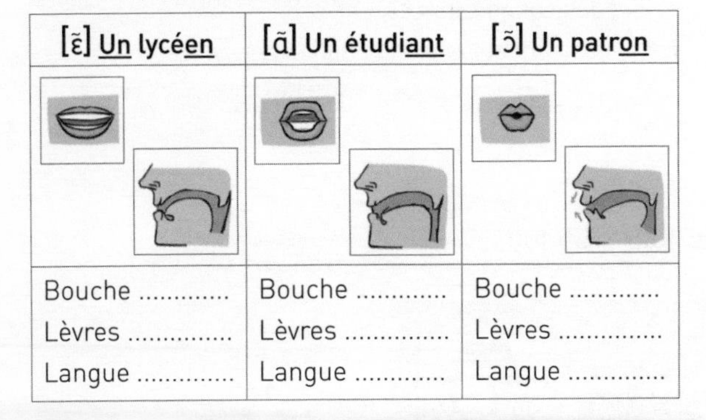

[ɛ̃] Un lycéen	[ɑ̃] Un étudiant	[ɔ̃] Un patron
Bouche	Bouche	Bouche ....
Lèvres	Lèvres	Lèvres ....
Langue	Langue	Langue ....

23 On fait la différence ! Cochez le(s) son(s) que vous entendez. 16

	[ɛ̃]	[ɑ̃]	[ɔ̃]
a.			
b.			
c.			
d.			
e.			

24 On bouge la bouche ! Écoutez et répétez. 17

a. La formation, c'est ma passion !
b. L'alternance, c'est tendance !
c. Internet, c'est très simple !
d. C'est une conférence intéressante.
e. Restez concentré un instant !

25 Phonie-graphie.

a. Retrouvez dans la grille 15 mots correspondant à l'apprentissage et au jeu et contenant une voyelle nasale.

alternance - compter - pion - lycéen - patron - point - Internet - étudiant - entreprise - amphithéâtre - formation - employé - jeton - collégien - expérience

a	m	p	h	i	t	h	é	â	t	r	e
l	c	a	f	o	r	m	a	t	i	o	n
t	o	p	p	r	l	e	p	n	n	e	t
e	m	p	l	o	y	é	a	p	t	t	r
r	p	i	d	r	c	e	t	o	e	u	e
n	t	o	e	n	e	j	r	i	r	d	p
a	e	n	o	j	e	t	o	n	n	i	r
n	r	u	a	n	n	t	n	t	e	a	i
c	o	l	l	é	g	i	e	n	t	n	s
e	x	p	é	r	i	e	n	c	e	t	e

b. Avec les lettres restantes, écrivez la formule en lien avec le thème de l'unité.

a _ _ _ _ _ _ _ _ _ _ _ _ _ _ _ t

c. Comment ça s'écrit ?

[ɛ̃] : .... [ɑ̃] : .... [ɔ̃] : ....

[ɛ̃] et [ɑ̃] ont une graphie commune. Laquelle ? ....

Qu'est-ce qui les différencie ici ? ....

PHONÉTIQUE La phrase déclarative

26 On analyse ! Écoutez, observez et complétez. 18

a. « cours – école – formation – information – université »
Un mot seul est accentué sur la .... syllabe.

b. « un cours – un cours de français
une école – une école de langue
une formation – une formation à distance
une information – une information importante
une université – une université renommée »
Un groupe de mots est accentué sur la .... syllabe.

c. « Je suis un cours de français dans une école de langue. J'étudie le français et l'anglais. »
Quand une phrase n'est pas terminée, la voix .... sur la syllabe accentuée.
Quand une phrase est terminée, la voix .... sur la syllabe accentuée.

27 **On fait la différence ! Dites si la phrase est terminée ou non.** 19

	terminée (↘)	pas terminée (↗)
a.		
b.		
c.		
d.		
e.		

28 **On bouge la bouche ! Écoutez et répétez.** 

a. Je postule pour un stage.
b. Je postule pour un stage en entreprise.
c. Je suis bénévole.
d. Je suis bénévole dans une association.
e. J'ai des connaissances.
f. J'ai des connaissances et de l'expérience.

PRODUCTION ORALE Expliquer les règles d'un jeu

29 **Vous allez expliquer les règles d'un jeu en plusieurs étapes. Dans un premier temps, observez l'image et choisissez la bonne proposition.**

a. C'est un jeu...
☐ de rôles. ☐ de plateau. ☐ vidéo.

b. On joue...
☐ en équipe. ☐ seul. ☐ contre un ordinateur.

c. Je suis...
☐ un détective. ☐ un héros. ☐ un criminel.

30 **Puis complétez l'image avec les légendes.**

a. moi - **b.** les indices - **c.** les flèches pour se déplacer - **d.** le propriétaire du tableau - **e.** les outils pour accéder à l'écran principal et aux différents lieux

31 **Quel est le but du jeu ? Cochez les propositions correctes.**

☐ **a.** Récolter des indices.
☐ **b.** Gagner des batailles.
☐ **c.** Construire une maison.
☐ **d.** Trouver des objets.
☐ **e.** Résoudre une énigme.
☐ **f.** Gagner des points.

32 **Imaginez maintenant les règles du jeu et expliquez-les à l'un de vos camarades. Vous préciserez la mise en place du jeu, l'utilisation des outils et le but du jeu.** 

PRODUCTION ÉCRITE Écrire une lettre de motivation

Le Quotidien / Rubrique EMPLOI - 12 octobre

La Cité des arts recrute un **community manager**.

Description du poste : La « Cité des arts » est une association dédiée à l'éducation artistique qui compte plus de 300 adhérents. Elle propose en semaine et le week-end des ateliers thématiques, événements, expositions, conférences, activités ludiques pour les enfants, etc. Très implantée dans la commune de Saint-Denis, elle souhaite aujourd'hui étendre son activité sur Internet et proposer à ses adhérents des rendez-vous interactifs.
En tant que community manager, vous aiderez l'équipe Web à concevoir la plateforme de la Cité des Arts et à imaginer un programme annuel d'activités et d'événements. Vous aurez la charge de son animation (mise en ligne de contenus, newsletter, organisation d'activités, concours, débats...) et de la modération des forums.
Profil recherché : Double compétence en arts et communication
Expérience d'au moins 3 ans dans un poste équivalent souhaitée. Diplômes ou certifications pertinentes.
Type de contrat : CDI
Candidature : envoyez votre CV et une lettre de motivation à :
La Cité des Arts, Service des ressources humaines, 17 rue Laferrière, Saint-Denis - La Réunion

33 Vous allez écrire une lettre de motivation en trois étapes. Premièrement, lisez l'offre d'emploi et choisissez le(s) diplômes et expérience(s) professionnelle(s) qui vous semblent pertinents pour le poste parmi les propositions suivantes.

Diplômes	Expériences
☐ **a.** Licence en Information et Communication de l'université Sorbonne Nouvelle	☐ **a.** Gestionnaire de réseaux informatiques dans une école supérieure de commerce
☐ **b.** Diplôme national d'arts et techniques à l'École nationale des Beaux-Arts de Lyon	☐ **b.** Chargé(e) de communication pour l'émission télé « D'art d'art »
☐ **c.** Master en Sciences économiques et gestion de l'université Lumière Lyon 2	☐ **c.** Tuteur pour le MOOC « Introduction aux technologies des médias interactifs numériques » du Conservatoire national des Arts et métiers
☐ **d.** BTS commerce international en formations à distance (Centre national d'enseignement à distance)	☐ **d.** Animateur petite enfance au centre de loisirs de Dijon

34 Puis entourez en bleu les aptitudes ou qualités professionnelles et en vert les qualités personnelles.

rigueur – gentillesse - capacité à travailler en équipe – ponctualité – générosité – sérieux - sens de l'humour – créativité – jovialité – modestie - sens de la communication - calme

35 À vous ! Sur une feuille séparée, rédigez une lettre de motivation pour candidater au poste de community manager pour la Cité des Arts de Saint-Denis. 

TAC AU TAC Exprimer son accord et son désaccord

36 Travail par deux. Choisissez chacun le document A ou B. Vous venez d'arriver à l'université et vous avez la possibilité de vous inscrire à des ateliers facultatifs. Vous avez sélectionné les trois qui vous intéressent le plus mais votre ami en a sélectionné trois autres. Expliquez pourquoi vous n'êtes pas d'accord.

A

Université de Pau et des Pays de l'Adour - Campus de Bayonne Inscription aux ateliers optionnels		
Sport - Pétanque Étudiants étrangers, débutants, vous voulez vous essayer au sport national ? Cet atelier est fait pour vous.	**Société - Actu et transitions** « Révolutions », « renversements », « réformes »... Les sociétés humaines sont en perpétuelle évolution. Analysons ensemble l'actualité, débattons, partageons nos expériences !	**Culture - Univers musicaux** Voyager dans d'autres temps ou espaces musicaux tel est l'objectif de cet atelier qui réapprend aux étudiants à écouter et à apprécier la musique.

Nom : .... Prénom : .... Numéro d'étudiant : .... Diplôme : ....
Choix des ateliers (par ordre de préférence) :
1 - .... 2 - .... 3 - ....

B

Université de Pau et des Pays de l'Adour - Campus de Bayonne Inscription aux ateliers optionnels		
Art - Danse S'exprimer par la danse, c'est ce que nous voulons vous enseigner dans cet atelier. Salsa, tango, break dance... vous apprendrez la technique mais aussi à accepter votre corps et à l'utiliser pour vous exprimer.	**Sport - Pelote basque** Un atelier indispensable à tous les étudiants qui veulent s'intégrer dans leur nouvel environnement et découvrir une vieille tradition d'un sport basque !	**Société - L'image** Sur Internet, dans les média papier ou télévisuels, l'image a pris une place considérable. De l'information à la manipulation, analysons ensemble le rôle des images dans notre compréhension du monde actuel.

Nom : .... Prénom : .... Numéro d'étudiant : .... Diplôme : ....
Choix des ateliers (par ordre de préférence) :
1 - .... 2 - .... 3 - ....

Culture

La pelote basque est un jeu qui consiste à jeter une pelote (balle) contre un mur principal, afin qu'elle retombe sur une surface définie. L'échange entre les joueurs continue jusqu'à ce qu'une équipe commette une faute ou n'arrive pas à relancer la pelote.

1 Compréhension écrite : l'apprentissage informel

Choisissez la proposition qui convient pour compléter les phrases.

Des quartiers à Internet : éducation populaire

Rencontre avec Gilles Calvez de l'Association EduPop

Gilles Calvez est artiste, formateur, animateur, tuteur... Mais plus simplement, il est « Nono » ; c'est le nom de scène qu'il s'est choisi pour mener ses activités d'éducation populaire. Quand on lui demande en quoi consiste le travail de l'association EduPop, il répond : « on se bat pour l'éducation de tout le monde tout au long de la vie. Notre but c'est l'émancipation des personnes, les rendre autonomes et indépendantes. La culture, le sport, la nature, les idées... Tous les moyens sont bons. Ici les gens sont éloignés des lieux de culture et de débat, alors on fait en sorte que la culture et les idées aillent vers eux ».

Depuis deux ans, l'association étend ses activités à Internet. Par exemple, Nono a créé un atelier « blogueurs » pour de jeunes lycéens et étudiants qui deviennent, 3 heures par semaine, apprentis journalistes. Sur la page du « ClichyBlog », ils publient chaque mois une dizaine d'articles et en quelques mois, le groupe est devenu un véritable comité de rédaction, comme dans un journal. Gilles explique que cette activité est une grande réussite : « les jeunes se sentent écoutés, ils ont des choses à dire, sur notre société, sur leurs vies et celles de leurs parents, sur leurs difficultés... Et en plus, sans s'en apercevoir, ils ont réappris à lire et à écrire. Certains d'entre eux étaient en difficulté à l'école. Avec le blog, ils ont fait beaucoup de progrès : je suis sûr que plusieurs deviendront journalistes plus tard... ».

La Dépêche de Clichy
Clichy, le 28 décembre

a. Nono, c'est :
- ☐ le nom d'un café.
- ☐ le pseudonyme de Gilles Calvez.
- ☐ le nom d'un groupe de musique.

b. EduPop est :
- ☐ une association éducative.
- ☐ un club artistique.
- ☐ une école spécialisée.

c. « S'émanciper » signifie :
- ☐ « s'instruire ».
- ☐ « se libérer ».
- ☐ « s'entraîner ».

d. EduPop s'adresse :
- ☐ à tout le monde.
- ☐ aux jeunes.
- ☐ aux étudiants.

e. Le « ClichyBlog » est :
- ☐ un réseau social sur internet créé par l'association EduPop.
- ☐ un magazine sur Internet qui parle du sport dans les banlieues populaires.
- ☐ un journal sur Internet écrit par les jeunes de l'association EduPop.

f. Pour les jeunes, l'éducation populaire :
- ☐ remplace l'école.
- ☐ change l'école.
- ☐ complète l'école.

2 Production orale : raconter son parcours

Vous êtes l'un des rédacteurs du ClichyBlog. Le journaliste de *La Dépêche de Clichy* vous demande de témoigner. Vous lui expliquez : 

- ce que vous a apporté le ClichyBlog, ce que vous avez appris ;

- ce que vous dites aux autres jeunes pour les convaincre de venir au ClichyBlog.

« Je suis rédacteur au ClichyBlog depuis un an... »

3 Développer son esprit critique

COMPRÉHENSION ÉCRITE L'intelligence en question

Et si on développait notre intelligence ?

Êtes-vous plutôt un matheux ou un littéraire ? C'est la question qui se pose pour de nombreux lycéens avant de choisir l'orientation de leurs études. Bien souvent, ce choix est dû à la croyance que notre cerveau est prédestiné à l'une ou l'autre des orientations. Certains seraient doués naturellement pour les maths, tandis que d'autres développeraient un esprit plus littéraire ou artistique.

Cette croyance, largement répandue, est pourtant fausse. Les élèves qui rencontrent des difficultés dans leur parcours scolaire ou qui vivent dans des milieux défavorisés en sont les premières victimes. Désignés comme « nul en maths », ils ont peu de chances de progresser dans cette matière.
Évidemment, certains génies, comme Albert Einstein, bénéficient d'un véritable don pour les maths. Mais avec un peu de travail et de confiance en soi, tous les élèves ont les mêmes chances de franchir avec succès l'épreuve du baccalauréat.

Malheureusement, cette idée reçue, comme celle qui dit que les filles ont moins de chances de réussite dans les domaines scientifiques, reste présente dans nos esprits et dans celui de certains professeurs. Pour combattre ces préjugés, des chercheurs en psychologie de l'université de Columbia ont mis en évidence le lien entre la réussite et la confiance en soi. Ils ont ainsi effectué une expérience en 2007 auprès d'étudiants défavorisés. Ces scientifiques ont persuadé ces jeunes que leur intelligence n'était pas limitée. Grâce à cette nouvelle confiance, les étudiants ont réussi à développer leurs compétences en maths et à obtenir de meilleurs résultats scolaires à force de travail et de motivation.

Source : Slate.fr, 2014

1 Choisissez-la ou les propositions correctes.

a. D'après le texte, pour être bon en maths, il faut :

☐ croire qu'on en est capable,

☐ avoir un cerveau spécial,

☐ être une fille,

☐ travailler.

b. « Je ne suis pas un matheux » signifie :

☐ « Je ne suis pas doué en maths »,

☐ « J'ai des difficultés scolaires »,

☐ « Je suis surdoué »,

☐ « Je suis un littéraire ».

c. Pour devenir un génie en maths :

☐ il faut seulement s'entraîner.

☐ il faut avoir des aptitudes particulières.

☐ il faut avoir le niveau du bac.

☐ il faut être issu d'une minorité.

2 Parmi ces propositions, lesquelles correspondent aux idées du texte ?

☐ **a.** Il y a des personnes qui sont douées en maths et d'autres qui sont douées en littérature. Ça dépend de notre cerveau.

☐ **b.** Certains préjugés peuvent défavoriser les enfants qui ne sont pas soutenus pendant leurs études.

☐ **c.** Tout le monde est capable de réussir l'épreuve de mathématiques au bac s'il fait des efforts.

☐ **d.** En général, les filles travaillent mieux que les garçons.

☐ **e.** Certains professeurs pensent inconsciemment que les filles ont moins de chance de réussite que les garçons en maths.

☐ **f.** Croire que l'on peut améliorer son niveau augmente les chances de réussite.

3 Agissez ! À l'aide des questions suivantes, écrivez un petit texte pour exprimer vos doutes et vos certitudes concernant les possibilités de développer son intelligence.

Peut-on utiliser 100 % des capacités de son cerveau ? Comment peut-on stimuler son cerveau et ses capacités d'apprentissage ? Comment peut-on stimuler sa mémoire ? Quelles sont les limites de notre cerveau ?

....

....

....

....

LEXIQUE La science

→ Point Récap', livre p. 68

4 À l'aide des expressions proposées, complétez cet article sur l'apprentissage des langues.

activée - aires - connaissances - compréhension - démontré - idée - potentiel

LE + STRATÉGIE

Pour enrichir mon vocabulaire, quand j'apprends un mot, j'observe par quel autre mot je pourrais le remplacer dans la phrase.
Exemple : La première est activée lors de la compréhension, la seconde est exploitée pour s'exprimer oralement.

Que fait notre cerveau quand il apprend une langue ?

Pour parler une langue étrangère, l'homme utilise deux (1) .... de son cerveau. La première est (2) .... lors de la (3) .... et la seconde est exploitée pour s'exprimer oralement. Cela explique pourquoi certains étudiants ont un meilleur (4) .... pour comprendre une langue, alors qu'ils ont des difficultés à s'exprimer à l'oral. Contrairement à une (5) .... reçue, les scientifiques ont (6) .... que si la langue a été apprise en immersion, les étudiants ne perdent pas leurs (7) .... linguistiques, même sans entraînement. Pour conclure, la manière dont on apprend une langue est plus importante que le temps que l'on passe à l'étudier.

GRAMMAIRE La forme passive

→ Point Grammaire, livre p. 60

5 Remettez les éléments dans l'ordre pour faire des phrases au passif.

a. observée / d'autres planètes. /est / sur / La présence d'eau

....

b. Un nouveau robot / a / par / créé / les ingénieurs français. / été

....

c. Mehdi / de sa grand-mère. / laissé / influencer / par / s'est / les superstitions

....

d. Les jeunes chercheurs / se / aider / des collègues expérimentés. / sont / fait / par

....

e. par / la communauté scientifique. / a / Le projet / approuvé / été

....

f. Ces observations / les scientifiques. / validées / n' / été / par /ont / pas

....

6 **À chaque époque ses inventions. Présentez les inventions suivantes en utilisant le passif.**

a. Les frères Montgolfier ont imaginé le ballon à air en France en 1783.
→ Le ballon à air ....

b. Le Français Louis Pasteur a découvert le vaccin contre la rage au XIXe siècle.
→ Le vaccin contre la rage ....

c. Karl Drais von Sauerbronn a réalisé la « première machine à courir assis », c'est-à-dire le vélo.
→ La « première machine à courir assis » ....

d. L'ingénieur écossais Baird a vendu les premières télévisions en 1930.
→ Les premières télévisions ....

e. Dans les siècles à venir, l'humanité habitera d'autres planètes.
→ D'autres planètes ....

CONJUGAISON

7 **Formez des groupes de trois ou quatre. Chacun propose une phrase à la voix passive pour raconter la suite d'une des deux histoires. Vous avez 1 minute.**

Histoire 1 : Début : Un petit chat a été trouvé par des enfants dans la rue.
Fin : Il a été adopté par une vieille dame du quartier.

Histoire 2 : Début : Un vélo a été volé pendant la nuit.
Fin : Le vélo a été retrouvé devant la maison du maire.

LEXIQUE Les croyances et les superstitions

→ Point Récap', livre p. 68

8 **Écoutez la présentation et complétez les phrases avec les expressions proposées.** 

malveillants - mauvais œil - symbole - jettent des sorts - porte bonheur - porte malheur

a. Au Maroc, manipuler de l'eau chaude la nuit ....

b. En Albanie, les jouets suspendus aux maisons chassent le ....

c. Le fer à cheval est un .... de chance, il protège la maison et .... à ses habitants.

d. Les sorciers peuvent être bons ou .... Ils .... ou soignent les malades.

LE + STRATÉGIE

Pour mémoriser du vocabulaire, j'essaye de me souvenir de la situation à laquelle le mot était associé quand je l'ai rencontré.
Exemple : un sorcier = les croyances de Zacharia

GRAMMAIRE Les signes de ponctuation

→ Point Grammaire, livre p. 60

9 **Écoutez le dialogue. Ajoutez les points, points d'interrogation, virgules, points d'exclamation et majuscules manquants dans le texte.** 22

« eh, marc... tu y crois toi à ces histoires de sorciers
— bah je sais pas... mon voisin m'a dit qu'on lui avait jeté un mauvais sort et que ça lui avait porté malheur pendant 3 ans

— vraiment Je veux bien croire qu'on puisse guérir des maladies avec des plantes mais créer du malheur avec quelques mots...
— pourquoi pas on ne sait jamais on en parle beaucoup dans les films alors ça doit bien exister quelque part
— les films c'est juste de l'imaginaire il ne faut pas tout confondre
— en attendant j'ai bien vu que tu avais toujours un trèfle à quatre feuilles dans ton portefeuille
— oui mais ça c'est différent c'est pour me porter chance financièrement »

10 Dramé écrit un message à son amie pour lui parler de sa visite à la Cité des Sciences. Complétez le mail avec les signes de ponctuation nécessaires.

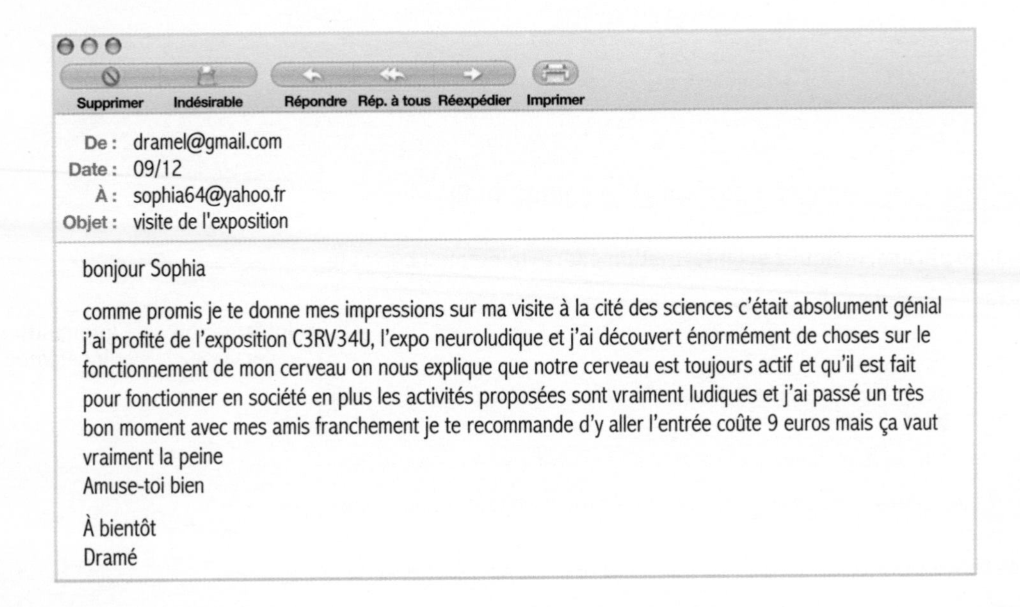

De : dramel@gmail.com
Date : 09/12
À : sophia64@yahoo.fr
Objet : visite de l'exposition

bonjour Sophia

comme promis je te donne mes impressions sur ma visite à la cité des sciences c'était absolument génial j'ai profité de l'exposition C3RV34U, l'expo neuroludique et j'ai découvert énormément de choses sur le fonctionnement de mon cerveau on nous explique que notre cerveau est toujours actif et qu'il est fait pour fonctionner en société en plus les activités proposées sont vraiment ludiques et j'ai passé un très bon moment avec mes amis franchement je te recommande d'y aller l'entrée coûte 9 euros mais ça vaut vraiment la peine
Amuse-toi bien

À bientôt
Dramé

LEXIQUE L'intelligence, les idées

→ Point Récap', livre p. 68

11 Lisez le texte et pour chaque proposition choisissez les expressions équivalentes.

« Eurêka (a) ! » C'est probablement ce qu'ont crié les chercheurs (b) du Wisconsin lorsqu'ils ont réussi à écrire un message sur Twitter sans leurs mains ni leur voix et uniquement à la force de leurs neurones (c). Cette idée originale est née de l'observation de personnes paralysées cherchant à communiquer avec leur entourage. Après une série d'exercices de pratique, la pensée du patient devient intelligible (d) pour les chercheurs. La réussite de ces recherches permettrait aussi de favoriser la créativité (e) d'autres scientifiques qui pourraient créer de nouvelles inventions (f) afin de faciliter la vie des personnes souffrant d'un handicap.

LE + STRATÉGIE

Pour bien comprendre un mot, j'essaye de trouver comment il est constitué.
Exemple : « intelligible » ressemble à « intelligent » mais la fin du mot « -ible » indique que c'est un adjectif qui contient le sens de « pouvoir ». Donc, cela signifie quelque chose « que l'on peut comprendre » comme « compréhensible » (comprendre + -ible).

a. Eurêka

☐ j'ai trouvé ☐ j'ai compris ☐ j'en ai assez

b. chercheurs

☐ inspecteurs ☐ scientifiques ☐ enseignants

c. à la force de leurs neurones

☐ grâce à leur intelligence ☐ grâce à leurs machines ☐ grâce à leur patience

d. intelligible

☐ vivante ☐ compréhensible ☐ rédigée

e. favoriser la créativité

☐ favoriser l'emploi ☐ financer la création ☐ donner des idées

f. inventions

☐ machines ☐ instructions ☐ aides

GRAMMAIRE L'événement incertain et le conditionnel passé

→ Point Grammaire, livre p. 60

12 Pour chaque phrase, indiquez si l'information est certaine ou incertaine.

	Information certaine	Information incertaine
a. Un grand nombre de Français auraient cherché des informations sur Internet avant d'aller consulter un médecin.		
b. La plupart des informations médicales transmises sur Wikipédia est erronée.		
c. Il semblerait que certaines maladies soient particulièrement coûteuses pour notre système de santé.		
d. Il est possible que la vaccination permette de réduire certains frais de santé.		
e. Les médecins affirment que fumer représente un vrai danger pour la santé.		
f. Il est indiscutable qu'Internet ne pourra pas remplacer les médecins.		

13 Vous êtes guide au Planétarium de Rennes. Vous présentez les dernières découvertes faites sur les planètes en distinguant les informations qui sont certaines de celles qui ne le sont pas. Complétez le discours avec les verbes au temps et au mode qui conviennent.

« D'après les dernières images satellites, il y (1) .... (**avoir - conditionnel**) de l'eau sur d'autres planètes. Pour les scientifiques, la présence d'eau indique qu'il (2) .... (**exister - conditionnel**) d'autres formes de vie. Il semblerait que certaines personnes (3) .... (**apercevoir - subjonctif**) régulièrement des objets ou des traces venues d'autres planètes. Certains affirment même qu'ils (4) .... (**voir - conditionnel passé**) des extra-terrestres. Cependant, les scientifiques restent prudents. La présence d'eau ne signifie pas qu'il existe d'autres animaux doués d'intelligence. Alors quelles (5) .... (**être - conditionnel**) ces autres formes de vie ? Il se pourrait que la suite des recherches nous (6) .... (**surprendre - subjonctif**) ! »

CONJUGAISON

14 Formez des groupes de deux. Vous commencez à raconter une histoire insolite en utilisant le conditionnel passé, l'autre personne réagit en utilisant des interjections ou en posant des questions brèves pour avoir plus d'information. Ensuite, vous échangez les rôles.

Exemple : « Tintin aurait été imaginé par les Japonais.
— Non, vraiment ? »

COMPRÉHENSION ORALE Expliquez-nous l'art contemporain

15 Écoutez l'émission de radio et répondez par vrai ou faux. 23

	Vrai	Faux
a. Tout le monde s'accorde à dire que l'art contemporain commence en 1945.	☐	☐
b. L'art moderne fait partie de l'art contemporain.	☐	☐
c. L'art contemporain souhaite se détacher des formes d'art traditionnelles.	☐	☐
d. En art contemporain, on peut aussi utiliser la vidéo ou le numérique.	☐	☐
e. Aujourd'hui, l'art contemporain est visible uniquement dans les galeries.	☐	☐

16 Écoutez la dernière partie de l'émission et répondez aux questions. 24

a. Combien a rapporté l'art contemporain entre juillet 2013 et juillet 2014 ?
☐ 20 millions de dollars
☐ 2 mille dollars
☐ 2 milliards de dollars

b. Comment peut-on expliquer cette tendance ?
☐ La France baisse les prix des œuvres contemporaines.
☐ La Grande-Bretagne réduit sa production de 2 %.
☐ Il y a de plus en plus d'acheteurs américains et chinois.

17 Réagissez ! Racontez à votre voisin une situation dans laquelle vous avez manqué d'inspiration (pour rédiger un devoir, pour faire une production artistique, pour préparer une surprise à un ami...). Expliquez ce que vous deviez faire et par quel(s) moyen(s) vous avez réussi à trouver des idées.

LEXIQUE L'art contemporain

→ Point Récap', livre p. 68

18 Vous êtes guide dans un musée d'art contemporain. Choisissez les mots qui conviennent pour compléter la présentation sur l'artiste française Niki de Saint Phalle.

LE + STRATÉGIE

Pour mémoriser plusieurs mots, je stimule ma mémoire à partir d'une image qui les évoque. J'essaye de me souvenir des idées et du vocabulaire pour les reformuler.
Exemple : J'observe *L'Arbre-serpent* de Niki de Saint Phalle et j'y associe les expressions : couleurs vives, symboliser, vitalité, influencer, composition...

« Alors, nous voici devant l'œuvre de Niki de Saint Phalle, *L'Arbre-serpent*. Niki a choisi des couleurs **(vives / ternes /sombres)** : du rouge, du jaune, du vert pour exprimer la joie. Les motifs de l'arbre et de la fontaine **(dessinent / symbolisent / sculptent)** la vitalité. La sensibilité de Niki de Saint Phalle lui a permis d'exprimer à travers **(ses courants / ses œuvres / ses fabrications)** des moments importants et difficiles de son enfance. Elle a été fortement **(déterminée / découragée / influencée)** par les nouveaux réalistes. *L'Arbre-serpent* a été exposé dans un décor du sculpteur Raoul Larche car les deux **(compositions / couleurs / lumières)** représentaient le même thème de l'innocence et de la joie de vivre. »

GRAMMAIRE L'expression de la certitude et du doute

→ Point Grammaire, livre p. 60

19 Dans les phrases suivantes, indiquez si on exprime une certitude ou un doute.

a. « Je ne crois pas qu'E.T. ait vraiment existé ...
— Moi non plus... »

☐ certitude ☐ doute

b. « Je doute qu'elle sache vraiment combien coûte cette œuvre d'art... »

☐ certitude ☐ doute

c. « À mon avis, il est évident qu'avec de tels résultats les scientifiques vont poursuivre leurs recherches sur la comète. »

☐ certitude ☐ doute

d. « Je ne suis pas sûr que tous les Français aient envie de voyager sur la lune. »

☐ certitude ☐ doute

e. « Je ne pense pas que nous soyons capables d'utiliser plus de 10 % de notre cerveau. »

☐ certitude ☐ doute

f. « Je crois qu'à l'avenir nous voyagerons facilement sur différentes planètes. »

☐ certitude ☐ doute

20 Transformez ces phrases comme dans l'exemple. Utilisez l'indicatif ou le subjonctif.

Exemple : Ces résultats sont exacts. (Le scientifique ne pense pas que)
→ Le scientifique ne pense pas que ces résultats soient exacts.

a. L'artiste a choisi les bonnes couleurs pour son tableau. (Je doute que)
→ ....

b. Le pass pour les musées permet de faire des économies. (Il est évident que)
→ ....

c. La visite du musée intéresse les enfants. (Le guide est certain que)
→ ....

d. À l'avenir, l'homme saura utiliser toutes les capacités de son cerveau. (Il est probable que)
→ ....

e. Les romans de cet écrivain ont beaucoup de succès. (Je ne crois pas que)
→ ....

f. La greffe du cœur a bien réussi. (Il semble que)
→ ....

PHONÉTIQUE L'enchaînement vocalique, l'enchaînement consonantique et la liaison interdite

21 On analyse ! Écoutez, observez et complétez 25

Paul Gauguin s'est installé à Tahiti en 1891.
Il aime peindre des scènes imaginaires.

Quand deux voyelles entrent en contact, on doit les prononcer dans le même souffle, mais dans deux syllabes (1) .... : c'est l'enchaînement (2) ....

Quand un mot se termine par une (3) .... prononcée et que le mot suivant commence par une (4) ...., une nouvelle syllabe orale est créée et la consonne du dernier mot devient le (5) .... du mot suivant : c'est l'enchaînement (6) ....
Attention à ne pas confondre l'enchaînement vocalique avec les semi-voyelles !

22 On fait la différence ! Dites si vous entendez un enchaînement consonantique ou un enchaînement vocalique. Précisez le nombre de syllabes orales prononcées. Puis complétez l'encadré. 26

	enchaînement consonantique	enchaînement vocalique	nombre de syllabes orales
a.			
b.			
c.			
d.			
e.			
f.			

Attention ! Quand la liaison est (1) .... , par exemple après un (2) .... ou un (3) .... , on fait selon le cas un enchaînement consonantique (des études intéressantes) ou vocalique (des données innovantes).

23 On bouge la bouche ! Écoutez et répétez. 27

a. C'est une croyance incroyable.
b. C'est un robot intelligent.
c. C'est une divinité égyptienne.
d. Ce sont des connaissances encyclopédiques.

24 Phonie-graphie. Notez les enchaînements consonantiques et vocaliques. Attention aux liaisons interdites. 28

Salvador Dali est né en Espagne en 1904. Lors de ses voyages à Paris, il rencontre André Breton et rejoint le groupe surréaliste. Ses thèmes de prédilection sont l'onirisme, la religion et la mort.

PHONÉTIQUE Intonation : la mise en relief

25 On analyse ! Écoutez, observez et complétez. 29

Comment sont mis en relief ces adjectifs ?
La (1) .... syllabe est plus (2) .... et plus (3) ...., et est prononcée sans (4) ....

- C'est un peintre extraordinaire !
- Ces couleurs sont incroyables !

26 On fait la différence ! Écoutez et cochez quand les adjectifs sont mis en relief. Puis complétez l'encadré. 30

a. ☐ **c.** ☐ **e.** ☐
b. ☐ **d.** ☐ **f.** ☐

Attention ! Quand un adjectif qui commence par une voyelle n'est pas mis en relief, on fait un enchaînement (1) .... si le mot précédent finit par une voyelle, et (2) .... s'il finit par une consonne prononcée.

27 On bouge la bouche ! Écoutez et répétez. 31

a. C'est une peinture abominable !
b. Cette invention est insensée !
c. Cette œuvre est incompréhensible !
d. C'est un artiste exceptionnel !
e. Quelle extraordinaire composition !

PRODUCTION ORALE — Commenter une œuvre d'art

28 Vous allez apprendre à commenter une œuvre d'art en plusieurs étapes. Dans un premier temps, indiquez à quelle partie de la présentation chaque information appartient.

a. Adel Abdessemed est un artiste contemporain franco-algérien.

b. *Le Coup de boule de Zidane* est une sculpture représentant le joueur de foot en train de frapper son adversaire de la tête.

c. La statue en bronze fait 5 mètres de haut.

d. La statue a engendré une forte polémique notamment dans le milieu footballistique.

e. L'œuvre s'inspire du geste de Zidane pendant un match en 2006.

f. Le capitaine de l'équipe de France a demandé le retrait de la statue. Il redoute qu'elle ne transmette une image négative de l'équipe.

Contexte de l'œuvre	Description de l'œuvre	Accueil de l'œuvre par le public

29 Puis dites si ces commentaires sont positifs ou négatifs.

	Positif	Négatif
a. Le public a été impressionné par cette statue originale.		
b. La matière met en valeur les traits des deux footballeurs.		
c. L'expression réaliste des visages fait réfléchir les spectateurs.		
d. Il est possible que l'artiste ait manqué d'inspiration.		
e. Je suis convaincu que cette sculpture a été créée pour attirer l'attention sur l'artiste plutôt que pour montrer un vrai talent.		
f. Cette statue trop polémique a été refusée par différents musées.		

30 Maintenant à vous d'utiliser les éléments proposés pour décrire et commenter l'œuvre de François Morellet.

Description :
installation
néons - sur le sol - en l'air

Courant artistique :
minimalisme - peu de matériaux

Volonté de l'artiste :
ordre et désordre
lumière - chocs visuels

L'avalanche, François Morellet, 1996.

PRODUCTION ÉCRITE Rédiger un fait divers

31 **Vous allez rédiger un fait divers en plusieurs étapes. Dans un premier temps, lisez l'article et associez chaque élément en gras à une catégorie du fait divers.**

Une œuvre d'art brûlée dans un évier

Un dessin du célèbre peintre Georges Seurat a été dérobé **pendant le vernissage de l'exposition au Grand Palais**. Alors que tous les invités dévoraient les petits-fours et buvaient du champagne, **un des employés du traiteur** engagé pour l'occasion, met le dessin de Seurat ***Le cocher et son fiacre*** sous son bras. Le vol n'est remarqué que le jour suivant par **le gardien du musée** qui s'aperçoit de la disparition de l'œuvre de petite dimension. L'œuvre est, cependant, invendable aux enchères puisque le vol est signalé dès le lendemain. Craignant d'être arrêtée par la police, la femme du voleur décide de faire disparaître le dessin. Elle le dépose **dans son évier** et y met **le feu**, entraînant ainsi **la disparition d'une des œuvres** de l'artiste.

L'agresseur	La « victime »	Les circonstances	L'élément insolite	L' « arme »	Le témoin	La conséquence

32 **Puis remettez les éléments de ce fait divers dans l'ordre.**

Une chèvre saute du premier étage d'un immeuble

a. L'homme pense tout d'abord à une blague et n'imagine pas qu'il s'agit d'un animal vivant.

b. Le propriétaire explique alors que la chèvre vit dans son appartement depuis quelques jours en attendant que son véritable propriétaire qui ne voulait pas le laisser seul revienne de vacances.

c. Hier soir, dans la banlieue de Lyon, Maxence Fontaine est témoin d'une scène pour le moins surprenante. Alors qu'il sort les poubelles, une chèvre apparaît au balcon du premier étage et se jette dans le vide.

d. Mais celui-ci bêle avant de se relever sans paraître blessé.

e. Des vacances en ville qui ne semblent pas déplaire à l'animal qui semble s'être bien adapté à la vie en appartement.

f. Étonné, Maxence ouvre la porte de l'immeuble pour retrouver le propriétaire de l'animal, mais contre toute attente, la chèvre s'engouffre dans le hall d'entrée et se précipite jusqu'au premier étage.

1	2	3	4	5	6

33 **À vous ! Écoutez et à partir des informations entendues, rédigez un fait divers sur une feuille séparée.** 

TAC AU TAC Décrire une inspiration

34 Travail par deux. Un objet peut avoir plusieurs utilisations quotidiennes ou insoupçonnées. Stimulez votre imagination ! Quelles sont toutes les utilisations que l'on peut faire de cet objet ? Chacun votre tour, exposez un usage auquel vous pensez. Celui qui ne trouve plus d'usage a perdu. Vous avez deux minutes.

Exemple :

a. Un crayon sert à écrire.

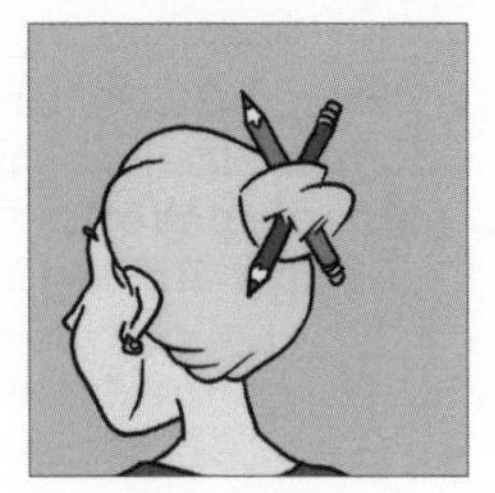

b. Mais aussi à attacher ses cheveux en chignon.

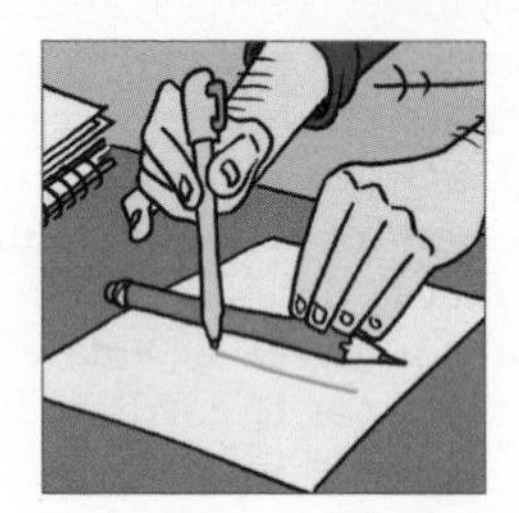

c. Il peut être utilisé comme une règle pour tracer un trait.

d. On utilise des crayons pour se maquiller.

A

Un balai

B

Une bouteille

1 Compréhension orale : les nouvelles technologies

Écoutez le document et répondez. 33

a. Quel est le thème principal de l'émission ?

☐ Le rôle des robots pour lutter contre la pollution.

☐ Le rôle des téléphones portables dans notre quotidien.

☐ Le rôle des nouvelles technologies dans notre vie.

b. Pour chaque personne interrogée, indiquez si elle est plutôt d'accord ou non avec l'affirmation suivante : « Les nouvelles technologies sont indispensables dans notre vie ».

	Plutôt d'accord	Plutôt pas d'accord
Personne 1		
Personne 2		
Personne 3		
Personne 4		

2 Production écrite : exprimer des degrés de certitude

Vous êtes chercheur et vous venez de tester un nouveau robot. Ce robot peut allonger les bras pour saisir quelque chose, se déplacer et parler. Il est destiné à faciliter le quotidien des personnes âgées. Vous écrivez un mail au fabricant pour lui faire part de vos doutes et de vos certitudes concernant l'intérêt de cette machine. Vous demandez des précisions concernant le fonctionnement du robot. Illustrez vos réflexions à l'aide d'exemples. (Environ 150 mots)

Décrypter ses identités

COMPRÉHENSION ÉCRITE L'identité numérique

L'identité numérique

Pourquoi et comment en parler ?

Les enseignants se questionnent sur le concept de l'identité numérique. [...] Comment prévenir les élèves que leur image virtuelle se construit souvent à leur insu sans qu'ils en mesurent les véritables enjeux ?

Karine Thonnard, de la Fédération des établissements de l'enseignement privé (FEEP) se passionne pour la question de l'identité numérique. Elle rencontre ponctuellement des groupes de parents pour les informer sur le sujet et répondre à leurs interrogations. « Notre identité sur Internet dépend autant de ce que nous faisons que de ce que nous disons, affirme-t-elle. On laisse tous des traces volontaires, c'est ce que l'on dit publiquement. On laisse tous des traces involontaires, et cela se produit chaque fois qu'on se branche. Nous devons aussi tous vivre avec les traces héritées des autres, c'est-à-dire ce qu'ils diffusent à notre sujet ».

Les habitudes des 0 à 17 ans doivent être revisitées, car cette clientèle représente au moins 15 % des usagers des médias sociaux. « Et ils n'utilisent pas que des ordinateurs, précise madame Thonnard. Ils possèdent des appareils mobiles. Si l'utilisation des technologies est en croissance exponentielle[1], l'âge des utilisateurs est en décroissance. »

Or, il s'avère que le jeune public est réticent à entendre un message de prévention. Des vidéos comme *Une fois que c'est affiché, c'est permanent* sont pourtant à l'image de ce qui se passe chaque semaine dans les écoles secondaires du Québec. « En conférence, plusieurs parents me confient que leurs enfants ne les laissent pas regarder ce qu'ils font sur la Toile, ajoute-t-elle. Pourtant, en agissant ainsi, les parents se trouvent à cautionner[2] des actes qui sont interdits par la Loi. »

Madame Thonnard croit qu'il est inutile de bloquer l'accès à tous ces réseaux quand les jeunes sont bien informés (et c'est même inutile, puisqu'ils sont nombreux à être abonnés au réseau 3G sur leur appareil mobile). Pour que l'éducation aux bons usages devienne un levier plutôt qu'un fardeau, elle suggère d'informer, de faire réfléchir et d'accompagner.

Et on n'insistera jamais assez sur l'importance de bien connaître les personnes avec qui ils échangent des informations : les amis des amis de leurs amis sont-ils vraiment des amis ?

Infobourg, mai 2011.

[1] rapide

[2] donner son accord

1 Lisez le texte et répondez aux questions.

a. Quels sont les thèmes principaux de ce texte ?

☐ La construction de l'identité numérique chez les jeunes.

☐ La prévention face aux dangers d'Internet.

☐ Le conflit entre les parents et leurs enfants à propos d'Internet.

☐ L'interdiction aux réseaux sociaux pour les moins de 17 ans.

b. Comment comprenez vous la phrase : « Pourtant, en agissant ainsi, les parents se trouvent à cautionner des actes qui sont interdits par la Loi. »

☐ Ne pas regarder ce que fait son enfant sur le net, c'est respecter son intimité.

☐ Ne pas regarder ce que fait son enfant sur le net, c'est accepter qu'il consulte des sites illégaux.

☐ Ne pas regarder ce que fait son enfant sur le net, c'est respecter la Loi.

2 Répondez par vrai ou faux.

	Vrai	Faux
a. Les marques de notre passage sur Internet sont aussi laissées par les autres.	☐	☐
b. Les adolescents écoutent et comprennent les messages de prévention.	☐	☐
c. L'utilisation des nouvelles technologies est en augmentation.	☐	☐
d. Les utilisateurs des nouvelles technologies sont de plus en plus vieux.	☐	☐
e. Il est conseillé d'interdire l'accès à internet même si les jeunes sont bien informés.	☐	☐

3 Agissez ! Parlez de votre expérience sur Internet. Quel genre d'internaute êtes-vous ? À partir des éléments ci-dessous, quelles traces laissez-vous sur Internet ? Qu'en pensez-vous ?

....
....
....
....
....
....
....
....
....
....
....
....
....
....

Profession
mon métier et où je travaille

Identité
nom, prénom, âge

Loisirs
mes passions

Coordonnées
adresse, e-mail, téléphone

Connaissance
ce que je sais

Avatars
mon apparence

Publications
ce que je partage

Expression
ce que je dis

Réseau
qui je connais

Opinions
mes avis et ce que j'aime

Réputation
ce qu'on dit sur moi

Achats
mes achats sur internet

LEXIQUE L'identité

→ Point Récap', livre p. 88

4 Vous êtes journaliste et avez enregistré le témoignage de Philippe. Écoutez et complétez votre article avec les mots suivants. (34)

libre - s'accomplir - être reconnu - un rôle - identité - s'identifier

LE + STRATÉGIE
Pour éviter les répétitions d'un même mot, je recherche des synonymes lorsque j'écris.

Témoignage

Il se fait appeler « Philippe » et il est argentin.

Il y a cinq ans, Philippe a commencé à apprendre le français. Sa famille ne comprenant pas cette langue, il découvre qu'il peut s'exprimer plus librement en écrivant en français. À la fin de ses cours, Philippe décide de créer un blog sous une nouvelle (1) .... et de continuer à écrire en français : « La vie privée de Monsieur Tout le Monde. ». Grâce à ses récits, Philippe se sent plus (2) .... Pourtant, rien de particulier sur son blog, il raconte son quotidien, ses joies et ses peines. Le blog est suivi par de très nombreux lecteurs, sans doute justement parce qu'il ne raconte rien de particulier ; « Monsieur Tout le Monde » peut donc facilement (3) .... à Philippe ! C'est aussi une façon pour Philippe d' (4) .... À travers le regard de ses lecteurs, notre blogueur peut donc (5) .... en tant qu'auteur, même si Philippe reste modeste. Philippe, « Monsieur Tout le Monde », joue (6) .... sur la toile à moins que cela ne soit dans la vie...

GRAMMAIRE Les indicateurs de temps

→ Point Grammaire, livre p. 80

5 Choisissez les indicateurs de temps qui conviennent pour compléter la biographie d'Amin Maalouf.

Amin Maalouf, né le 25 février 1949 à Beyrouth, est un écrivain franco-libanais. **(Pendant / Depuis)** son enfance, il est allé à l'école au Liban. Son père était auteur, professeur et journaliste. **(Pendant / Il y a)** des années il va se consacrer à l'étude de la sociologie et des sciences économiques à Beyrouth. **(En /Dans)** 1976, Amin Maalouf décide de partir avec sa famille pour la France et devient rédacteur en chef du journal *Jeune Afrique*. **(Cela fait / Depuis)** maintenant quelques années qu'il a décidé de se consacrer à la littérature, sa passion. Cette diversité de culture se retrouve dans ses œuvres. Son roman, *Le rocher de Tanios*, obtient le prix Goncourt **(pendant / en)** 1993 et *Les identités meurtrières* le Prix Européen de l'essai Charles Veillon en 1999. **(Depuis / Il y a)** 2011, il est membre de l'Académie française.

6 Écoutez ce témoignage et reliez les éléments pour former les phrases correspondantes. 

1. En 2008	**a.** ils ont terminé leurs études.
2. Voilà un an qu'	**b.** Léa et Julien se mettent en couple.
3. Pendant cinq ans	**c.** ils feront un grand voyage.
4. Depuis quelques mois	**d.** le couple fait les vendanges.
5. Chaque année	**e.** ils font des petits boulots.
6. Dans quatre ans	**f.** ils travaillent.

LEXIQUE Les origines

→ Point Récap', livre p. 88

7 Écoutez et associez les personnes à leur témoignage. 

Kamel - Yaya - Alissa

a. Cette personne est française d'origine étrangère.

→ ....

b. Ils sont de nationalité étrangère, mais les enfants de cette personne sont scolarisés en France et s'adaptent très vite à cette culture.

→ ....

c. Cette personne possède une double culture et pense que c'est une richesse.

→ ....

d. Grâce à son père et à sa mère, cette personne a des origines diverses.

→ ....

e. Cette personne vit une crise identitaire.

→ ....

f. Cette personne a immigré avec sa famille dans un nouveau pays.

→ ....

LE + STRATÉGIE

Pour vérifier ma compréhension du lexique, j'essaie à mon tour de parler de mes origines en utilisant le vocabulaire entendu.

GRAMMAIRE La comparaison

→ Point Grammaire, livre p. 80

8 Complétez le texte avec les mots suivants.

plus - moins - autant - différents - le plus - comme - que

Greet est d'origine hollandaise et son mari Peter d'origine américaine. Ils vivent en France depuis quinze ans. Leurs deux enfants ne se ressemblent pas du tout. Ils sont très (1) .... (2) .... âgé, Milan a (3) .... d'énergie (4) .... sa petite sœur Allison. Il est (5) .... sportif (6) ....elle. Il aime les sports acrobatiques comme le skate et ne reste pas en place ! Si Allison est (7) .... dynamique (8) .... son frère, elle a (9) .... de qualités. Elle aime la peinture et la musique. Elle est tout le temps en train de danser. Et, (10) .... son frère, elle a beaucoup de caractère ; ils savent ce qu'ils veulent !

9 Vous cherchez un logement à Bordeaux. Lisez le texte et comparez les deux quartiers dans le tableau en suivant l'exemple.

À Bordeaux : vous êtes plutôt quartier Mériadeck ou Saint-Michel ?

Vous êtes à la recherche d'un logement à Bordeaux et vous hésitez entre deux quartiers. Notre agence en a sélectionné deux, Saint-Michel et Mériadeck, deux quartiers qui représentent une identité forte de Bordeaux. Elle les a comparés pour vous.

• Comme Saint-Michel, Mériadeck est un quartier de Bordeaux dans le Sud-Ouest de la France. La similarité s'arrête là.

Quartier des années 1960-1970, le quartier de Mériadeck possède de nombreuses barres d'immeubles typiques de cette époque qui sont aujourd'hui beaucoup critiquées. On y trouve des services de proximité : banques, services publics, écoles, centre commercial.

• Le quartier Saint-Michel est un vieux quartier aux origines commerçantes et artisanales avec des rues et des maisons plus anciennes. Si Mériadeck offre de meilleures prestations en matière de services publics, Saint-Michel est plus vivant et plus coloré. Cosmopolite, ce dernier offre une importante diversité culturelle. En effet, de nombreux immigrés et étudiants étrangers viennent s'y installer.

Deux quartiers qui ne se ressemblent décidément pas !

Mériadeck	Saint-Michel
Exemple : Services de proximité : Il y a un plus grand nombre de services à Mériadeck qu'à Saint-Michel.	
Diversité culturelle :	Diversité culturelle : ....
Vie de quartier :	Vie de quartier : ....
Services publics :	Services publics : ....
Catégorie d'habitations :	Catégorie d'habitations : ....

LEXIQUE La chirurgie esthétique

→ Point Récap', livre p. 88

10 Écoutez et retrouvez le titre correspondant à chaque témoignage. 

a. Un nouveau nez

b. La beauté ne sert à rien

c. Une jeunesse retrouvée

d. Mincir a changé ma vie

e. Un résultat surprenant

LE + STRATÉGIE

Pour mémoriser un mot, j'essaye de l'associer à des situations de la vie quotidienne.

1	2	3	4	5

GRAMMAIRE L'hypothèse

→ Point Grammaire, livre p. 80

11 Lisez les hypothèses suivantes et choisissez la phrase dont le sens correspond.

a. Si Adrien part rejoindre sa femme aux États-Unis, il devra apprendre l'anglais.
- ☐ Adrien apprendra l'anglais quand il partira aux États-Unis.
- ☐ Adrien apprend l'anglais avant de partir aux États-Unis.
- ☐ Adrien apprendra l'anglais dans le cas où il partirait aux États-Unis.

b. Si Maria commence à écrire un nouveau blog, elle prendra un pseudonyme.
- ☐ Maria utilise un pseudonyme sur son blog.
- ☐ Le jour où Maria commencera à écrire un blog, elle utilisera un pseudonyme.
- ☐ Maria ne veut pas utiliser de pseudonyme sur son blog.

c. Si Hind et Swann avaient un bateau, ils feraient le tour du monde.
- ☐ Hind et Swann vont acheter un bateau pour faire le tour du monde.
- ☐ Avec un bateau, Hind et Swann pourraient faire le tour du monde.
- ☐ Sans bateau, Hind et Swann pourraient faire le tour du monde.

d. En allant au Portugal, Bruno découvrirait ses origines.
- ☐ Bruno peut découvrir ses origines si un jour il part au Portugal.
- ☐ Bruno n'a pas besoin d'aller au Portugal pour découvrir ses origines.
- ☐ Bruno est déjà allé au Portugal pour découvrir ses origines.

e. Si mon père m'avait appris sa langue maternelle, j'aurais pu être bilingue.
- ☐ Mon père va m'apprendre sa langue maternelle et je serai bilingue.
- ☐ Mon père ne m'a pas appris sa langue maternelle, je ne suis pas bilingue.
- ☐ Mon père m'apprendra peut-être sa langue maternelle.

f. Si Alexia n'avait pas été d'origine grecque, elle ne serait jamais allée dans ce pays.
- ☐ Alexia n'est pas d'origine grecque et elle n'est pas allée dans ce pays.
- ☐ Alexia est d'origine grecque et elle ira peut-être dans ce pays.
- ☐ Alexia est d'origine grecque, elle est déjà allée dans ce pays.

12 Voici un sondage pour l'émission *Besoin de changer de vie*. Choisissez une seule réponse pour chaque question puis formulez une hypothèse comme dans l'exemple.

Exemple : Si vous pouviez changer de métier, lequel serait-il ?

☑ médecin ☐ professeur ☐ peintre ☐ autre : ....

Si *je pouvais changer de métier, je serais médecin.*

Besoin de changer de vie a besoin de votre avis.

Répondez à notre sondage et renvoyez-nous vos réponses à l'adresse suivante : sondage@besoindechanger.fr

Nom : .... Prénom : .... Âge : ....

a. Si vous aviez la possibilité de changer un élément de votre vie, lequel changeriez-vous ?

☐ Votre travail ☐ votre lieu d'habitation ☐ votre mode de vie ☐ autre : ....

Si ....

b. Si vous pouviez réaliser un rêve, lequel choisiriez-vous ?

☐ voyager dans l'espace ☐ avoir des enfants ☐ être chef d'entreprise ☐ autre : ....

Si ....

c. Si vous pouviez changer d'identité, qui seriez-vous ?

☐ Scarlett Johanson ☐ Karim Benzema ☐ Barack Obama ☐ autre : ....

Dans le cas où ....

d. Si vous pouviez imaginer un meilleur monde, quel serait-il ?

☐ un monde sans violence ☐ un monde plus libre ☐ un monde sans travail ☐ autre : ....

Si ....

CONJUGAISON

13 Vous avez une minute pour formuler des hypothèses en vous mettant à la place de ces personnes.

COMPRÉHENSION ORALE Portraits d'expatriés

14 Écoutez l'émission et choisissez les propositions correctes. (Plusieurs réponses possibles) 38

a. Sandrine Mercier et Michel Fonovich ont écrit un livre. Quel est son titre ?
- ☐ *28 portraits d'expatriés étrangers : ils sont partis vivre ailleurs*
- ☐ *28 portraits d'étrangers : ils vivent ailleurs.*
- ☐ *28 portraits d'expatriés français : ils sont partis vivre ailleurs.*

b. Quels sont les critères que les expatriés doivent remplir pour faire partie du livre ?
- ☐ être envoyé à l'étranger par son entreprise.
- ☐ avoir de belles photos pour illustrer sa vie d'expatrié.
- ☐ avoir le goût du risque.

15 Écoutez à nouveau et répondez par vrai ou faux. 38

	Vrai	Faux
a. Ce livre explique les raisons qui nous poussent à partir vivre à l'étranger.	☐	☐
b. François-Adrien est parti faire du ski au Népal.	☐	☐
c. François-Adrien envoie des produits locaux du Népal vers la France.	☐	☐
d. François-Adrien a décidé de vivre chez des paysans au Népal.	☐	☐
e. François-Adrien s'est installé au Népal et a ouvert une fromagerie.	☐	☐
f. Les marchés locaux n'ont pas beaucoup de succès, François Adrien a décidé d'y renoncer.	☐	☐

16 Réagissez ! Et vous, si vous pouviez changer de vie, dans quel pays aimeriez-vous vivre ? Pour quelles raisons et qu'y feriez-vous ?

LEXIQUE Un changement de vie

→ Point Récap', livre p. 88

17 Lisez ce message d'un forum et associez les mots à leur définition.

s'accomplir - être épanoui - un mal-être - faire le grand saut - avoir le besoin de - quitter son employeur

FORUM : jesuispapa.com

| le 20/02/16 | 19 : 11 |

Jeune Papa : Je viens d'avoir mon troisième enfant. Je bosse comme un fou pour une grosse entreprise et j'ai des responsabilités importantes, ce qui ne me laisse pas beaucoup de temps pour mes enfants. Je voudrais quitter mon employeur.
J'ai toujours voulu faire un travail qui me permette de concilier vie privée et vie professionnelle, mais difficile de faire autrement. Depuis quelque temps, je ressens un mal-être quotidien avec l'envie de changer de métier, de changer de vie.
J'ai besoin de profiter de mes enfants car le temps passe si vite ! M'accomplir en tant que père est vraiment important pour moi. Quitte à gagner moins mais à être plus épanoui. Mais j'ai peur de faire le grand saut.
Certains d'entre vous l'ont-ils fait ? Et quel métier ? J'attends vos témoignages.

a. .... : une sensation de malaise physique et mental
b. .... : se réaliser dans un projet
c. .... : être bien, serein et heureux
d. .... : éprouver la nécessité, le désir
e. .... : franchir une étape importante
f. .... : partir de son entreprise

LE + STRATÉGIE

Pour retenir une expression, je cherche à l'associer avec une définition précise.

GRAMMAIRE Les pronoms relatifs composés

→ Point Grammaire, livre p. 80

18 Écoutez Yoko et choisissez le pronom relatif qui convient pour chaque phrase. 39

a. La grand-mère de Yoko est la personne **(avec laquelle / à laquelle)** elle s'entend le mieux.
b. Sa grand-mère est aussi la personne **(grâce à laquelle/ en laquelle)** elle a appris la cérémonie du thé.
c. La cérémonie du thé est un art de vivre **(duquel /auquel)** Yoko est très sensible.
d. C'est un art de vivre **(dont / de qui)** Yoko a besoin pour se sentir proche de ses racines.
e. L'harmonie, le respect et la sérénité sont des valeurs **(auxquelles / lesquelles)** Yoko est très attachée.
f. Ces enseignements **(lesquels / dont)** Yoko tire un grand apaisement, lui permettent de plonger au cœur de la culture asiatique.

19 Hans témoigne de son changement de vie grâce à un relooking. Complétez le texte avec des pronoms relatifs.

« Quand je suis arrivé à l'agence de relooking, je ne me sentais pas très bien dans ma peau. J'ai parlé de mes attentes (1) ...., Sylvie, professionnelle du relooking, a su répondre. Elle s'est occupée de moi et a été très à l'écoute. C'est un look plus dynamique avec une touche d'originalité, (2) .... j'avais envie. Une image (3) .... je me sens plus proche, des vêtements (4) .... je pourrais révéler ma véritable identité. Sylvie m'a donné de nombreux conseils (5) .... j'ai prêté beaucoup d'attention. Je suis très satisfait du résultat. Je remercie Sylvie (6) .... je me sens plus heureux aujourd'hui !

Hans, 28 ans, Metz. »

PHONÉTIQUE Le [ə] muet et l'assimilation de deux consonnes

20 On analyse ! Observez les schémas de la voyelle [ə], complétez le tableau avec les mots suivants.

fermée - arrondies - en avant

[ə] je suis reconnu !
Bouche plus ou moins .... Lèvres .... Langue ....

21 On fait la différence ! Cochez en fonction de ce que vous entendez. 40

	[ə]	[ə] barré
a.		
b.		
c.		
d.		
e.		
f.		

22 On bouge la bouche ! Écoutez et répétez. 41

a. Je me suis fait refaire le nez.
b. Je vais me faire refaire les pommettes.
c. Je suis adepte de chirurgie !
d. Je suis vraiment déçu !
e. C'est franchement décevant !

23 Phonie-graphie. Écoutez et répondez aux questions. 42

a. Comment ça s'écrit ? [ə] : ....
b. Dans quel cas doit-il être prononcé ?
....
c. Dans quels cas peut-il ne pas être prononcé ?
....
d. Dans quel cas ne doit-il pas être prononcé ?
....

PHONÉTIQUE Le registre familier et les ellipses

24 On analyse ! Écoutez et observez. Barrez ce qui n'est pas prononcé. 43

Je viens d'Italie et je n'ai toujours pas la nationalité française. Ils ne veulent pas me la donner. Il faudrait que je passe un test de français, pour la naturalisation. C'est un test qui est difficile, il y a plein de questions. Et c'est quoi, votre nationalité, à vous ?

25 Dans le texte de l'exercice 24, quels types d'ellipses relevez-vous ?

....
....
....

26 On bouge la bouche ! Écoutez et répétez. 44

a. Il n'y a pas de travail dans mon pays.
b. Il faudrait qu'il change de vie.
c. Je ne parle jamais de mes racines.
d. Je veux parler de ma propre histoire.
e. Depuis que je suis petit, je suis mal dans ma peau.

27 On fait la différence ! Cochez les phrases prononcées dans un style familier. 45

a. ☐ **c.** ☐ **e.** ☐
b. ☐ **d.** ☐ **f.** ☐

PRODUCTION ORALE Faire un portrait

28 Vous allez faire un portrait en deux étapes. Dans un premier temps, écoutez le portrait et répondez aux questions. 46

a. Quelle phrase permet d'introduire une personne ?
☐ « Né le 12 janvier 1949, l'auteur japonais mondialement connu, Haruki Murakami, est un enfant solitaire et inquiet. »
☐ « En 1974, il ouvre une boîte de jazz qui s'appellera d'ailleurs le Peter Cat. »
☐ « Les chats sont aussi très présents dans sa littérature. »

b. Quelle phrase permet d'évoquer son parcours ?
☐ « Il fume soixante cigarettes par jour et prend du poids. »
☐ « En 1981, il se déclare brusquement écrivain, vend sa boîte de jazz et se met à sa table d'écriture. »
☐ « Mais la course lui permet aussi de développer sa patience et d'aller au fond de sa véritable nature. »

c. Quelle phrase donne des caractéristiques physiques et/ou morales ?
☐ « Il décide alors de se mettre à la course à pied. »
☐ « Haruki Murakami a très tôt une passion pour les chats. »
☐ « Grâce à la course à pied il acquiert ténacité et persévérance, des qualités nécessaires au travail d'écriture. »

d. Qu'utilise l'animatrice radio pour rendre plus vivant son portrait ?
☐ Elle fait la liste des événements qui ont marqué la vie d'Haruki Murakami.
☐ Elle cite un passage du livre d'Haruki Murakami.
☐ Elle parle de sa passion pour les chats.

29 Sur le modèle du portrait de Haruki Murakami, faites maintenant le portrait de votre écrivain préféré.

PRODUCTION ÉCRITE Écrire un passage autobiographique

30 Vous allez écrire un passage autobiographique en trois étapes. Lisez le texte puis dites à quel élément de l'écriture autobiographique les extraits appartiennent. Plusieurs réponses sont possibles.

Né en 1975 à Toulouse, je viens d'une famille modeste et je suis fils unique. Mon père était cheminot et ma mère était femme au foyer. J'ai des origines bretonnes du côté paternel et basques du côté maternel.
Je suis très brun, comme ma mère et j'ai les yeux aussi bleus que mon père. Mais je suis beaucoup plus grand que mon père et plus costaud aussi. J'ai hérité de la forte personnalité de mes parents : volonté, détermination et courage ! Je ne me laisse pas facilement marcher sur les pieds ! Quand j'étais petit, je me relevais à chaque fois que je tombais sans pleurer ! Mes parents m'ont toujours soutenu. Aujourd'hui, nous sommes toujours très proches.

	Évoquer ses origines	Faire une description physique ou morale	Se comparer	Raconter un souvenir
a. Né en 1975 à Toulouse, je viens d'une famille modeste...				
b. J'ai des origines bretonnes du côté paternel et basques du côté maternel.				
c. Je suis très brun, comme ma mère et j'ai les yeux aussi bleus que mon père.				
d. J'ai hérité de la forte personnalité de mes parents : volonté, détermination et courage !				
e. Quand j'étais petit, je me relevais à chaque fois que je tombais sans pleurer !				

31 Puis indiquez les temps utilisés pour chaque élément.

a. Évoquer ses origines : ....

b. Faire une description physique ou morale : ....

c. Se comparer : ....

d. Raconter un souvenir : ....

32 Sur une feuille séparée, faites maintenant votre autoportrait en vous comparant à des membres de votre famille.

TAC AU TAC Faire une description physique

33 Travail par deux. Qui est-ce ? Vous choisissez une personne de la famille Safrani et votre partenaire aussi. Vous devez deviner quel personnage votre partenaire a choisi en utilisant la comparaison dans votre question. Vous répondrez uniquement par oui ou non. Attention si vous ne faites pas de comparaisons vous passez votre tour !

Exemple : — Ton personnage est-il plus vieux que Tiphanie ? — Non.

1 Compréhension écrite : le prénom comme identité

Lisez le texte et répondez.

Choisir le prénom de son futur enfant

Vous cherchez un prénom original ? Vous ne souhaitez pas que votre enfant ait l'air de « Monsieur tout le monde » ? Rappelez-vous qu'il va l'entendre à l'école, puis plus tard au travail. Alors évitez un prénom qui donnera lieu à des moqueries ! Son identité va se construire avec le prénom que vous lui aurez choisi. Il est donc important de bien réfléchir sur ce choix.

- Le choix du prénom peut correspondre tout simplement à une envie, une préférence, mais il peut aussi être l'occasion de rappeler à l'enfant ses origines.

- Choisir un prénom lié à une croyance religieuse par exemple, comme Marie ou Mohamed, marquera fortement l'identité de votre enfant. Par ailleurs, en fonction des convictions religieuses, le deuxième ou troisième prénom peut être donné par le parrain ou la marraine.

- L'histoire familiale peut également motiver votre choix. Le prénom d'un parent permet souvent de perpétuer une tradition et l'identité de votre enfant sera ainsi toujours associée à ses racines. Quant au choix d'un prénom étranger, il peut aussi être le reflet d'un monde cosmopolite.

Alors rappelez-vous un prénom, c'est pour la vie ! Ce prénom sera le reflet de l'identité de votre enfant et aussi de sa personnalité.

1. Quels sont les thèmes principaux de ce texte ?

☐ Les nouvelles tendances en matière de prénoms.
☐ La réflexion autour du choix du prénom d'un enfant.
☐ Des prénoms étranges donnés aux enfants.
☐ La construction de l'identité d'un enfant par son prénom.

2. Répondez par vrai ou faux

	Vrai	Faux
a. Certains prénoms peuvent être compliqués à porter à l'âge adulte.	☐	☐
b. Choisir un prénom, c'est déjà commencer à la construction d'une personnalité.	☐	☐
c. Le texte conseille l'originalité en matière de prénom.	☐	☐
d. Le choix ne peut pas avoir de rapport avec la religion d'après le texte.	☐	☐
e. L'histoire familiale peut jouer un rôle dans le choix du prénom.	☐	☐

2 Production orale : parler d'identité

Observez le dessin. À votre tour racontez l'histoire de votre prénom. Qui l'a choisi ? Pourquoi ? Connaissez-vous son origine ?

5 Vivre une révolution

COMPRÉHENSION ÉCRITE Marche pour le climat

Marche pour le climat à Paris : « Chefs d'État, agissez ! »

Le Monde.fr | 21.09.2014 | Audrey Garric

L'événement se tenait dans le cadre d'une marche mondiale pour le climat, autoproclamée « plus grande mobilisation citoyenne jamais organisée sur l'enjeu climatique ». Plus de 2 500 défilés étaient prévus dans 158 pays, de Melbourne à New York, en passant par New Delhi, Berlin, Londres et Vancouver. [...]

Pour ce qu'ils considèrent comme une « première étape », dimanche, les marcheurs – dont une partie avait préféré le vélo – ont défilé de la place de la République jusqu'au parvis de l'Hôtel de Ville au son des tambours, percussions et autres sifflets.

Beaucoup arboraient sur la poitrine des autocollants avec des cœurs verts, l'emblème de la marche, ainsi que des t-shirts, pulls, vestes ou pantalons aux couleurs de la nature. Certains tenaient des panneaux où était inscrit « Climat en danger », « Chefs d'État du monde, agissez ! » ou « Changeons le système, pas le climat », tandis que d'autres scandaient, moqueurs, « Sauvons la Terre et pas les actionnaires ». [...]

Anne, 22 ans, en études d'agronomie, et sa cousine Clémence, 15 ans, en 1re scientifique dans un lycée agricole, sont ainsi venues « sensibiliser les Parisiens aux enjeux climatiques et environnementaux pour qu'ils s'impliquent dans la défense de la planète ». « Cela avance lentement mais sûrement », espèrent-elles, maquillées d'un cœur vert sur la joue. [...]

Tous, surtout, notent la difficulté de mobiliser la société civile. « On est venus à pied à la manif et sur le chemin, on a essayé de rameuter les passants, mais en vain », regrette Caroline Blondeau, qui a amené son fils Camille, âgé de 6 ans. « J'ai un optimisme modéré sur le fait de parvenir à réveiller l'opinion publique, reconnaît Gilles, physicien au CNRS. Il y a eu une vraie prise de conscience avec le sommet de Copenhague en 2009. Mais depuis, avec la crise économique, les enjeux climatiques et environnementaux ont été relégués au second plan. Ils ne sont plus au cœur des préoccupations des gens. » [...]

« Oui, il faut mobiliser la société civile et changer les mentalités », assure l'ancienne ministre et députée EELV* de Paris Cécile Duflot, « mais changer de modèle de développement est un choix éminemment politique. »

*EELV : Europe Écologie Les Verts

1 Lisez le texte et répondez par vrai ou faux.

	Vrai	Faux
a. La marche pour le climat du 21 septembre 2014 était internationale.	☐	☐
b. La marche pour le climat a lieu chaque année.	☐	☐
c. Les gens qui ont défilé sont tous militants dans un parti écologique.	☐	☐
d. Les manifestants s'adressaient autant aux gouvernements qu'aux citoyens.	☐	☐
e. Il est difficile de réunir beaucoup de monde pour défendre l'écologie.	☐	☐
f. Les questions économiques intéressent moins que les sujets écologiques.	☐	☐

2 Retrouvez dans le texte les trois expressions synonymes de « changer la façon de penser ».

....

3 **Agissez ! Un rassemblement a lieu dans votre ville pour défendre une cause qui vous tient à cœur ou qui vous indigne. Vous rédigez un court texte à publier sur Internet pour encourager vos contacts à se joindre à vous. Expliquez de quoi il s'agit et pourquoi il faut se mobiliser, quels sont vos rêves pour une meilleure situation.**

....

....

....

....

LEXIQUE Une révolution citoyenne

→ Point Récap', livre p. 108

4 **Associez chaque mot extrait de la pétition à la définition qui convient.**

LE + STRATÉGIE

Pour enrichir mon vocabulaire, je liste les expressions qui utilisent un mot identique. Par exemple, « crise sociale », « mesure sociale », « mouvement social » ; « crise économique », « crise politique », « crise de nerfs », « crise d'appendicite »...

- Pétition -

1 000 voix de parisiens pour des logements décents !

En 10 ans, le prix des logements à Paris a explosé de 40 %. De nombreuses familles ont dû brusquement quitter leurs appartements pour déménager loin du centre ou limiter leurs dépenses de santé, d'éducation, de loisirs, pour supporter ces hausses de prix. On assiste à une véritable crise sociale dans la capitale devenue la deuxième la plus chère du monde. Il est temps de réagir !

Nous, parisiens, associations, citoyens engagés... demandons aux responsables politiques de mettre en place une profonde réforme de l'immobilier, de résister aux lois du marché et de nous assurer un droit au logement.

Je signe :

a. 1 000 voix de parisiens
- ☐ Sons produits par les êtres humains.
- ☐ Chemins qui mènent à un endroit précis.
- ☐ Opinions exprimées par un vote.

b. le prix des logements a explosé
- ☐ Augmenter de façon importante et soudaine.
- ☐ Éclater, se briser.
- ☐ Réagir brutalement lorsque l'on est en colère.

c. une véritable crise sociale
- ☐ Période de difficultés, de dysfonctionnement.
- ☐ Malaise psychologique ou physique.
- ☐ Façon de parler très fort lorsqu'on est en colère.

d. citoyens engagés
- ☐ Qui ont un travail.
- ☐ Qui viennent d'intégrer l'armée.
- ☐ Qui prennent position sur des sujets politiques ou sociaux.

e. une profonde réforme de l'immobilier
- ☐ Retour à une situation ancienne.
- ☐ Changement établi par la loi.
- ☐ Action qui consiste à modifier l'apparence d'un objet.

f. droit au logement
- ☐ Ensemble de règles appliquées par la justice.
- ☐ Taxe qui donne l'autorisation d'utiliser quelque chose (une image, un texte d'auteur...)
- ☐ Possibilité d'accomplir une action ou de bénéficier d'un bien essentiel.

GRAMMAIRE Le futur proche et le futur simple

→ Point Grammaire, livre p. 100

5 Classez les verbes soulignés selon qu'ils expriment un futur proche (certain) ou un futur éloigné (incertain).

Des hologrammes pour mieux communiquer ?

L'hologramme, cette technologie qui permet de faire flotter une image en trois dimensions comme si elle était suspendue dans l'air, sera bientôt disponible sur nos téléphones.

« Maitre Jedi » pourra-t-il bientôt se projeter en trois dimensions via nos téléphones ? C'est le projet sur lequel les ingénieurs d'une société californienne vont travailler dans les prochains mois. L'hologramme est déjà passé de nos écrans de cinéma à la réalité ; mais cette fois, c'est une technologie miniature que l'on implantera dans nos smartphones. Concrètement, vous appellerez votre interlocuteur et, grâce à un mini-projecteur, son image apparaîtra, flottant au-dessus de votre écran. Cette innovation va-t-elle révolutionner notre façon de communiquer ? Ça reste encore à prouver…

Agence techno presse

a. futur proche (certain) : ....

b. futur éloigné (incertain) : ....

6 Observez les images et complétez les phrases correspondantes avec la forme du futur qui convient.

a. Quand est-ce que vous .... (recevoir) notre télé 3D ?

b. Un jour, je .... (pouvoir) me téléporter pour te rejoindre…

c. Pff… J'espère que dans l'avenir on .... (se déplacer) sans chevaux.

d. Tu as vu ? Ils .... (faire tomber) leur gouvernement !

e. D'ici 80 ans, nous .... (être) 15 milliards d'humains sur terre.

f. Tu .... (ne pas croire) ce que ce gars raconte !

a

b

c

d

e

f

CONJUGAISON

7 Rédigez en une minute cinq phrases sur le modèle suivant, en utilisant un verbe au futur proche et un verbe au futur simple.

Un jour, je sauverai le monde mais pour le moment je vais aller prendre une douche.

LEXIQUE Une révolution technologique

→ Point Récap', livre p. 108

8 Écoutez le document et retrouvez les mots ou expression correspondant aux définitions suivantes. 47

a. Personnes qui utilisent Internet pour faire avancer leurs idées : ....

b. Personne qui imagine, qui crée quelque chose de nouveau : ....

c. Alliance de la biologie et des techniques nouvelles : ....

d. Technique de conception de robots : ....

e. Conférence sur Internet : ....

f. Introduire quelque chose de nouveau : ....

Retrouvez, dans les mots définis, deux préfixes et deux suffixes qui permettent de construire des termes liés aux nouvelles technologies.

Préfixes : .... Suffixes : ....

LE + STRATÉGIE

Pour enrichir mon vocabulaire, je me tiens au courant des mots nouveaux ! Chaque année, les dictionnaires publient la liste de leurs nouvelles entrées. Je les cherche sur Internet.

GRAMMAIRE Le futur antérieur

→ Point Grammaire, livre p. 100

9 Dites dans quel ordre se produiront les évènements énoncés dans les phrases suivantes, placez les verbes soulignés dans les colonnes « D'abord » et « Ensuite ».

À votre avis, en quoi la technologie est-elle au cœur de la lutte écologique ?

Caroline : Quand les ingénieurs auront inventé le moteur à énergie positive, nous n'aurons plus besoin du pétrole. Voilà pourquoi la technologie doit se consacrer à la préservation de l'environnement !

Farid @Caroline : Et surtout nous pourrons mieux respirer quand nous aurons développé l'énergie éolienne, l'énergie marine…

Roberto : J'espère bien que ma maison ne consommera plus autant d'électricité quand j'aurai installé des panneaux solaires ! D'autres inventions comme celle-là sont indispensables à la lutte contre le réchauffement climatique.

Émilie @Roberto : Je suis d'accord avec toi ! Le jour où notre eau sera chauffée grâce au soleil, nos factures d'électricité seront moins chères et la planète sera en meilleur état !

Claire : Lorsque mon rêve de téléportation sera réalisé, je n'utiliserai plus l'avion : un bon point contre la pollution non ?

Lam @Claire : Encore mieux : une fois que les humains se seront installés sur Mars, nous serons moins nombreux sur la planète ! ;)

D'abord	Ensuite

10 **Complétez le texte en conjuguant les verbes au temps qui convient : imparfait, passé composé, futur simple ou futur antérieur.**

Vous croyez vivre une révolution technologique ? Pourtant nos ancêtres rêvaient à autre chose. Quand ils (1) .... **(imaginer)** le futur, ils voyaient des voitures volantes : nous n' (2) .... **(avoir)** que des voitures électriques. La vraie révolution (3) .... **(venir)** quand nous (4) .... **(inventer)** des véhicules qui (5) .... **(s'élever)** dans les airs et surtout quand les ingénieurs les (6) .... **(rendre)** non polluants !

CONJUGAISON

11 **Imaginez votre futur, celui de votre famille ou de vos amis. Rédigez cinq phrases en une minute sur le modèle suivant.**

Quand nous aurons acheté notre maison, nous ne consommerons que les fruits et légumes du jardin.

LEXIQUE Une révolution économique

→ Point Récap', livre p. 108

12 **Complétez le texte avec les mots suivants. Puis trouvez dans le texte un synonyme d'« échange ».**

marché - inégalités - monnaies - travail - services - valeur

Synonyme : ....

LE + STRATÉGIE

Pour enrichir mon vocabulaire, j'essaye de toujours décliner les acronymes. Ex. : SEL, Système d'Échange Local ; ONG, Organisation Non Gouvernementale ; SCOP, Société COopérative et Participative...

Des « SEL » pour une économie alternative

Échanger des biens et des (1) .... sans passer par les circuits financiers habituels ? C'est désormais possible grâce aux « systèmes d'échange locaux ».

Concrètement, les SEL sont des associations qui permettent d'utiliser des (2) .... alternatives (fleurs, noix de coco, grains de sel, etc.) en calculant les prix, non plus selon les règles du (3) .... mais en fonction du temps passé à réaliser l'objet ou le service rendu. Par exemple, une heure de cours de chant aura la même (4) .... qu'un meuble fabriqué en une heure.

Ce système de troc permet à toute une partie de la population d'accéder à des services qu'elle ne pourrait pas se payer : une façon intelligente de limiter les (5) .... tout en rémunérant le (6) .... à sa juste valeur.

Renseignez-vous sur http://www.selidaire.org/ pour créer votre propre SEL !

GRAMMAIRE L'opposition et la concession

→ Point Grammaire, livre p. 100

13 Dites si les phrases suivantes expriment une opposition ou une concession.

	Opposition	Concession
a. Tout le monde est d'accord sur le danger que représente le changement climatique mais personne ne semble vouloir prendre les mesures nécessaires.	☐	☐
b. Bien que les richesses soient de plus en plus importantes, la pauvreté ne cesse d'augmenter.	☐	☐
c. Contrairement à ce que disent les partis libéraux, le marché libre n'a jamais vraiment existé.	☐	☐
d. Alors que la planète produit deux fois de quoi nourrir la population, on compte plus de 800 millions de personnes sous-alimentées.	☐	☐
e. La « génération Y » (personnes nées dans les années quatre-vingt), souvent décrite comme égoïste et individualiste, est pourtant à l'origine des récentes révolutions dans le monde.	☐	☐
f. Quoiqu'il ne soit pas engagé politiquement, il participe à toutes les manifestations contre le gouvernement.	☐	☐

14 Complétez l'article avec des mots qui expriment l'opposition (contrairement à, à l'opposé de, mais) ou la concession (même si, en dépit de, malgré).

Karine et la tribu d'Alluet

(1) .... idées reçues, pour vivre différemment, il n'est pas nécessaire de partir à l'étranger…

(2) .... ses efforts pour apprendre à ses enfants à bien consommer, Karine s'est vite rendu compte que leur mentalité changeait au contact de la publicité et des grands magasins.

Elle décide alors d'un changement radical et part s'installer à Alluet, (3) .... les conseils de ses amis.

Dans cette communauté, (4) .... système capitaliste, tous les biens sont partagés. Écologistes, ses habitants vivent en harmonie avec la nature. Karine n'avait aucune connaissance de la menuiserie (5) .... elle a vite appris : construire une maison, recycler… Des techniques que ses enfants, de 11 et 14 ans, maîtrisent eux aussi.

(6) .... l'autonomie n'est pas complète c'est déjà une petite révolution pour cette famille qui ne regrette pas son choix.

COMPRÉHENSION ORALE Les coopératives de production

15 Écoutez et répondez. Parmi les phrases suivantes, dites lesquelles caractérisent le fonctionnement d'une SCOP. 48

- ☐ **a.** Les coopératives ne sont pas faites pour gagner de l'argent.
- ☐ **b.** L'argent gagné par l'entreprise est redistribué à égalité entre les salariés.
- ☐ **c.** L'entreprise appartient à des investisseurs étrangers.
- ☐ **d.** Les salariés sont propriétaires de la majorité de l'entreprise.
- ☐ **e.** Les salariés votent pour désigner le directeur de la coopérative.
- ☐ **f.** Le premier ministre désigne le président de la SCOP.
- ☐ **g.** Les décisions sont prises par l'ensemble des salariés.
- ☐ **h.** Le patron prend les décisions dans l'entreprise.

Lexique

L'acronyme « SCOP » signifie « Société COopérative et Participative ».
L'acronyme « OPA » signifie « Offre Publique d'Achat ». Elle désigne une opération financière qui consiste à racheter suffisamment d'actions en bourse pour prendre le contrôle sur une entreprise.

16 Écoutez la 2e partie du document et dites si les phrases suivantes sur l'entreprise Unox sont vraies ou fausses. 49

	Vrai	Faux
a. La création de l'entreprise est récente, une dizaine d'années.	☐	☐
b. Les fondateurs ont créé cette entreprise pour en faire un exemple.	☐	☐
c. L'entreprise a été créée par un groupe de personnes qui voulaient travailler de façon collective.	☐	☐
d. La décision collective complique la gestion de l'entreprise.	☐	☐
e. Les gens ont généralement une bonne opinion des SCOP.	☐	☐
f. L'entreprise a de bons résultats et progresse.	☐	☐

17 Réagissez ! Imaginez quelles peuvent être les conséquences d'une transformation en SCOP sur le travail quotidien des salariés et les résultats de l'entreprise. À votre avis, ce mode de fonctionnement a-t-il un avenir ?

LEXIQUE La mode, l'avant-garde

→ Point Récap', livre p. 108

18 Écoutez la chronique et complétez la légende de la photo ci-contre en utilisant les mots entendus. 50

Fashion week 2014 - Cara Delevingne en tête du (1) .... de mode manifeste pour la (2) .... des femmes. Les mannequins présentent la nouvelle (3) .... printemps-été du (4) .... de la maison Chanel, Karl Lagerfeld, tout en brandissant des (5) .... avec des slogans (6) ....

LE + STRATÉGIE

Pour comprendre un mot, je repère le préfixe ou le suffixe utilisé. Par exemple, le « féminisme » est un mouvement idéologique (-isme) qui défend le principe d'égalité entre hommes et femmes.

GRAMMAIRE L'antériorité, la simultanéité et la postériorité

→ Point Grammaire, livre p. 100

19 Classez les mots soulignés dans le tableau.

Vue sur le Sahel

Présentation du livre de photos de Jean Roussin

Cet ouvrage est l'œuvre majeure de la carrière de Jean Roussin. Il y a dix ans, lorsqu'il commence à voyager, Jean Roussin réalise à quel point les peuples ne se connaissent pas. « Lorsque je rentrais chez moi et que je décrivais les gens que j'avais rencontrés, mes interlocuteurs étaient extrêmement surpris » raconte-t-il. Ce fut pour lui le début d'une prise de conscience très forte : tant que les gens ne dialogueront pas, les conflits ne cesseront pas. Alors qu'il réalisait cela, il décide de changer de carrière pour produire des documentaires. Son entourage est très surpris : « avant de se lancer, Jean travaillait dans une banque » explique sa sœur, « et voilà que sur un coup de tête, il plaque tout pour changer le monde ! Mais après avoir vu son premier documentaire, on a tous compris qu'il ne s'était pas trompé. »

Antériorité	Simultanéité	Postériorité

20 Complétez les phrases du texte suivant avec l'indication de temps de votre choix. Aidez-vous de la liste page 101 du livre.

Petit manuel pratique à l'attention des apprentis inventeurs

Vous avez une idée d'objet révolutionnaire qui va changer nos vies ? Attention : vous devez y aller étape par étape. (1) **Avant de** commencer, formulez bien votre projet : décrivez l'objet, dessinez les plans, expliquez comment on l'utilise (2) .... votre idée est bien formulée, soumettez là à des techniciens. (3) .... ils le fabriqueront, vous pourrez préparer la 2e étape : la communication. Et oui, une bonne idée n'est utile que si elle est connue ! (4) .... vous aurez une opportunité, réunissez le plus possible de personnes pour leur présenter votre invention. Répondez à toutes leurs questions, (5) .... ils soient convaincus. Ce sera un excellent exercice pour vous préparer ce qui vous attend : la célébrité ! (6) .... avoir récupéré votre prototype, il sera temps pour vous de contacter les médias et les industriels. Le début d'un long périple...

PHONÉTIQUE La voyelle nasale [ɔ̃] et [ɔn] / [ɔm]

21 On analyse ! Observez les schémas de la voyelle nasale [ɔ̃] et de la voyelle orale [ɔ] et complétez le tableau avec les mots suivants.

orale - nasale - bouche - nez

[ɔ̃] Bonjour	[ɔ] Bonne nuit !
Bouche fermée Lèvres arrondies Langue en arrière Voyelle .... L'air passe par la .... et par le	Bouche ouverte Lèvres arrondies Langue en arrière Voyelle .... L'air passe uniquement par la .... *Quand « o » est suivi d'une consonne nasale et d'une voyelle (ou d'une autre consonne nasale), on le prononce oralement, même s'il y a une consonne nasale juste derrière !*

22 On fait la différence ! Cochez le son que vous entendez. 51

	[ɔ̃]	[ɔ]
a.		
b.		
c.		
d.		
e.		

23 On bouge la bouche ! Écoutez et répétez. 52

a. Je conteste ce conflit !
b. C'est mon opinion !
c. C'est une mutation abrupte !
d. Son smartphone fonctionne !
e. Sa sonnerie de téléphone m'assomme !

24 Phonie-graphie. Barrez l'intrus. 53

a. conteste - révolutionne - protestation - rebond - mécontent
b. smartphone - informations - téléphone - fonctionne - sonne
c. Comment ça s'écrit ?
[ɔ̃] : ....
[ɔ] : ....

PHONÉTIQUE Intonation : la colère

25 On analyse ! Écoutez et complétez ces phrases. 54

La personne qui parle est en ....
Sa voix monte .... sur la dernière syllabe ....

26 On fait la différence ! Cochez lorsque la personne qui parle est en colère. 55

a. ☐ **d.** ☐
b. ☐ **e.** ☐
c. ☐ **f.** ☐

27 On bouge la bouche ! Écoutez et répétez. 

a. Je suis indigné !
b. Ça me révolte !
c. Je suis vraiment mécontent !
d. Je proteste contre cette réforme !
e. Je suis excédée par ces décisions !

PRODUCTION ORALE — Gérer une situation de crise

28 **Vous allez apprendre à gérer une situation de crise en trois étapes. Premièrement, écoutez et associez chaque phrase entendue à un personnage.** 

29 **Puis réécoutez les réactions et dites quel qualificatif peut les décrire.** 57

a. Pessimiste : ....
b. Optimiste : ....
c. Rassurant(e) : ....
d. Paniqué(e) : ....
e. Étonné(e) : ....
f. Rationel(le), réfléchi(e) : ....

30 **À vous ! Vous êtes un membre de la famille qui est sur l'île. Les naufragés finissent par arriver. Accueillez-les et dites-leur ce qu'il faut pour les rassurer. Expliquez-leur comment va s'organiser leur nouvelle vie.** 

PRODUCTION ÉCRITE  Écrire un essai argumentatif

- Enquête -

Notre journaliste a tendu son micro à des étudiants, dans une classe de Tours. Nous avons retranscrit certains échanges.

Le journaliste : Pensez-vous que les technologies peuvent révolutionner le monde ?

Jean-Pierre : Non, absolument pas. Les technologies sont des outils... Pour révolutionner le monde, il faut changer les mentalités et les comportements. Les inventions, elles, s'adaptent à nos besoins.

Maryse : Je ne suis pas d'accord avec ça. Il y a plein d'exemples qui prouvent le contraire. C'est parce qu'on a inventé l'avion que les gens ont commencé à voyager et à s'ouvrir au monde. Pour l'informatique c'est la même chose.

Claudia : Ce que dit Jean-Pierre est vrai ; l'informatique a pris une très grande place dans notre quotidien : 77 % des habitants ont Internet à la maison ; 58 % des gens ont un smartphone ; 62 % travaillent sur un ordinateur. Et malgré cela, beaucoup de gens continuent de penser que c'était mieux avant : ce sont...

Sacha : Arrête de dire des bêtises ! Le progrès fait toujours un peu peur à tout le monde, mais les révolutions sont tout de même en marche. C'est Nietzsche qui a raison quand il dit « aussitôt qu'on nous montre quelque chose d'ancien dans une innovation, nous sommes apaisés. »

31 **Vous allez écrire un essai argumentatif en plusieurs étapes. Premièrement, retrouvez dans le texte les différents groupes de mots.**

a. Les synonymes qui permettent de reprendre le thème de la question sans le répéter.

....

....

b. Les mots ou expressions qui permettent d'exprimer la concession.

....

....

c. Les mots ou expressions qui permettent d'exprimer l'opposition.

....

....

32 **Puis dites quelles sont les personnes qui utilisent les procédés d'argumentation suivants.**

a. interrompre son interlocuteur : ....

b. donner un exemple : ....

c. utiliser des statistiques : ....

d. utiliser une citation : ....

33 **À vous ! Sur une feuille séparée, répondez vous aussi à la question en donnant au moins un argument pour, un argument contre, un exemple, et formulez une conclusion.**

TAC AU TAC Protester, s'opposer

34 **Travail par deux. Voici différents modes de protestation. Choisissez dans une des deux listes celui qui vous semble le plus efficace et expliquez pourquoi. Exprimez votre désaccord avec l'autre mode de protestation choisi par votre binôme dans la seconde liste.**

A

Moyens illégaux

Occuper un bâtiment

Bloquer une usine

Pirater un site Internet

B

Moyens légaux

Manifester

Faire grève dans une usine

Signer une pétition

Lexique

Lorsqu'on « pirate » un site, on accède de façon illégale à ses données, pour les voler ou pour les modifier.

1 Compréhension écrite : la nouvelle industrie

1. Choisissez les propositions qui conviennent.

« Fablab » : l'avant-garde de la nouvelle industrie ?

La mairie de Saint-Étienne a ouvert, samedi dernier, un « fablab », cet atelier d'un nouveau genre, qui pourrait bien révolutionner l'industrie. De quoi s'agit-il exactement ?

Le concept de « fablab », abréviation de « laboratoire de fabrication », a été imaginé dans les universités nord-américaines. Ce sont des espaces en accès libre qui mettent à la disposition d'apprentis-inventeurs des outils de haute technologie comme des imprimantes 3D. Il n'est pas besoin d'être ingénieur ou technicien spécialisé : les interfaces informatiques simplifiées commandent les machines et sont utilisables par des professionnels comme par des amateurs, des inventeurs fous ou des artistes de tous âges...

Un autre principe important des fablabs : ils fonctionnent en licence libre. Le secret de fabrication ? Cela n'existe plus ! Les utilisateurs déposent leur documentation et leurs plans de fabrication, dans le catalogue des fablabs partagé par tous les inventeurs.

Ces laboratoires communautaires sont en train de bouleverser les processus de conception et de fabrication des objets. Symboles d'un monde en mouvement, ultra-technologiques, connectés, ouverts et collaboratifs, les fablabs peuvent-ils renverser la table ?

a. Certains pensent que les fablabs vont déclencher une nouvelle :
- ☐ révolution technologique.
- ☐ révolution industrielle.
- ☐ révolution sociale.
- ☐ révolution politique.

b. Les fablabs peuvent être utilisés par :
- ☐ les ouvriers.
- ☐ les enfants.
- ☐ les universitaires.
- ☐ tout le monde.

c. Les fablabs permettent de :
- ☐ commander des objets de haute technologie.
- ☐ fabriquer ses propres objets.
- ☐ acheter des machines de fabrication.
- ☐ découvrir les dernières innovations technologiques.

d. Le « catalogue des fablabs » :
- ☐ est un mode d'emploi.
- ☐ est un registre de toutes les inventions.
- ☐ est une liste des fabrications autorisées.
- ☐ est un annuaire des fablabs dans le monde.

e. Dans le texte, le mot « libre » est utilisé deux fois.
Les sens qu'on peut lui donner sont (plusieurs réponses) :
- ☐ qui peut être réutilisé sans limitation.
- ☐ qui est installé dans un pays démocratique.
- ☐ qui a plus de 18 ans.
- ☐ qui n'est pas taxé.
- ☐ qui est gratuit.
- ☐ qui ne respecte pas les règles.

2. Retrouvez dans le texte au moins quatre mots ou expressions qui permettent d'exprimer le changement.

2 Production orale : expliquer l'utilité et le fonctionnement d'un objet

Imaginez un autre type d'atelier (cuisine, mode, etc.) sur le même modèle et expliquez son fonctionnement aux autres élèves. Dites quels sont les avantages et de quelle manière il change votre façon de créer. 

S'engager avec passion

COMPRÉHENSION ÉCRITE La politique au cœur

France | Histoire | 04.04.2014 | 11:05

Les Françaises ont obtenu le droit de vote il y a 70 ans. Témoignages.

Le 21 avril 1944, on accordait enfin le droit de vote aux Françaises. Elles ont pu l'exercer pour la première fois le 29 avril 1945 à l'occasion d'élections municipales.

Cependant, avant que ce droit ne leur soit accordé, certaines femmes, comme Francine, ne s'y étaient jamais vraiment intéressées : « Avant 45, ne pas pouvoir voter ne me dérangeait pas à vrai dire. C'est seulement après que j'ai réalisé que c'était important. Mais avant, non, mes tâches quotidiennes m'occupaient bien trop pour pouvoir penser à tout ça. »

Il est vrai aussi qu'à cette époque-là, les femmes engagées en politique n'étaient pas très nombreuses. Odile se souvient: « Les gens peu ouverts d'esprit considéraient les femmes intéressées par la politique comme des femmes forcément suspectes. » Les hommes faisaient donc tout pour laisser les femmes à l'écart de la vie politique. « Assez subtilement » souligne Roberte, en ne les convoquant pas à des réunions, par exemple. Marie-Pierre raconte que la droite et la gauche avaient des points de vue différents : « À gauche, on était favorable à l'arrivée des femmes en politique, à droite on était un peu méfiants... » Méfiants ? Pourquoi ? Parce que les femmes pouvaient prendre leur place, d'après Roberte. Car en obtenant le droit de vote, les femmes avaient aussi obtenu celui d'être élues...

Le 29 avril 1945 est donc une date historique. Annette n'est pas totalement d'accord : « Nous n'étions pas si nombreuses à nous rendre aux urnes ce jour-là. Je ne crois pas que toutes les femmes y soient allées. » Elle a raison. Nicole reconnaît qu'elle ne s'était pas présentée dans son bureau de vote : « J'entendais partout que les femmes n'avaient pas besoin d'aller voter... »

Depuis 2009, Odile va dans les collèges et les lycées pour dire aux jeunes qu'il est important de s'engager : « Servez-vous de ce droit le plus possible et construisez votre opinion. C'est vital pour la société dans laquelle vous voulez vivre. Ainsi, il n'y aura plus de taux d'abstention record à des élections et vous serez de vrais citoyens. »

Source : Slate.fr, 2014

1 Indiquez si les propositions sont vraies ou fausses.

	Vrai	Faux
a. En 1944, les Françaises ont obtenu le droit de vote et se sont rendues aux urnes la même année.	☐	☐
b. Dans les années 1940, il y avait peu de femmes en politique en France.	☐	☐
c. Les politiciens craignaient que les femmes finissent par devenir plus importantes qu'eux en politique.	☐	☐
d. La plupart des Françaises se sont déplacées pour voter dès que le droit leur a été accordé.	☐	☐
e. Odile se bat, entre autres, pour que les gens aillent voter.	☐	☐

2 Relisez le texte et complétez les phrases avec les expressions suivantes. Faites les modifications nécessaires.

accorder un droit - se rendre aux urnes - être élu

a. Un État doit .... à ses citoyens.

b. Le maire de ma commune .... à une écrasante majorité.

c. Le week-end dernier, les citoyens ont été appelés à .... pour élire le nouveau président.

3 Agissez ! Pensez-vous que voter est important ? Pourquoi ? Écrivez un petit texte pour répondre à ces questions.

....

....

....

....

LEXIQUE Passion politique

→ Point Récap', livre p. 128

4 Écoutez le document et retrouvez la signification des expressions suivantes. 58

LE + STRATÉGIE

Pour enrichir mon vocabulaire, j'essaie d'utiliser des expressions imagées pour décrire une passion.

a. Être animé d'un idéal.
- ☐ Agir parfaitement.
- ☐ Être vivant.
- ☐ Être motivé par un but précis.

b. C'est un combat.
- ☐ C'est un engagement.
- ☐ C'est un conflit.
- ☐ C'est une contradiction.

c. J'ai attrapé le virus de mon village.
- ☐ J'ai attrapé une maladie contagieuse dans mon village.
- ☐ Je suis victime d'un problème informatique.
- ☐ J'ai un goût très fort pour mon village.

d. Je suis un adepte de la politique.
- ☐ Je suis membre d'un parti politique.
- ☐ Je vis la politique avec passion.
- ☐ Je suis convaincu des bienfaits de la politique.

e. J'ai ça dans le sang.
- ☐ Je suis malade.
- ☐ Je suis amoureux.
- ☐ Je suis passionné.

f. C'est ma vocation.
- ☐ Je suis fait pour être maire.
- ☐ J'ai les diplômes pour être maire.
- ☐ J'ai été élu maire.

GRAMMAIRE La mise en relief

→ Point Grammaire, livre p. 120

5 Une grande entreprise de cosmétique a lancé une importante campagne de publicité visant à vendre essentiellement des produits d'hygiène et de beauté aux hommes. Cette campagne se présente sous forme de petites règles à suivre au quotidien pour devenir plus séduisant. Voici quelques-uns de ces conseils. Remettez les groupes mots dans l'ordre pour les reconstituer.

a. Règle n° 4 : le soin du visage

pour vous rendre / c'est exactement / Le soin du visage *Monmassage*, / plus beau ! / ce qu'il faut /

....

....

b. Règle n° 10 : le shampooing

vous avez besoin, / d'un bon shampooing *Monbonsoin* ! / Ce dont / c'est simplement /

....

....

c. Règle n° 16 : le parfum

c'est / Ce que / pour sentir bon / toute la journée, / vous devez utiliser / le parfum *Senteurs de bain* ! /

....

....

d. Règle n° 21 : le baume hydratant

le baume hydratant *Surbrillant* / C'est / en prince charmant ! / qui vous transformera /

....

....

e. Règle n° 28 : le dentifrice

c'est le dentifrice *Nomalice* / Pour un sourire irrésistible, / dont vous avez besoin ! /

....

....

f. Règle n° 30 : le gel coiffant

c'est / attirant ! / Le gel coiffant *Fracassant*, / ce qui vous rendra /

....

....

6 Medhi a rencontré Laura lors d'un speed dating. Il raconte son histoire au magazine *C'est pour la vie !* Lisez son témoignage et choisissez les réponses correctes.

« Je n'avais jamais participé à un speed dating avant ce jour-là et **(ce qui / ce que / ce dont)** j'étais sûr, c'est que ça ne marcherait pas. C'est un copain **(qui / que / dont)** m'a poussé à y aller. Je sortais d'une rupture difficile alors je me suis dit « Pourquoi pas ? ».
Je suis arrivé là où avait lieu le speed dating et je l'ai vue, elle était à l'autre bout de la salle. Laura n'est pas très grande, blonde, c'est tout à fait le genre de filles **(qui / que / dont)** ne m'attirent pas d'habitude mais, bizarrement, j'ai tout de suite compris que c'était la femme de ma vie. Pour elle, c'est un vrai coup de foudre **(qui / que / dont)** j'ai eu !
C'était la première fille à qui j'ai parlé et **(ce qui / ce que / ce dont)** je me souviens, c'est que j'ai à peine fait attention aux autres jeunes filles avec qui j'ai discuté après.
(Ce qui / Ce que / Ce dont) j'ai immédiatement compris quand elle s'est assise à ma table, c'est qu'il fallait que j'ose. On n'a que 7 minutes pour se présenter alors je lui ai tout de suite déclaré ma flamme… Et ça a marché !
On est mariés depuis 7 ans maintenant et très heureux ! Le coup de foudre, c'est vraiment **(ce qui / ce que / ce dont)** je souhaite à tout le monde ! »

Medhi, 36 ans, Lyon

LEXIQUE Passion amoureuse

→ Point Récap', livre p. 128

7 Jean-Louis Cerrat est professeur de français en collège et lycée et auteur de *Dédramatisons les expressions du français*. Il explique pourquoi il a écrit ce livre. Écoutez-le et retrouvez la signification des expressions suivantes. 59

LE + STRATÉGIE

Pour enrichir mon vocabulaire, je cherche à jouer avec les mots en créant des expressions.

a. Faire une rencontre renversante :
- ☐ Faire la rencontre de quelqu'un d'exceptionnel
- ☐ Faire une chute vertigineuse
- ☐ Faire une jolie rencontre un peu sombre

b. Avoir le cœur qui fait boum :
- ☐ Avoir le cœur qui explose
- ☐ Avoir le cœur qui bat trois fois
- ☐ Avoir le cœur qui s'accélère

c. Avoir un coup de foudre :
- ☐ Avoir une idée immédiate de l'amour
- ☐ Tomber amoureux immédiatement
- ☐ Être un peu dramatique en amour

d. L'amour est aveugle :
- ☐ Ne pas avoir de défauts quand on est amoureux
- ☐ Voir tous les défauts de l'être aimé
- ☐ Ne pas remarquer les défauts de l'être aimé

e. Regarder quelqu'un avec amour :
- ☐ Regarder quelqu'un avec passion
- ☐ Regarder son amour comme un objet
- ☐ Ressentir de l'amour dès le premier regard

f. Déclarer sa flamme :
- ☐ Constater qu'on ne peut pas vivre sans l'être aimé
- ☐ Partager des sentiments avec l'être aimé
- ☐ Dire son amour à l'être aimé

GRAMMAIRE Les tournures impersonnelles

→ Point Grammaire, livre p. 120

8 Lisez ces extraits d'un forum Internet où trois personnes donnent leur opinion sur les relations amoureuses. Classez les phrases dans la colonne qui convient.

Forum

Roselyne, 66 ans : J'ai connu mon mari assez jeune et nous sommes mariés depuis 40 ans. Nous avons tous les deux beaucoup changé pourtant (1) il me semble que notre amour lui, a toujours été aussi fort. Attention, entretenir la flamme, c'est un travail quotidien : pour mon mari, (2) il est essentiel de bien s'occuper de l'autre. (3) Il est donc très attentionné avec moi.

Théo, 20 ans : Les parents de tous mes amis ont divorcé. Mes parents aussi d'ailleurs. On tombe amoureux, on se marie. Le mariage, c'est bien mais (4) il s'agit finalement peut-être plus d'une convention sociale, pour faire plaisir à la famille, aux amis, que d'un réel engagement amoureux.

Amanda, 39 ans : Je ne crois pas au coup de foudre. Apprendre à vivre avec quelqu'un, c'est une affaire de patience. Mon ami veut qu'on se marie. (5) Il est quand même un peu pressé, on se connaît depuis seulement 6 mois ! (6) Il faut bien réfléchir avant de s'engager, c'est ce que je crois.

« Il » désigne un sujet réel (animé ou non animé).	« Il » est utilisé dans une tournure impersonnelle.

9 Quelles personnes disent les phrases suivantes ? Regardez l'image et identifiez-les.

a. Il paraît que tu es un adepte du ski ?

b. Tiens, il neige encore !

c. Non, non, pas de fleurs, je suis allergique ! Il est probable que je passe la soirée à éternuer avec ces fleurs !

d. Et oui, il arrive assez souvent que des gens me demandent d'organiser un karaoké dans mon bar, comme ce soir.

e. Il est impossible qu'il n'ait pas eu froid aujourd'hui, avec toute cette neige !

f. Allez, j'ai toujours rêvé de chanter en public. La prochaine chanson, c'est pour moi. Il suffit de se lancer !

CONJUGAISON

10 En moins d'une minute, parlez d'une de vos passions en utilisant au moins trois tournures impersonnelles (il faut que, il suffit de/que, il est possible de/que, etc.).

LEXIQUE L'entreprise

→ Point Récap', livre p. 128

11 Connaissez-vous l'entreprise Les Fauteuils éclectiques située à Carhaix-Plouguer, en Bretagne, en France ? Lisez le texte et complétez-le avec les mots et expressions suivants. Faites les modifications nécessaires.

LE + STRATÉGIE

Pour enrichir mon vocabulaire du français de l'entreprise, je peux faire des recherches sur une entreprise célèbre. (Combien de salariés emploie-t-elle ? Dans quels pays vend-elle ? etc.).

financer le projet - salarié - investir - soutenir - rentable - une entreprise

Les Fauteuils éclectiques est (1) .... qui a été créée en 1993 par deux amis d'enfance, Yohan et Cédric, deux Carhaisiens[1] passionnés de musique. C'est après la première édition du festival des Vieilles Charrues, en 1992, que Yohan et Cédric décident de créer leur société. « On a vu que les gens s'asseyaient par terre pendant les concerts. Ça nous a donné une idée : (2) .... dans la fabrication de fauteuils démontables et facilement transportables pour les louer aux gens pendant le festival. » confie Cédric. Pour pouvoir les aider à s'engager dans l'aventure, les deux amis ont dû trouver des partenaires prêts à les (3) .... financièrement. « Assez vite, une grande banque a accepté de (4) .... » continue Yohan. Aujourd'hui leur PME[2] emploie 246 (5) .... et est assez (6) .... pour permettre à Yohan et Cédric de continuer à embaucher des gens.

[1] Les Carhaisiens : habitants de Carhaix-Plouguer
[2] PME : Petites et moyennes entreprises

Culture

Le festival des Vieilles Charrues est l'un des plus grands festivals de musique français.

GRAMMAIRE La cause et la conséquence

→ Point Grammaire, livre p. 120

12 Écoutez la conversation et classez les phrases suivantes dans la colonne qui convient. 60

a. Ah oui, c'est vrai, j'ai votre ligne directe, du coup je tombe directement sur vous.
b. Je vous appelle au sujet de votre offre de soutien parce que je n'ai pas vraiment compris le principe.
c. À cause de la crise, nous avons moins d'aides financières.
d. Alors on a fermé les locaux où répétaient nos jeunes.
e. Nous savons que, faute de moyens, une association comme la vôtre ne peut pas survivre.
f. CNAL croit en Alternatives théâtrales et souhaite donc associer son image à vos actions.

Phrases exprimant une cause	Phrases exprimant une conséquence

13 Lisez ces annonces parues dans la gazette municipale d'une petite ville et choisissez les propositions correctes.

a.

Aide au logement étudiant

La mairie informe les demandeurs de l'allocation « aide au logement étudiant » d'établir leur demande auprès de la CAF[1] à partir du 1er janvier. **(Du coup / Par conséquent / Comme)** toute demande adressée à la mairie ne sera plus prise en compte à partir du 31 décembre au soir.

[1] La CAF : la Caisse d'Allocations Familiales

b.

Bac à ordures

Chers concitoyens,
Notre municipalité met à votre disposition différents types de bac à ordures depuis maintenant trois ans. Merci **(d'où / du coup de / donc)** de respecter le tri des déchets. Ne pas respecter ce règlement **(fera / entraînera / sera dû)** des sanctions.

c.

Petit mot de l'association *Je lis, tu lis, il lit*

Merci à tout le monde de nous avoir donné vos vieux livres et magazines lors de notre grande journée de collecte. **(Puisque / Grâce à / Merci à)** vos dons, nous allons pouvoir compléter le fonds de livres de notre bibliobus ! Nous avons collecté plus de 1 000 nouveaux titres **(si bien que / alors que / ainsi que)** nous pouvons envisager de demander l'ouverture d'une bibliothèque municipale pour l'année prochaine ! Encore merci et bravo !

d.

Piscine municipale

La piscine municipale sera fermée lundi 26 décembre **(grâce aux / en raison des / parce que les)** fêtes de Noël.

Culture
La gazette est un petit journal édité par une commune et qui donne en général des informations d'ordre municipal et/ou associatif.

COMPRÉHENSION ORALE Les défis Mecenova

14 Écoutez le document et indiquez si les propositions sont vraies ou fausses. 61

	Vrai	Faux
a. C'est la première fois que les défis Mecenova ont lieu.	☐	☐
b. Les défis Mecenova servent à mettre en relation des chômeurs et des entreprises.	☐	☐
c. L'IMS aide les salariés qui en ont envie à devenir bénévoles dans des associations.	☐	☐
d. Une enquête montre qu'il faut être retraité ou chômeur pour être bénévole.	☐	☐
e. 25 % des personnes interrogées consacrent beaucoup de temps à leur activité de bénévolat.	☐	☐

Culture
L'IMS (Institut du Mécénat de Solidarité) a pour objectif d'inciter les entreprises à s'engager dans des démarches solidaires et gratuites.

15 Réécoutez le document et complétez le texte avec les mots qui conviennent. 61

L'IMS incite les entreprises à faire du (1) .... c'est-à-dire à s'investir auprès d'une ou de plusieurs organisation(s). Ce type de démarche se fait sur la base du (2) .... ce qui signifie qu'elle ne rapporte pas d'argent à l'entreprise. Les entreprises peuvent apporter un soutien financier ou peuvent envoyer des experts parmi leurs salariés pour réaliser une tâche dont l' (3) .... a besoin, comme cartographier des villes par exemple. C'est en général très bénéfique pour l'image de l'entreprise qui participe à ce genre de projet.

16 **Réagissez ! Vous êtes dessinateur de bandes dessinées et vous avez participé à la rédaction d'un album collectif de BD intitulé *Les artistes s'engagent contre la pauvreté dans le monde*. L'argent récolté lors de la vente de la bande dessinée a été intégralement reversé à des associations caritatives qui luttent contre la pauvreté.**

Expliquez ce qui vous a motivé à participer à ce projet et dites l'importance qu'a ce type d'engagement pour vous. Expliquez également pourquoi travailler gratuitement ne vous a pas posé de problème.

LEXIQUE Les relations familiales

→ Point Récap', livre p. 128

17 **Écoutez le document plusieurs fois** (62) **et choisissez la proposition vraie.**

LE + STRATÉGIE

Pour enrichir mon vocabulaire, j'associe un mot à son contraire (beau-fils et belle-fille, etc.). J'essaie aussi de comprendre la différence entre deux mots de sens voisin (comme « petit-fils » et « petits-enfants »).

a. Gérard et Sylvie :
- ☐ sont les grands-parents d'Edgar, d'Oscar et de Gaspard.
- ☐ ont eu un fils, une fille et une belle-fille.
- ☐ considèrent qu'ils n'ont pas de petits-enfants.

b. Nicolas et Vanessa :
- ☐ forment une famille recomposée avec leur fils Gaspard.
- ☐ forment une famille recomposée avec Edgar, Oscar, Gaspard et Armel.
- ☐ sont les beaux-parents d'Edgar, Oscar, Gaspard et Armel.

c. Nicolas est :
- ☐ le beau-père d'Armel.
- ☐ l'ex-mari de Vanessa.
- ☐ le beau-père d'Edgar et d'Oscar.

d. Gaspard :
- ☐ est le demi-frère d'Armel.
- ☐ est le cousin d'Armel et Oscar.
- ☐ a Aurélie pour mère.

e. Vanessa est :
- ☐ l'ex-femme de Nicolas.
- ☐ la mère d'Edgar.
- ☐ la mère d'Armel.

f. Aurélie :
- ☐ est la mère de Gaspard.
- ☐ a eu 3 petits garçons.
- ☐ est l'ex-belle-fille de Gérard et Sylvie.

GRAMMAIRE Le groupe prépositionnel

→ Point Grammaire, livre p. 120

18 **Carmen, mère de 5 enfants, témoigne dans un magazine sur la famille. Lisez le texte et retrouvez la notion exprimée par les différentes prépositions en les classant dans le tableau ci-dessous.**

« Une famille de 7 personnes, ça demande beaucoup d'organisation ! Quand on fait les courses, par exemple, on évite d'aller (1) **dans** les petits commerces, c'est trop cher, on va directement (2) **au** supermarché. (3) **Chez** nous, il y a beaucoup de placard (4) **afin de** ranger toutes nos réserves. Sans tous ces rangements, je ne sais pas comment on ferait (5) **pour** s'en sortir ! Tout traînerait partout, (6) **sur** les tables, (7) **sous** les chaises… Je ne m'en souviens pas mais j'ai dû beaucoup m'ennuyer (8) **avant d'**être mère de 5 enfants ! »

Temps	Lieu	But

19 Complétez le texte avec les prépositions suivantes. Faites les modifications nécessaires.

entre - dans - pour - de (x 2) - à (x3) - en - parmi - sans - par

FAMILLE, JE VOUS HAIS !

Le nouveau spectacle (1) .... Max Semmoule, offre le portrait hilarant (2) .... une famille qui hésite (3) .... continuer à avoir des préjugés et s'ouvrir (4) .... monde moderne. (5) .... tous les membres de cette famille, on retrouve, entre autres, le grand-père obsédé (6) .... le journal télévisé, l'arrière-grand-mère née (7) .... 1899 et la petite sœur (8) .... qui la vie serait tellement plus belle !

Alors rendez-vous (9) .... **théâtre du Gymnase** (10) .... **applaudir Max Semmoule** (11) .... **un spectacle** (12) .... **ne pas manquer !**

PHONÉTIQUE Les voyelles [ɔ] et [œ]

20 On analyse ! Observez les schémas des voyelles et complétez le tableau avec les mots suivants.

ouverte - arrondies - en arrière - en avant

[ɔ] Le corps	[œ] Le cœur
Bouche .... Lèvres .... Langue	Bouche .... Lèvres .... Langue ....

21 On fait la différence ! Cochez le(s) son(s) que vous entendez. 63

	[ɔ]	[œ]
a.		
b.		
c.		
d.		
e.		
f.		

22 On bouge la bouche ! Écoutez et répétez. 64

a. Mon cœur a trouvé l'âme sœur !

b. C'est un vrai cocktail d'hormones !

c. Mon corps est plein de phéromones !

d. Quand votre cœur fait boum !

e. J'adore leur odeur !

23 Phonie-graphie.

a. Retrouvez dans la grille 12 mots que vous avez croisés dans l'unité et qui contiennent [ɔ] ou [œ]. La première lettre de chaque mot se trouve dans une case grise.

n	o	t	e	c	a	c	u	n
p	h	e	r	o	m	o	n	e
e	s	v	c	e	e	r	r	p
r	p	o	o	u	s	p	e	o
i	o	t	d	r	o	s	t	c
o	r	e	e	r	e	o	u	h
d	t	a	v	e	u	g	l	e
e	o	d	e	u	r	v	e	s

b. Avec les lettres restantes, complétez ce proverbe qu'on utilise pour se consoler d'une rupture amoureuse.

_ _ de perdu, dix de _ _ _ _ _ _ _ _ !

c. Comment ça s'écrit ?

[ɔ] : .... + consonne prononcée dans la même ....

[œ] : .... + consonne prononcée dans la même ....

PHONÉTIQUE L'interrogation sans opérateur, avec un opérateur et avec un choix

24 On analyse ! Écoutez, observez et complétez le texte. 65

a. L'amour est éternel ↗ ?
b. Est-ce que ↗ tu crois que la passion dure trois ans ↘ ?
c. Est-ce que tu crois que la passion dure trois ans ↗ ?
d. Combien ↗ de temps dure la passion ↘ ?
e. Combien de temps dure la passion ↗ ?
f. Tu préfères être amoureux ↗ ou passionné ↘ ?

Dans une question sans opérateur, la voix (1) .... sur la dernière syllabe.
Dans une question avec opérateur, soit la voix (2) .... sur la dernière syllabe,
soit elle (3) .... sur l'opérateur et (4) .... sur la dernière syllabe.
Dans une question alternative, la voix (5) .... sur la dernière syllabe du premier choix
et (6) .... sur la dernière syllabe du second.

25 On fait la différence !

a. Écoutez et dites si c'est une question ou une affirmation. 66

	question	affirmation
a.		
b.		
c.		
d.		

b. Dites si la voix monte sur l'opérateur ou sur la dernière syllabe. 

	opérateur	dernière syllabe
a.		
b.		
c.		
d.		

26 On bouge la bouche ! Écoutez et répétez. 

a. Est-ce que tu es marié ?
b. Est-ce que tu es pacsé ?
c. Tu vis en union libre ?
d. Tu es divorcé ?
e. Tu as un demi-frère ou une demi-sœur ?

PRODUCTION ORALE Faire un court exposé

27 Vous allez faire un court exposé en plusieurs étapes. Dans un premier temps, voici l'introduction de l'exposé : « La pratique d'un sport à très haut niveau peut-elle être de l'art ? ». Remettez les phrases dans l'ordre.

a. Mais laissez-moi vous prouver qu'il y a une forme d'art dans la pratique d'un sport à très haut niveau.
b. Bonjour à tous !
c. Certaines personnes vont me dire que Lionel Messi n'est pas un artiste mais un footballeur. Ce n'est pas faux.
d. Je vais vous parler d'un de mes artistes préférés : Lionel Messi.

1	2	3	4

28 Observez à présent le premier paragraphe de l'exposé. Associez chaque phrase à une étape à suivre pour développer un exposé.

« Tout d'abord, à ce niveau-là, tout va tellement vite qu'il faut avoir une maîtrise parfaite de chacun de ses mouvements. C'est comme pour un peintre, par exemple : lui aussi doit maîtriser ses gestes pour être le plus précis possible. Pour moi, sans maîtrise, l'art n'est rien. Ensuite, les sportifs de haut niveau ont tous un style qui leur est propre. »

Premier paragraphe de l'exposé	Étapes pour développer un exposé
1. Tout d'abord, à ce niveau-là, tout va tellement vite qu'il faut avoir une maîtrise parfaite de chacun de ses mouvements. •	• **a.** Je résume mon argument.
2. C'est comme pour un peintre, par exemple : lui aussi doit maîtriser ses gestes pour être le plus précis possible. •	• **b.** Je présente mon argument.
3. Pour moi, sans maîtrise, l'art n'est rien. •	• **c.** J'introduis l'argument suivant.
4. Ensuite, les sportifs de haut niveau ont tous un style qui leur est propre. •	• **d.** Je fais une comparaison ou je donne un exemple.

29 Développez le deuxième argument de cet exposé. Pour cela, vous pourrez donner des exemples de sportifs et leurs particularités.

Argument : Ensuite, les sportifs de haut niveau ont tous un style qui leur est propre...

30 Faites maintenant la conclusion de cet exposé. Pour vous aider, suivez les étapes suivantes.

1. J'introduis ma conclusion avec une expression comme « en conclusion », « pour conclure », etc.
2. Je fais la synthèse de mes arguments.
3. J'ouvre ma conclusion.

PRODUCTION ÉCRITE Prendre des notes

31 Vous allez apprendre à prendre des notes en plusieurs étapes. Voici quelques conseils pour prendre des notes de façon efficace. Pour chacun d'entre eux, choisissez la ou les proposition(s) vraie(s).

a. *Je dois distinguer les idées les plus importantes.*
Les idées les plus importantes :
- ☐ sont souvent énoncées au début d'un paragraphe.
- ☐ sont souvent répétées.
- ☐ sont reprises en conclusion d'un exposé.

b. *Je dois repérer les mots clés.*
Les mots clés :
- ☐ sont souvent répétés.
- ☐ sont mis en valeur par l'intonation de l'orateur.
- ☐ sont toujours des noms.

c. *Je dois utiliser des abréviations et des symboles.*
Pour cela :
- ☐ je dois abréger tous les mots.
- ☐ je dois utiliser toujours les mêmes codes.
- ☐ je peux écrire les nombres en chiffres.

32 Puis associez les mots et les expressions aux abréviations.

1. tout le monde	• •	**a.** jms
2. le temps	• •	**b.** dc
3. quelqu'un	• •	**c.** fonct° 1re
4. quelque chose	• •	**d.** tps
5. la fonction première	• •	**e.** tt le monde
6. jamais	• •	**f.** pb
7. donc	• •	**g.** qqn
8. problème	• •	**h.** qqc

33 À vous ! Vous êtes journaliste pour le magazine *Vie associative*. Vous interviewez Jérôme Ouachi, président de l'association Engagez-vous ! Vous lui demandez quelles sont ses tâches. Écoutez sa réponse et prenez des notes. 69

....

....

....

....

....

....

....

....

....

....

TAC AU TAC Parler de soi

34 Travail par deux. Choisissez l'association 1 ou 2. Vous êtes membre actif de cette association depuis maintenant quelques mois. En discutant avec votre ami(e), vous apprenez que lui ou elle milite aussi dans une association mais dont l'objectif est contraire à vos convictions. Vous expliquez votre choix en trois minutes en comparant les missions de votre association à celle de votre ami(e).

Association 1

Défense de la langue française

Nos missions : contrôler l'introduction de mots étrangers dans la langue française afin qu'elle garde son identité, inciter les gens à traduire en français les mots anglais qu'ils utilisent au quotidien en promouvant la richesse de la langue française.

Votre engagement : nous consacrer au moins deux heures par semaine pour rédiger des articles pour notre site Internet, participer à nos réunions et distribuer des tracts.

B

Association 2

Vive le français !

Nos missions : combattre l'hypocrisie ambiante en incitant les gens à admettre que la langue française évolue sans perdre de sa richesse, solliciter fréquemment l'Académie française pour qu'elle reconnaisse officiellement l'existence et l'utilisation de mots empruntés à l'anglais.

Votre engagement : nous consacrer au moins deux heures par semaine pour rédiger des courriers à destination des écoles et des universités, participer à nos réunions et à nos conférences.

1 Compréhension écrite : passion sportive

Lisez le texte suivant et choisissez les propositions vraies.

La retraite du sportif de haut niveau : bien gérer « l'après ».

Éric Castro a arrêté sa carrière de surfeur professionnel en 2006. Sans diplôme, mal préparé, il a connu une période assez difficile. Il se confie aujourd'hui dans un livre intitulé *La dernière vague*.

« Je me suis blessé sur le WTC[1] 2006. J'avais 33 ans, j'ai compris que c'était la fin de ma carrière. » Éric Castro commence par ce douloureux constat. Douleur physique d'abord, « Quand on passe 18-20 ans à pratiquer un sport extrême et que tout s'arrête soudainement, le corps ne comprend pas : il est en manque d'adrénaline, de sensations. » explique Gilles Simonnet, médecin. Douleur psychologique ensuite : les sportifs retraités doivent se réadapter à une nouvelle vie où la recherche de la performance n'est plus leur seul but. « Avec le surf, ma seule mission c'était de repousser mes limites. Pour le reste, j'avais un nutritionniste, des assistants… Quand j'ai arrêté, je me suis retrouvé tout seul. » raconte Éric. L'impact financier, aussi, est important : plus de sponsors et donc plus de revenus.
« J'ai eu du mal à m'adapter à *la vraie vie*. Et je me suis senti seul. »

Pour s'en sortir, Éric a créé en 2010 l'association *Un Nouveau départ* pour soutenir les jeunes retraités du sport. « Et si ça peut sensibiliser l'opinion publique, c'est parfait ! » conclut-il.

[1] World Championship Tour

a. Éric Castro est :
- ☐ un surfeur professionnel.
- ☐ un écrivain de fiction.
- ☐ un ancien sportif de haut niveau.

b. Éric a connu une période difficile :
- ☐ parce qu'il n'avait pas de diplôme.
- ☐ à cause de la douleur physique due à sa blessure.
- ☐ parce qu'il s'est senti seul quand il a pris sa retraite.

c. Pour les jeunes retraités du sport, la douleur physique :
- ☐ est causée par le manque d'adrénaline.
- ☐ a pour conséquence le manque d'adrénaline.
- ☐ entraîne le manque de sensations physiques.

d. Un sportif de haut niveau a l'habitude de :
- ☐ chercher à s'adapter à une nouvelle vie.
- ☐ chercher à améliorer ses performances.
- ☐ chercher à se retrouver tout seul.

e. À la fin de leur carrière, les anciens sportifs professionnels doivent :
- ☐ revenir dans leur sport parce qu'ils n'ont plus de sponsors.
- ☐ gagner plus d'argent en trouvant plus de sponsors.
- ☐ trouver comment gagner de l'argent parce qu'ils n'ont plus de sponsors.

f. Depuis 2010, Éric :
- ☐ a fondé une association.
- ☐ milite dans une association.
- ☐ soutient les jeunes d'une association.

2 Production orale : évoquer une performance

Votre émission de radio préférée a consacré pendant une semaine ses reportages aux sports extrêmes et aux risques encourus par leurs pratiquants. Écoutez ces messages laissés sur le répondeur téléphonique de la station de radio en réaction aux reportages. À votre tour, laissez un message sur le même modèle pour donner votre point de vue sur le sujet.

7 Se plonger dans l'histoire

COMPRÉHENSION ÉCRITE Le Moyen Âge en cuisine

Voyage dans le temps au restaurant

Une entrée en matière immédiate ! Le patron porte une dague[1] à la ceinture, un pantalon rouge et bleu, de grandes chausses[2], un bonnet. « C'est un vêtement, ce n'est pas un costume », insiste Gonzague Krieg. Historien, spécialiste de la cuisine médiévale, il tient *Les Tables du Moyen Âge*, dans le 10e arrondissement. « Je marie mes deux passions : l'histoire et la cuisine, car je suis un terrible gourmet », avoue-t-il.

Gonzague Krieg a souhaité recréer une authentique ambiance médiévale. Sous le plafond voûté, la décoration est faite d'objets d'époque : une vielle à roue[3], des sculptures romanes, et différentes pièces de fer et de bois créées spécialement pour lui par des amis forgerons[4] et ébénistes[5]. Authentique, mais pas folkorique[6] : ici, pas question de mitonner des plats au feu de bois et de les manger avec les doigts. « Être restaurateur, c'est aussi respecter les exigences de la cuisine moderne, comme les normes d'hygiène », insiste Gonzague Krieg. L'important, c'est d'abord le contenu de l'assiette. Ses plats, Gonzague les a réalisés en vrai historien : avec des manuscrits d'époque, comme *Le Mesnagier de Paris* et *Le Viandier de Taillevent*, il a reconstitué ce que pouvait être la cuisine du Moyen Âge. Celle-ci est beaucoup plus variée qu'on ne le croit : toutes sortes de légumes, de céréales mais aussi de viandes et de poissons. La patate et la tomate n'étaient pas encore arrivées d'Amérique, mais l'on consommait des chervis, des macerons ou encore des fassoles. « C'est un paysan de la région qui cultive pour nous ces légumes oubliés », explique le chef. Au menu, trois plats, trois entrées, trois desserts ; un choix limité, mais renouvelé à chaque saison. Le mardi soir, on pousse les tables et le lieu propose une ambiance « taverne » : on commande au comptoir de petites tapas médiévales. Délicieux et dépaysant.

Les Tables du Moyen Âge,
18, rue Pom-Pom Gali (Paris 10e).
Formules à 20 € et 25 €.
Menu midi à 12 €.

Source : 20 minutes, 2014

---

[1] Une dague est une arme ancienne semblable à un long couteau.
[2] Les chausses sont des sortes de bas montant jusqu'en haut des jambes, portés par les hommes au Moyen Âge.
[3] Une vielle à roue est instrument de musique à cordes, datant du Moyen Âge.
[4] Un forgeron travaille le fer pour en faire des outils ou des armes.
[5] Un ébéniste fabrique des meubles et objets en bois.
[6] Ce qui est folklorique, c'est ce qui représente la tradition (une danse, un costume folklorique...), mais parfois de manière artificielle ou excessive.

Culture

Les légumes oubliés

Le chervi, le maceron, la fassole sont des plantes et légumes cultivés autrefois en Europe.

1 Lisez le texte et cochez la ou les bonnes réponses.

a. Ce texte est :
- ☐ un extrait de manuel de cuisine du Moyen Âge,
- ☐ le portrait d'un historien passionné de cuisine,
- ☐ une critique gastronomique,
- ☐ un cours d'histoire médiévale.

b. Le restaurant de Gonzague Krieg propose :
- ☐ des plats inspirés de la cuisine du Moyen Âge,
- ☐ des plats de cuisine moderne,
- ☐ un décor inspiré du Moyen Âge,
- ☐ un décor à la fois moderne et ancien.

2 Dites si les affirmations sont vraies ou fausses.

	Vrai	Faux
a. Gonzague Krieg est spécialiste de l'habillement au Moyen Âge.	☐	☐
b. Gonzague Krieg donne autant d'importance aux plats qu'au décor de son restaurant.	☐	☐
c. Gonzague Krieg a complètement inventé les plats qu'il propose dans son restaurant.	☐	☐
d. Le mardi soir, le restaurant Les Tables du Moyen Âge devient une salle de concert.	☐	☐

3 Trouvez dans le texte les équivalents des mots ou expressions suivantes.

a. une personne qui aime manger de bonnes choses : ....

b. mijoter, cuisiner avec soin : ....

c. un texte ancien, écrit à la main : ....

d. un lieu pour manger et boire, dans les temps anciens : ....

4 Agissez ! Gonzague Krieg souhaite agrandir son restaurant et y faire des travaux de rénovation, mais en respectant l'authenticité de l'ambiance médiévale. Vous êtes entrepreneur et vous avez visité les lieux. Sur une feuille séparée, vous écrivez un mail pour lui parler des travaux.

– Vous décrivez les problèmes identifiés dans le bâtiment (la solidité des murs, la qualité des matériaux, etc.)
– Vous expliquez vos propositions pour rénover et pour agrandir le restaurant dans un esprit médiéval.
– Vous lui proposez un plan de travaux : étapes, durée, prix.

LEXIQUE L'Histoire

→ Point Récap', livre p. 148

5 En charge du site Internet du ministère français de l'Éducation nationale, vous écrivez le programme des manifestations organisées à l'occasion du centième anniversaire de la Première Guerre mondiale (1914-1918). Complétez le texte avec les mots de la liste et faites les transformations nécessaires.

transmettre - hommage - souvenir - mémoire - guerre - centenaire

LE + STRATÉGIE

Pour mieux comprendre le sens des mots, je cherche les différences entre les mots de sens proche, comme « mémoire » et « souvenir ».
• Un souvenir, c'est ce qui reste d'une personne, d'un lieu, d'un moment du passé. Ex. : J'ai beaucoup de bons souvenirs de mon voyage en Grèce.
• La mémoire est le « lieu » de notre intelligence où sont stockés les souvenirs, ainsi que la capacité à garder des souvenirs précis de quelque chose. Ex. : Ce voyage restera dans ma mémoire pour toujours.
Dans le cadre du Centenaire de 1914, les deux mots ont un sens très proche : la mémoire désigne aussi le souvenir collectif d'un événement historique.

L'année 2014 marque le début des commémorations du (1) .... de la Première Guerre mondiale.Les enjeux de ces manifestations sont nombreux.

• Le premier est de comprendre une épreuve qui engagea l'ensemble de la société française. Cette (2) .... sera ainsi transmise aux Français d'aujourd'hui, tout en favorisant le maintien d'un lien intergénérationnel.

• L'objectif est également de rendre (3) .... à ceux qui vécurent la (4) .... et sacrifièrent leur vie.

• Enfin, l'accent doit être mis sur la dimension européenne et internationale de ce patrimoine.

L'éducation nationale participe à cette action et souhaite (5) .... aux jeunes générations l'histoire et le (6) .... de ce conflit. Nous coordonnons les projets pédagogiques des classes et établissements dans le cadre des comités « mémoire et citoyenneté ».

GRAMMAIRE Le discours rapporté au présent

→ Point Grammaire, livre p.140

6 Vous êtes le mari de Célia. Sa mère a laissé un message sur le répondeur de l'appartement. 71
Écoutez le message, puis complétez la note pour transmettre à Célia le contenu du message.
Utilisez les verbes « dire, raconter, ajouter, demander ».

Célia, il y a un message de ta mère sur le répondeur : Elle demande comment tu vas, elle dit qu'elle est très inquiète parce que tu ne l'as pas appelée depuis deux semaines. Elle (1) ...., un de tes amis d'enfance. Elle (2) ....
et (3) .... Elle (4) ....
et (5) .... dès que possible.

7 À partir des éléments proposés, formez au moins six phrases exprimant un discours rapporté. Faites les modifications nécessaires. Plusieurs réponses sont possibles.

Exemple : Les suspects avouent aux policiers qu'ils sont coupables.

Sujet	Verbe introducteur du discours rapporté	COD ou COI (le destinataire du message)	Conjonction / Préposition	Contenu du discours rapporté
Le Roi	ordonner	me	que / qu'	il arrivera désormais toujours à l'heure.
Les suspects	demander	nous	de	dire la vérité.
L'employé en retard	avouer	aux /les suspects	si	ils sont coupables.
Le candidat à l'élection	promettre	à ses ministres	sur	nous avons des questions sur ce récit.
La juge	affirmer	aux policiers		faire appliquer ses décisions.
Le professeur	interroger	à son patron		leurs liens avec le crime.

a. ....
b. ....
c. ....
d. ....
e. ....
f. ....

LEXIQUE Les mensonges

→ Point Récap', livre p. 148

8 Écoutez ces titres du journal et complétez le tableau avec les mots relatifs au mensonge. 72

LE + STRATÉGIE

Pour enrichir mon vocabulaire, je groupe les mots par familles. Dans la même famille, on trouve des verbes, des adjectifs, des adverbes, des noms désignant des actions, des noms désignant des personnes, etc.
Exemple : juger (un verbe), un juge (la personne qui juge), un jugement (l'action ou l'objet de l'action), un jury (le groupe de personnes qui participe à un jugement).

Le verbe et sa définition		L'action	La personne qui fait l'action
Ne pas dire la vérité.	m..................	un m............	un m..
Mentir en parole ou en attitude, pour donner une fausse impression de sa force, de ses possibilités.	bl..................	un bl............	un bl..
Voler beaucoup d'argent à quelqu'un par la tromperie, le mensonge.	es..................	une es..........	un es..
Tromper un client, le faire payer beaucoup plus cher que la valeur réelle d'un service ou d'un produit.	ar..................	une ar...........	un ar..

GRAMMAIRE Le discours rapporté au passé et la concordance des temps → Point Grammaire, livre p. 140

9 Vous êtes le professeur de Léonard, 6 ans. Il a rédigé un récit mais il ne connaît pas encore les règles de la concordance des temps. Complétez son récit avec les verbes indiqués.

*Chaque soir, mon papa me raconte une histoire avant de dormir. Hier, il m'a dit qu'il n'(1) .... pas **(avoir)** le temps de me raconter une histoire parce qu'il (2) .... **(vouloir)** regarder un film à la télévision. Il m'a dit d' (3) .... **(aller)** me coucher tout seul comme un grand. Je me suis mis à pleurer, j'ai dit que je ne (4) .... **(vouloir)** pas aller me coucher, et qu'avant-hier, il (5) .... **(dire)** la même chose.*
*J'ai dit que s'il ne me (6) .... **(raconter)** pas d'histoire, j'(7).............................. **(aller partir)** tout seul avec mon sac à dos, et qu'il (8) .... **(être)** bien embêté.*
*Alors il a soupiré, il m'a demandé de (9) .... **(choisir)** un livre, et il m'a dit qu'il (10).............................. me .... **(aller raconter)** une histoire comme tous les soirs avant de dormir. J'adore mon petit papa !*

10 Vous avez interviewé Lionel Bobard, connu pour être le plus gros menteur de tous les temps. 73 Dans votre article vous rétablissez la vérité. Écoutez et passez l'interview au discours rapporté.

La vérité sur Lionel Bobard

Lorsque nous avons demandé à Lionel Bobard ce qu'il faisait dans la vie,
Il nous a répondu qu'il était P.-D.G. d'une start-up basée dans le quartier de la Défense, et que grâce à cette entreprise, il était devenu millionnaire en quelques semaines.
En réalité, il est comptable à la banque régionale de Poitou-Charentes depuis 15 ans.

Puis nous avons voulu savoir (1) .... Il a prétendu (2) .... , (3) .... et (4) ....
La vérité, c'est qu'il est célibataire. Il est amoureux de sa collègue Chantal, mais il n'ose pas lui parler.

Lorsque nous avons suggéré à Lionel Bobard (5) .... , il nous a raconté (6) .... et (7) ....
En fait, c'était un enfant timide et effacé. Il n'avait pas beaucoup d'amis.

Enfin, nous avons demandé à Lionel Bobard (8) ....
Il nous a assuré (9) ....
et (10) ....
Ce qu'il ne dit pas, c'est que, comme tous les ans, il a passé la deuxième quinzaine d'août au camping municipal de La Bourboule.

11 Souvenez-vous de la dernière conversation que vous avez eue. Où a-t-elle au lieu ? Quand ? Avec qui ? À quel sujet ?

Racontez cette conversation en utilisant au moins une fois :
- chacun des verbes introducteurs suivants au passé (parler, dire, raconter, demander, répondre) ;
- chacun des temps et structures du discours rapporté suivants : imparfait, plus-que-parfait, conditionnel, aller à l'imparfait + *infinitif*, de + *infinitif*.

LEXIQUE Une enquête

→ Point Récap', livre p. 148

12 Le commissaire Bialès tente de résoudre une affaire. Aidez-le à compléter son journal de bord. Trouvez les mots manquants et placez-les dans la grille de mots croisés.

JOUR 1
Une bijouterie vient d'être braquée. Aucun indice.

JOUR 3
Nous avançons. Nous savons que le vol a été commis samedi à 3 heures du matin.
Le principal(1).... est le vendeur de la bijouterie. Il devait une grosse somme d'argent au propriétaire du magasin, et il ne pouvait pas le rembourser.
Avec mon collègue Karamazov, nous avons mené l'(2).... Trois heures de questions pour rien. Il a un excellent(3).... : il était au cinéma, la caissière peut en témoigner.

JOUR 5
Coup de théâtre ! Nous avons découvert des mails du vendeur et de la caissière du cinéma : ils sont en couple depuis plusieurs années, et ils évoquent dans ces mails leurs projets de vol. C'est la(4).... formelle qu'il est(5).... !
Le vendeur a(6).... avoir commis le crime.
Après réflexion, l'alibi était un peu faible : peu de cinémas sont ouverts à 3 heures du matin.

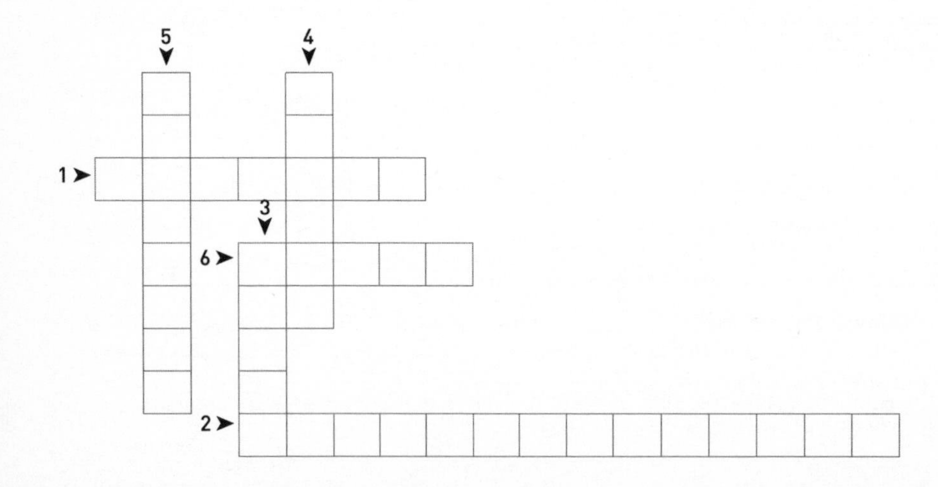

GRAMMAIRE Le passé simple

→ Point Grammaire, livre p. 140

13 Connaissez-vous vos classiques ? Choisissez la suite correcte de chacun de ces contes traditionnels. Aidez-vous des illustrations.

a. À minuit, Cendrillon quitta le bal du prince...

☐ ...et perdit une de ses chaussures.

☐ ...et perdait une de ses chaussures.

☐ ...et avait perdu une de ses chaussures.

b. Ali Baba dit « Sésame, ouvre-toi ! » et entra dans la caverne des 40 voleurs. À l'intérieur...

☐ ...il y eut les richesses qu'ils avaient volées.

☐ ...il y avait les richesses qu'ils avaient volées.

☐ ...il y avait les richesses qu'ils volèrent.

c. Lorsque le petit Chaperon rouge arriva chez sa grand-mère...

☐ ...le loup mangea la grand-mère.

☐ ...le loup mangeait la grand-mère.

☐ ...le loup avait mangé la grand-mère.

d. Blanche Neige croqua une pomme empoisonnée et...

☐ ...tomba endormie.

☐ ...tombait endormie.

☐ ...était tombée endormie.

14 Voici le récit d'un des plus célèbres faits divers de la France du XVIIIe siècle. Conjuguez les verbes entre parenthèses au temps approprié : passé simple, plus-que-parfait, imparfait ou passé composé.

La Bête du Gévaudan

De 1764 à 1767, un animal mystérieux (1) .... *(terroriser)* les habitants de cette région du centre de la France. La bête (2) .... *(être)* responsable d'une centaine d'attaques, souvent mortelles, contre des humains ou des animaux. Ceux qui l'(3) .... *(voir)* la (4) .... *(décrire)* ainsi : un loup ? Non ! Ce (5) .... *(être)* une créature énorme, un monstre ! C'est finalement un homme du pays qui (6) .... *(sauver)* la région. Jean Chastel, un vieux chasseur, (7) .... *(tuer)* la Bête d'un coup de fusil*, devenant le héros du Gévaudan.

Cette histoire (8) .... *(inspirer)* de nombreux conteurs, artistes, et même quelques cinéastes. Aujourd'hui encore, on se souvient de la Bête du Gévaudan.

* un fusil est une longue arme à feu utilisée par les chasseurs.

CONJUGAISON

15 Pensez à un conte ou une histoire traditionnelle de votre culture. Souvenez-vous de l'histoire et de l'enchaînement des événements. En utilisant le passé simple, formulez cinq phrases qui racontent dans un ordre chronologique cinq étapes de cette histoire.

Exemple : 1. Le petit Chaperon rouge entra dans la forêt. 2. Le loup lui demanda où elle allait. 3. Etc.

COMPRÉHENSION ORALE Les Contes de Grimm

16 Écoutez l'émission et dites si les phrases suivantes sont vraies ou fausses. 74

	Vrai	Faux
a. Le journaliste présente un livre qu'il a lui-même écrit.	☐	☐
b. *Les Contes de Grimm* sont présentés dans une version moderne.	☐	☐
c. La vingtaine de contes présents dans ce livre sont tous très connus.	☐	☐
d. Le journaliste ne raconte pas l'histoire jusqu'à la fin.	☐	☐
e. Yann Legendre a essayé de traduire les contes dans un français très soutenu.	☐	☐
f. Enfant, Yann Legendre a découvert *Les Contes de Grimm* dans une langue très soutenue.	☐	☐

17 Écoutez la partie où le journaliste raconte une histoire. Remettez dans l'ordre les étapes du conte. 75

a. Le fils du bûcheron fait rentrer à nouveau le géant dans le bocal grâce à une ruse.
b. Comme le fils du bûcheron n'a plus d'argent pour étudier, il doit aider son père dans la forêt.
c. L'homme dans le bocal est en fait un géant qui doit tuer celui qui l'a libéré.
d. Le bûcheron travaille dur pour que son fils puisse faire des études.
e. Le géant promet de faire du fils un homme riche s'il le libère.
f. Le fils du bûcheron libère un petit homme enfermé dans un bocal.

1	2	3	4	5	6

18 Réagissez ! Un best-seller est un livre qui a connu un énorme succès en librairie, qui a été bien vendu et donc lu par de nombreux lecteurs. Souvenez-vous d'un best-seller que vous avez lu. De quel type d'ouvrage s'agit-il ? Pouvez-vous en résumer le contenu ? Avez-vous aimé ce livre ? Dites pourquoi.

Faites une recherche sur Internet pour trouver des chiffres et des informations qui vous permettent de décrire le succès de ce livre (nombre d'exemplaires vendus, traductions, prix littéraires, adaptations au cinéma ou à la télévision...).

LEXIQUE Les récits

→ Point Récap', livre p. 148

19 Un critique littéraire évoque quatre récits célèbres. Écoutez ses commentaires et déterminez, pour chaque œuvre de quel type de récit il s'agit. 76

Titre du récit			Type de récit
1. *Pinocchio*	•	•	**a.** Une fresque littéraire
2. *Le Bois qui chante*	•	•	**b.** Un conte de fées
3. *Les Rougon-Macquart*	•	•	**c.** Une fable
4. *Le Corbeau et le renard*	•	•	**d.** Une légende amérindienne

GRAMMAIRE Les pronoms personnels, démonstratifs et neutres

→ Point Grammaire, livre p. 140

20 Le directeur du parc du Puy du Fou est interviewé par un journaliste du *Mag de l'Éco*. Trouvez la réponse à chaque question à l'aide du contexte et du pronom utilisé.

1. Croyez-vous que votre parc puisse vraiment améliorer le niveau de connaissance historique de vos visiteurs ?

2. Que pensez-vous des rumeurs d'installation d'un autre parc d'attractions dans votre région ? Craignez-vous l'arrivée de cette concurrence ?

3. Mais si jamais cette rumeur est vraie, pensez-vous que vous pourrez y faire face ?

4. Comment envisagez-vous l'avenir du parc du Puy du Fou ? Est-ce que vous y réfléchissez ?

5. Imaginez-vous parfois un développement de votre parc à l'international ?

6. Quelles sont les idées de développement du Parc du Puy du Fou pour les prochaines années ?

1	2	3	4	5	6

a. Je n'en pense rien. Je n'écoute pas les ragots.

b. J'y pense tout le temps. Cela fait partie de mes missions en tant que directeur. Et je suis très optimiste pour les années à venir.

c. Non, je n'y crois pas du tout, c'est une idée fantaisiste à mon avis. Ce parc a sa place en France uniquement.

d. Je ne peux pas vous le dire pour le moment : secret industriel !

e. Je le crois sincèrement. Apprendre en s'amusant, c'est l'un de nos objectifs principaux. Et ça marche !

f. Nous y sommes tout à fait préparés. Notre projet est différent des parcs d'attractions « classiques », il ne répond pas à la même demande.

21 Suspect(e) dans une affaire judiciaire, vous êtes entendu(e) par le juge. Vous êtes innocent(e) et répondez à ses questions. Utilisez les pronoms neutres « le », « en » et « y » pour remplacer les mots soulignés.

Exemple : Que pensez-vous de cette affaire ?
— Je n'en pense rien, monsieur le juge, ça me concerne pas.

a. Êtes-vous prêt(e) à répondre à mes questions ?

....

b. Jurez-vous de dire la vérité ?

....

c. Vous souvenez-vous de ce que vous avez fait pendant la nuit du crime ?

....

d. En général, vous pensez aux conséquences de vos actes ?

....

e. Vous pensez vraiment que vous n'avez rien à voir avec cette affaire ?

....

f. Êtes-vous disposé(e) à signer le compte rendu de vos déclarations ?

....

PHONÉTIQUE Le verlan

22 On analyse ! Observez les étapes de transformation des mots suivants en verlan et complétez avec les mots suivants.

suppression (x2) - découpage - verlanisation - ajout de [ø] - inversion

	Étapes	louche	énervé	discret	pas	comme ça
↓	.... aux monosyllabes	loucheu	-	-	-	-
	.... du début du mot	-	nervé	-	-	-
↓	.... du mot en syllabes	lou-cheu	ner-vé	di-scret	pas	kom-sa
↓	.... des syllabes ou des sons	chelou	vénère	scrédi	ap	sakom
↓	.... de la fin du nouveau mot	-	-	scred'	-	-
	.... d'un mot en verlan	-	-	-	-	asmok/asmeuk

23 On fait la différence ! Écoutez et cochez le mot d'origine. (77)

a. tromé
☐ montre
☐ métro

b. keuf
☐ flic
☐ phoque

c. béton
☐ tomber
☐ tombe

d. ass
☐ ça
☐ as

e. teuf
☐ photo
☐ fête

f. reup
☐ père
☐ peur

g. cimer
☐ merci
☐ cimetière

h. ouam
☐ moi
☐ amour

i. iép
☐ pied
☐ pays

j. tiep
☐ pied
☐ pitié

24 On bouge la bouche ! Écoutez et répétez. (78)

a. On va chez ouam ou chez ouat ?
b. Je suis teubê, j'ai raté mon contrôle d'histoire...
c. Je suis resté kéblo à la question 4.
d. Il est zarb', ce prof !
e. Il m'a trop vénère!

25 Phonie-graphie. Réécrivez ce texte sur une feuille séparée en transformant les mots en verlan par leurs équivalents standards. (79)

Je vais vous présenter ma mifa : ma reum s'appelle Anna et mon reup Lucas. J'ai deux reus et un reuf. Mon reuf, c'est trop un ouf ! Parfois, il me vénère...

PHONÉTIQUE Le maintien du contact

26 On analyse ! Écoutez, observez et soulignez tous les mots qui permettent de maintenir le contact avec l'interlocuteur, sans donner d'information. (80)

Eh bien moi, écoutez, je pense que le devoir de mémoire est important. Alors, bon, déjà parce qu'il permet à tous de se souvenir. Et puis, bon ben, du coup, il peut empêcher qu'on reproduise les mêmes erreurs que dans le passé.

27 On fait la différence ! Cochez les énoncés qui contiennent des mots permettant d'établir ou de maintenir le contact. (81)

a. ☐
b. ☐
c. ☐
d. ☐

28 On bouge la bouche ! Écoutez, identifiez les mots qui permettent de maintenir le contact et répétez. (82)

a. En fait, tu aimes raconter des histoires, toi, hein ?
b. Ben moi, j'adore les contes de fée !
c. Alors, écoutez, je crois que c'est une légende urbaine.
d. Bon, eh bien toi, tu crois à cette rumeur absurde ?!

PRODUCTION ORALE Participer à un interrogatoire

29 Vous allez participer à un interrogatoire. Dans un premier temps, vous allez apprendre à formuler un alibi. 

Un lama a été volé dans un cirque, dans la nuit de samedi à dimanche. L'animal a été promené dans la ville, on lui a même fait prendre le tramway, comme l'attestent de nombreuses photos postées sur des réseaux sociaux.

Vous êtes accusé d'avoir volé ce lama. Avant de vous rendre à l'interrogatoire, préparez l'alibi le plus solide possible, en répondant aux questions suivantes. Où étiez-vous au moment des faits ? De quelle heure à quelle heure ? Avec qui ? Pourquoi et pour quoi faire ? Y a-t-il des documents qui le prouvent ?

30 Puis pour continuer l'interrogatoire, vous allez formuler des indices.

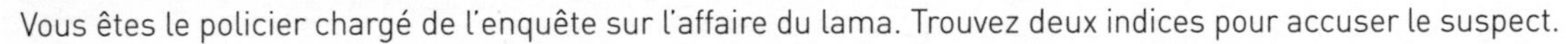

Vous êtes le policier chargé de l'enquête sur l'affaire du lama. Trouvez deux indices pour accuser le suspect.

31 À vous ! Vous participez à un interrogatoire. Choisissez une des deux situations : policier ou voleur. 

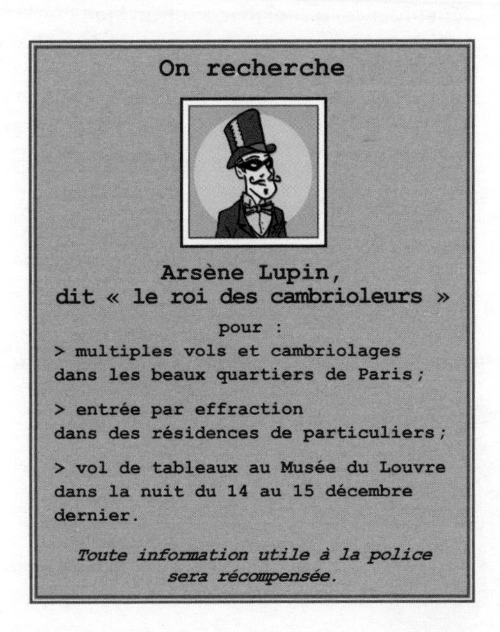

a. Vous êtes policier/policière, vous avez arrêté un homme qui est probablement Arsène Lupin, vous vous préparez à l'interroger.

Imaginez :

- les questions que vous allez lui poser ;
- les indices pour l'accuser.

b. Vous venez d'être arrêté, on vous soupçonne d'être Arsène Lupin, « le roi des cambrioleurs ».

Préparez votre alibi et les éléments qui vont vous permettre de nier ou d'avouer votre responsabilité.

PRODUCTION ÉCRITE Écrire un témoignage sur un blog

32 Vous allez écrire un témoignage en deux étapes. Vous venez de voir le film *La Révolution française* et souhaitez en parler sur un blog. Reconstituez les phrases de votre témoignage.

1. L'histoire se passe évidemment...
2. Ce film raconte...
3. Ce film m'a aidé à mieux comprendre pourquoi...
4. Ça m'a ouvert les yeux sur...
5. Le film décrit de manière très réaliste...
6. Pour ce qui est des émotions, il y a beaucoup de...

- **a.** ... suspense et d'héroïsme.
- **b.** ... la violence des événements politiques de cette période.
- **c.** ... la vie quotidienne des Parisiens à cette époque.
- **d.** ... à Paris à la fin du XVIIIe siècle.
- **e.** ... les évènements qui se sont déroulés, depuis la prise de la Bastille en 1789, jusqu'à l'arrivée au pouvoir de Napoléon en 1804.
- **f.** ... cet événement est aujourd'hui encore très présent dans la culture française.

33 À vous ! Vous venez de regarder un film historique, qui vous a aidé à mieux comprendre un événement ou une période particulière de l'histoire. Sur une feuille séparée, complétez les phrases suivantes dans le but de constituer un témoignage sur un blog.

Pour identifier le film :
Je viens de voir le film...
Pour présenter le contexte :
L'histoire se passe...
Pour évoquer les événements relatés :
Ce film raconte...

Pour présenter les enseignements de ce film :
Ce film m'a aidé à mieux comprendre pourquoi...
Ça m'a ouvert les yeux sur...
Pour donner d'autres détails intéressants :
Le film décrit de manière très réaliste...
Pour exprimer ce que vous avez ressenti :
Pour ce qui est des émotions, il y a beaucoup de...

TAC AU TAC Réagir à un mensonge

34 Travail par deux. Observez l'affiche et choisissez la situation A ou la situation B.

A : Vous avez assisté au spectacle de John Houdino dont cette affiche fait la publicité : Vous avez adoré et totalement cru aux numéros de magie et d'hypnose. Vous racontez ce spectacle en détail à votre partenaire B.

B : Votre partenaire a adoré le spectacle de John Houdino. Il vous le raconte. Vous n'y êtes pas allé parce que vous considérez que c'est un mensonge. Vous réagissez dans ce sens au récit de votre partenaire A.

1 Compréhension orale : le chapeau de Napoléon

Lisez les questions et choisissez la ou les réponses correctes. 

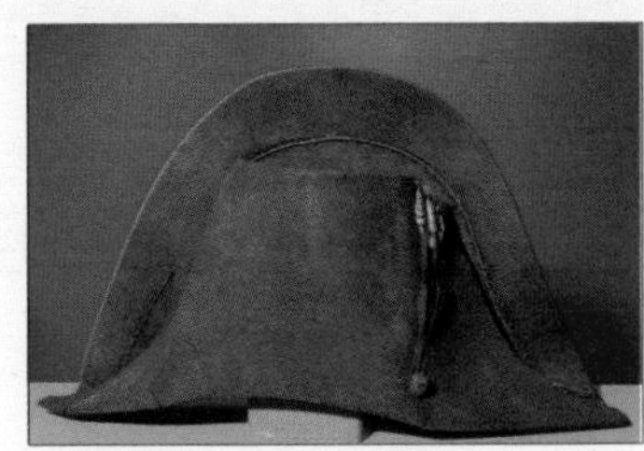

a. Ce document est :
- ☐ un extrait d'émission sur l'Histoire.
- ☐ le portrait d'un personnage historique.
- ☐ un extrait de journal.

b. Pour le journaliste, il s'agit :
- ☐ du récit d'un événement historique.
- ☐ d'un petit événement lié à la grande Histoire.
- ☐ d'un événement récent qui restera dans l'Histoire.

c. Le chapeau qui a été vendu :
- ☐ a réellement appartenu à Napoléon.
- ☐ est une copie certifiée exacte d'un chapeau de Napoléon.
- ☐ a appartenu au peintre David, ami de Napoléon.

d. Jean-Pierre Birambeau considère Napoléon : (2 réponses)
- ☐ comme un grand homme dans l'Histoire.
- ☐ comme un dictateur cruel mais un grand chef d'entreprise.
- ☐ comme un exemple pour les hommes d'affaires d'aujourd'hui.

e. M. Birambeau a acheté le chapeau de Napoléon :
- ☐ pour l'exposer et communiquer l'esprit d'entreprise au public.
- ☐ pour pouvoir le revendre plus tard et gagner de l'argent.
- ☐ pour avoir le plus beau costume d'Halloween.

2 Production écrite : réagir à un mensonge

Vous pensez que le chapeau acheté par M. Birambeau n'est pas authentique. Vous écrivez au courrier des lecteurs du magazine *Histoire* pour réagir à ce que vous considérez comme un mensonge. (150 mots)

– Vous reprenez au discours indirect ce que le commissaire-priseur Vincent Merlu a déclaré au sujet de ce chapeau.
– Vous émettez des doutes sur l'authenticité du chapeau, et protestez contre ce mensonge.

8 Protéger le patrimoine

COMPRÉHENSION ÉCRITE Biens matériels et immatériels

Les toits de Paris au patrimoine mondial de l'Unesco ?

La nouvelle maire du IXe arrondissement de la capitale, va défendre cette idée lors du Conseil de Paris cette semaine.

Voici un défi de taille : faire inscrire au patrimoine mondial de l'Unesco les toits de la capitale. Le but de cette inscription ? Développer l'attrait touristique des toits de Paris et, au bout du compte, l'activité économique. Tout comme à New York, Berlin ou encore Madrid, la nouvelle maire souhaite voir se multiplier les *rooftops*, ces terrasses de restaurants et de bars au dernier étage des immeubles. Le phénomène est en plein essor et les terrasses panoramiques qui existent déjà à Paris, comme Le Perchoir ou Le Nuba, sont prises d'assaut. Cela révèle une réelle demande et prouve que le paysage exceptionnel qu'offre la capitale depuis les toits n'est pas suffisamment exploité.

Est-ce une vraie opportunité économique ?

D'après le professeur Michel Garnier, l'impact d'une inscription au patrimoine mondial de l'Unesco serait largement exagéré. Contre toute attente, les répercussions économiques et touristiques seraient faibles. Selon lui, la beauté des sites et leur reconnaissance par des labels ne sont pas des facteurs importants. En effet, l'attractivité touristique et le développement local reposent davantage sur le dynamisme d'un maire ou des facteurs historiques comme les souvenirs d'une guerre récente.

Des règles pour attirer les touristes

Par exemple, à Paris, les quais de Seine et ses berges, classés en 1991, n'ont pas été dopés par le label de l'Unesco. C'est en fait la piétonisation* des voies et l'opération Paris Plages menée depuis 2002 par la mairie qui ont été positives. L'inscription favorise certainement le développement, mais cela ne garantit pas le succès. Il faut ensuite aménager les accès et organiser des événements pour attirer du monde…

Il semblerait même que les touristes soient plus sensibles au label du guide Michelin qu'à celui de l'Unesco ! Mais l'effet du label de l'Unesco sur la protection du patrimoine reste évident. Une inscription permet, grâce à la publicité qu'elle génère, d'attirer des donateurs pour financer l'entretien des sites sans percevoir d'argent directement de l'Unesco.

* établir des zones réservées aux passants

Source : Challenges.fr, 2014

1 Lisez le texte puis répondez par vrai ou faux.

	Vrai	Faux
a. À Paris, de nombreuses terrasses de restaurants ou de bars permettent de contempler la vue sur les toits.	☐	☐
b. Selon Michel Garnier, un classement des toits de Paris au patrimoine mondial de l'Unesco ne permet pas toujours d'attirer plus de touristes.	☐	☐
c. Le classement des quais de Seine en 1991 a permis de développer le tourisme dans cette zone.	☐	☐
d. Les sites classés au patrimoine mondial reçoivent de l'argent de l'Unesco.	☐	☐

2 Associez ces mots ou expressions du texte avec leur synonyme.

1. être pris d'assaut •
2. un impact •
3. être dopé •
4. un accès •
5. un donateur •

• a. une influence
• b. être développé
• c. être plein de monde
• d. une personne qui donne de l'argent
• e. un moyen d'arriver à un lieu

3 Agissez ! Vous travaillez à l'Unesco et vous êtes chargé de la liste du patrimoine mondial de l'humanité. Quelles demandes acceptez-vous et lesquelles refusez-vous ? Expliquez vos choix.

a. Les toits de Paris

b. La Statue de la Liberté, New York

c. La tour Eiffel, Paris

....

....

....

....

LEXIQUE Le patrimoine culturel immatériel

→ Point Récap', livre p. 168

4 Ces pratiques ont été inscrites à la liste du patrimoine immatériel de l'Unesco. Lisez leur description et indiquez dans le tableau à quel type de patrimoine elles correspondent.

LE + STRATÉGIE

Pour bien comprendre le sens d'un mot nouveau, je recherche des documents dans lesquels il peut être utilisé.

Le kimjang, préparation et partage du kimchi en République de Corée

Kimchi est le nom coréen donné aux légumes conservés, assaisonnés d'épices et de produits de la mer fermentés. La préparation et le partage du kimchi entre les familles (appelés kimjang) est une tradition familiale répandue dans l'ensemble de la République de Corée.

Le fado, chant populaire urbain du Portugal

Le fado est un genre musical mélancolique, propre à la culture portugaise. Le Fado est généralement interprété par un chanteur seul, homme ou femme, traditionnellement accompagné d'une guitare acoustique et de la guitarra portugaise, une cithare en forme de poire à douze cordes métalliques, spécifique au Portugal.

Le découpage de papier chinois

Le découpage de papier est une forme artistique fondamentale dans la vie quotidienne chinoise. Cet art est transmis de mère en fille au cours d'un long apprentissage qui commence dès l'enfance, surtout dans les zones rurales. Les motifs, généralement hérités de la tradition familiale, sont très divers et souvent improvisés par l'artiste.

La danse des ciseaux

La danse des ciseaux est un rituel exécuté par les habitants des villages et communautés Quechua de la partie sud des Andes centrales du Pérou et, depuis quelque temps, en zone urbaine.
La danse des ciseaux, faisant partie d'un ensemble de rituels liés aux fêtes catholiques, tire son nom de la paire de lames en métal poli semblables à des lames de ciseaux que chaque danseur tient dans sa main droite.

	Traditions	Arts du spectacle	Rites	Pratiques / Savoir-faire du quotidien
Le kimjang				
Le fado				
Le découpage du papier chinois				
La danse des ciseaux				

GRAMMAIRE Le groupe adverbial à valeur d'opinion

→ Point Grammaire, livre p. 160

5 Ces personnes sont allées voir le film *Famille, familles*. Écoutez-les et dites si leur jugement est très positif, assez positif, assez négatif ou très négatif. 84

a. Première personne : ☐ jugement très positif ☐ assez positif ☐ assez négatif ☐ très négatif
b. Deuxième personne : ☐ jugement très positif ☐ assez positif ☐ assez négatif ☐ très négatif
c. Troisième personne : ☐ jugement très positif ☐ assez positif ☐ assez négatif ☐ très négatif
d. Quatrième personne : ☐ jugement très positif ☐ assez positif ☐ assez négatif ☐ très négatif
e. Cinquième personne : ☐ jugement très positif ☐ assez positif ☐ assez négatif ☐ très négatif
f. Sixième personne : ☐ jugement très positif ☐ assez positif ☐ assez négatif ☐ très négatif

6 Complétez cette critique de spectacle afin de lui donner un sens positif ou un sens négatif. Choisissez des adverbes dans la liste ci-dessous.

admirablement - adroitement - agréablement - désagréablement - fabuleusement bien - lourdement - malhabilement - plus ou moins - très mal - vraiment

J'ai été (1) .... surpris par ce spectacle qui mêle (2) .... théâtre, danse et acrobaties. Les scènes de théâtre sont (3) .... jouées par un comédien parisien, la jeune femme qui danse (4) .... vient de Sydney tandis que les acrobates s'inscrivent dans la tradition du cirque chinois. Un melting-pot (5) .... réussi !

LEXIQUE Le patrimoine culturel matériel

→ Point Récap', livre p. 168

7 Lisez ce test et complétez les profils avec les symboles qui correspondent.

LE + STRATÉGIE
Les images ou les photos peuvent m'aider à visualiser et donc à retenir les nouveaux mots que j'apprends.

Quel patrimoine est fait pour vous ?

1. Vous êtes en vacances à Paris. Vous visitez en priorité :
■ la Maison des métallos (ancienne fabrique d'instruments de musique)
★ les petites rues et les vignes de Montmartre
● le Louvre
▲ les jardins

2. Votre activité préférée en vacances :
▲ faire de la randonnée
■ goûter les spécialités locales et visiter leur lieu de production
● visiter les monuments incontournables
★ découvrir les petits villages de la région

3. Pour vous, le patrimoine, c'est :
▲ l'ensemble des merveilles de la nature
■ les témoignages de la vie et des activités du passé
★ les traces laissées par l'homme sur les paysages
● les monuments et les villes remarquables

4. Choisissez une affiche pour décorer votre salon.

● la cathédrale Saint-Pierre de Rome

■ une mine du Nord de la France

▲ les chutes Victoria

★ un paysage de rizières

Comptez vos symboles et découvrez votre profil

a. Vous avez plus de ...
Vous appréciez surtout le patrimoine architectural urbain
Amateur d'art et d'architecture, vous vous intéressez à l'Histoire (avec un grand H) et vous aimez visiter les lieux marqués par les hommes qui ont fait cette Histoire. (châteaux et palais, musées d'art, édifices religieux remarquables…)

b. Vous avez plus de ...
Vous appréciez surtout le patrimoine rural
Ce qui vous intéresse, c'est la vie quotidienne à la campagne.
Vous aimez découvrir des lieux peu connus du public, visiter des villages et des musées consacrés aux traditions et aux savoir-faire d'autrefois.

c. Vous avez plus de ...
Vous appréciez surtout le patrimoine naturel
Vous aimez la nature et vous êtes fascinés par ses merveilles.
Pour vous, rien de tel que la beauté d'une cascade, l'immensité d'un paysage de montagne ou l'étendue infinie de la mer.

d. Vous avez plus de ...
Vous appréciez surtout le patrimoine industriel
Vous vous intéressez à l'évolution des techniques et de l'industrie.
Pour vous, les sites industriels et les usines, à l'architecture souvent monumentale, méritent d'être préservés et mis en valeur.

GRAMMAIRE La reprise nominale

→ Point Grammaire, livre p. 160

8 Lisez ces titres de journaux. Dans les chapeaux, remplacez l'expression soulignée du titre par un mot ou par une expression équivalente au choix dans la liste ci-dessous.

l'Hexagone - ce peuple - la nouvelle génération - ces chiffres - ce joyau de l'art religieux - ce monument - la salle de spectacle - cet artiste

a

Réouverture du château de Champs-sur-Marne
Après 6 ans de travaux, ...
sera à nouveau ouvert au public le 29 juin.

b

La culture chez les 15-24 ans
Recul de la télé et de la radio, nouvelles formes de divertissement : la révolution numérique bouleverse les pratiques culturelles de
....

c

Le Théâtrapapa menacé de fermeture
Le maire ne souhaite pas continuer à soutenir financièrement ....

d

La culture en France : un investissement à perte ?
Pas du tout ! Un rapport du Ministère de la Culture et du Ministère de l'Économie établit que la culture contribue 7 fois plus au PIB de .... que l'industrie automobile.

9 Écoutez cette émission de radio où l'on présente quatre professions liées au patrimoine. (85) Relevez pour chaque profession l'expression équivalente utilisée par le présentateur.

a. Le restaurateur d'œuvres d'art : ....

b. Le guide-conférencier : ....

c. L'archéologue : ....

d. Le notaire : ....

LEXIQUE Le patrimoine familial

→ Point Récap', livre p. 168

10 Écoutez ces phrases et dites si elles sont prononcées par un notaire ou par un légataire. (86)

	notaire	légataire
phrase 1 :	☐	☐
phrase 2 :	☐	☐
phrase 3 :	☐	☐
phrase 4 :	☐	☐
phrase 5 :	☐	☐
phrase 6 :	☐	☐

LE + STRATÉGIE
Pour comprendre le sens exact d'un mot, j'essaie d'imaginer qui peut le prononcer et dans quelle situation.

GRAMMAIRE Les doubles pronoms

→ Point Grammaire, livre p. 160

11 Choisissez les pronoms qui conviennent pour compléter ces slogans.

a

Pêcher, cuisiner, jardiner, tricoter... Vous pensez que ces savoir-faire se perdent ? Demandez à vos grands-parents de vous (y / vous les / les leur / leur en) transmettre !

b

Vous ne savez pas comment rédiger votre testament ? Votre notaire est là pour (vous y / vous en / vous l' / les lui) aider !

c

Leur succession ? N'attendez pas pour (lui en / leur en / la lui / les lui) parler !

d

Les ardoises angevines méritent d'être classées dans la liste du patrimoine de l'Unesco. Aidez-nous à (les y / les lui / les en / le leur) faire inscrire !

e

Le château de Foix, vous (m'en / vous en / le vous / vous lui) souviendrez longtemps...

f

Vos proches ne sont jamais allés au Préhisto-parc ? N'hésitez pas à (au leur / leur y / les y / lui y) inviter !

12 Écoutez ces personnes et répondez-leur en utilisant des doubles pronoms. 87

a. Oui, elle ....

b. Vraiment ? Tu ....

c. Non, je ....

d. Non, tu ....

e. Ah oui, c'est une bonne idée de ....

f. J'espère que tu ne vas pas ....

COMPRÉHENSION ORALE Les Journées du Patrimoine

13 Écoutez le document et répondez par vrai ou faux. 88

	Vrai	Faux
a. La première édition des Journées du Patrimoine a eu lieu en 1913.	☐	☐
b. Pendant les Journées du Patrimoine, l'entrée dans les sites est totalement gratuite.	☐	☐
c. Les Journées du Patrimoine se déroulent sur 4 jours, du jeudi au dimanche.	☐	☐
d. L'année précédente, les Journées du Patrimoine ont connu un véritable succès.	☐	☐

14 1. Écoutez à nouveau et complétez les expressions correspondant à chaque type de patrimoine avec les adjectifs utilisés dans le document. 88

a. Un château : le patrimoine ....

b. Une usine : le patrimoine ....

c. Un jardin : le patrimoine ....

2. Que signifie l'expression « la France est un musée à ciel ouvert » ?

☐ La France possède un patrimoine historique riche et varié.

☐ En France, de nombreux musées proposent de découvrir les phénomènes météorologiques.

☐ Beaucoup de Français s'intéressent à l'art et se rendent dans les musées à l'occasion des Journées du Patrimoine.

15 Réagissez ! Pensez-vous que, comme les Français, les habitants de votre pays soient « passionnés de patrimoine » ? Comment jugez-vous l'attitude des pouvoirs publics (gouvernement national ou local) et des habitants vis-à-vis du patrimoine ?

LEXIQUE Protection et détérioration du patrimoine

→ Point Récap', livre p. 168

16 Lisez ce prospectus qui retrace l'histoire récente du château de Sedan et remettez les étapes dans l'ordre.

a. Dans les années soixante, le château fort de la ville de Sedan menaçait de s'effondrer.

b. La ville de Sedan, propriétaire du château, a ainsi reçu des fonds pour la sauvegarde et la rénovation du château.

c. Au début des années 2000, une partie du château a été aménagée en hôtel de luxe de 54 chambres.

d. En 1965, le château a été classé monument historique.

e. Des travaux de restauration ont alors débuté.

f. Puis, le château a été ouvert aux visiteurs. Le prix des entrées permet de continuer à entretenir le château.

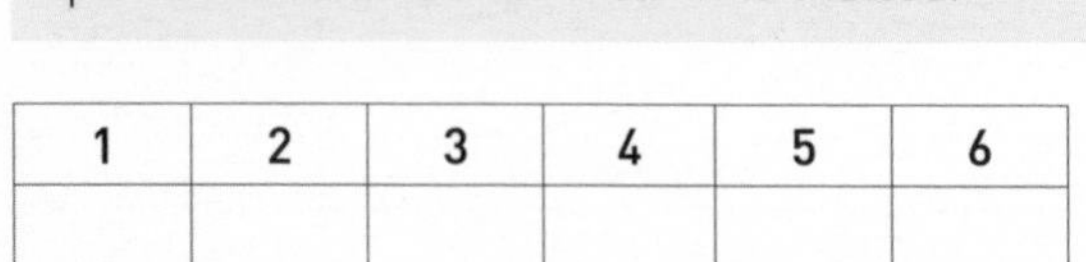

1	2	3	4	5	6

GRAMMAIRE Les verbes pronominaux

→ Point Grammaire, livre p. 160

17 Lisez ce dialogue et accordez les participes passés des verbes pronominaux si nécessaire.

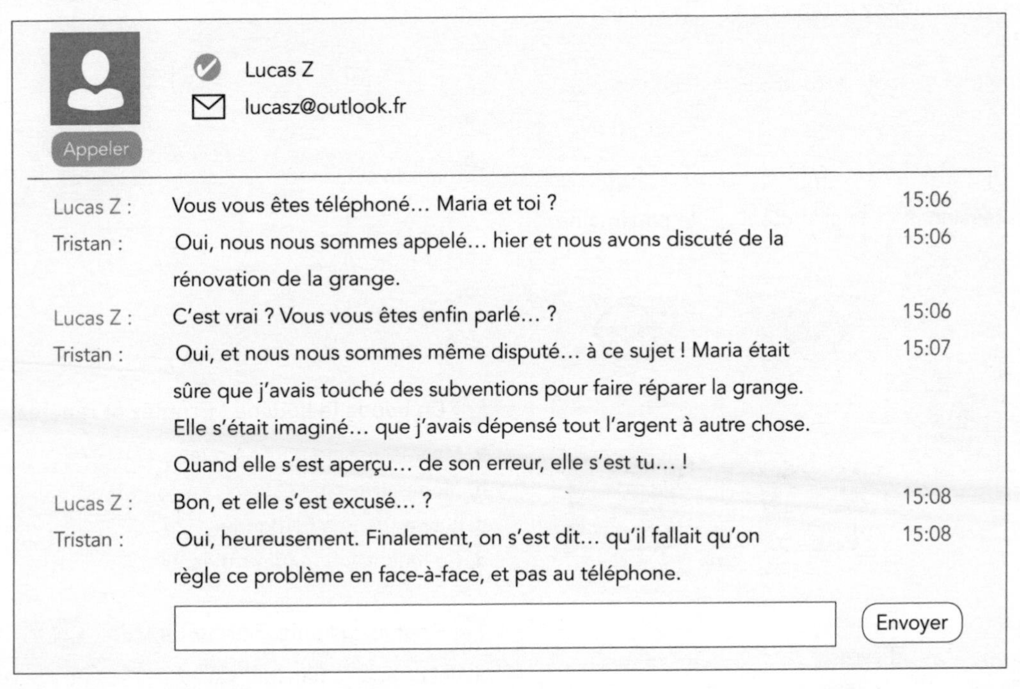
Lucas Z
lucasz@outlook.fr
Appeler

Lucas Z :	Vous vous êtes téléphoné… Maria et toi ?	15:06
Tristan :	Oui, nous nous sommes appelé… hier et nous avons discuté de la rénovation de la grange.	15:06
Lucas Z :	C'est vrai ? Vous vous êtes enfin parlé… ?	15:06
Tristan :	Oui, et nous nous sommes même disputé… à ce sujet ! Maria était sûre que j'avais touché des subventions pour faire réparer la grange. Elle s'était imaginé… que j'avais dépensé tout l'argent à autre chose. Quand elle s'est aperçu… de son erreur, elle s'est tu… !	15:07
Lucas Z :	Bon, et elle s'est excusé… ?	15:08
Tristan :	Oui, heureusement. Finalement, on s'est dit… qu'il fallait qu'on règle ce problème en face-à-face, et pas au téléphone.	15:08

Envoyer

18 Écoutez Paulin qui parle de sa rencontre avec Christine. Réécrivez son histoire en utilisant les verbes pronominaux proposés. 

~~se rencontrer~~ - s'asseoir - s'installer - se regarder - se sourire - se mettre - se parler - s'échanger - se serrer - se téléphoner - se donner

« Nous **nous sommes rencontrés** en 1987. J'étais étudiant à la Sorbonne et après les cours, j'avais l'habitude d'aller à la bibliothèque de l'université. Vous savez, cette bibliothèque immense qui date du XVIIIe siècle ! Ce jour-là, (1) .... au fond de la salle. Une jeune fille rousse est arrivée, (2) .... près de moi. J'ai levé la tête (3) ...., (4) .... Puis, (5) .... dans notre travail. Lorsqu'elle est sortie, j'ai pris mon courage à deux mains et je l'ai suivie. Je l'ai invitée à prendre un café. (6) .... jusqu'à la tombée de la nuit. Avant de rentrer chacun chez soi, (7) .... nos numéros de téléphone, puis (8) .... la main. Le soir même, (9) .... et (10) .... rendez-vous le lendemain. »

Paulin, 47 ans.

CONJUGAISON

19 En une minute, donnez :

- 3 verbes pronominaux où le pronom réfléchi est COD,
- 3 verbes pronominaux où le pronom réfléchi est COI,
- 3 verbes toujours pronominaux,
- 3 verbes pronominaux suivis d'un COD.

PHONÉTIQUE Les semi-voyelles [j], [ɥ] et [w]

20 On analyse ! Observez les schémas des semi-voyelles et complétez le tableau avec les mots suivants.

très fermée - en avant - arrondies - syllabe - voyelle - en arrière

[j] la possession	[ɥ] la gratuité	[w] le patrimoine
Bouche .... Langue	Bouche .... Lèvres .... Langue	Bouche .... Lèvres .... Langue ....
Les semi-voyelles se prononcent dans la même .... qu'une autre		

21 On fait la différence ! Cochez les sons que vous entendez. 90

	[ɥ]	[w]
a.		
b.		
c.		
d.		
e.		
f.		

22 On bouge la bouche ! Écoutez et répétez. 91

a. Ma succession part en miettes !
b. Mon patrimoine est mal en point !
c. Il a continué à lui donner.
d. Ce loueur a une lueur d'espoir.

23 Phonie-graphie. Barrez l'intrus. 92

a. déclaration - patrimonial - fric - oseille - payer
b. gratuité - puissance - fortune - effectuer
c. loueur - patrimoine - dévoiler - avoir - soupeser

Comment ça s'écrit ?

[j] : .... [ɥ] : .... [w] : ....
[i] : .... [y] : .... [u] : ....

PHONÉTIQUE Intonation : la mise en relief

24 On analyse ! Écoutez, observez et répondez. 93

Comment sont mis en relief l'adverbe et l'adjectif ?
La .... syllabe est plus .... et plus ....

25 On fait la différence ! Écoutez et cochez quand les adverbes d'opinion sont mis en relief. 94

a. ☐ d. ☐
b. ☐ e. ☐
c. ☐ f. ☐

26 On bouge la bouche ! Écoutez et répétez. 95

a. Je suis vraiment d'accord avec vous !
b. Vos arguments sont complètement stupides !
c. Vous avez parfaitement raison !
d. Vos exemples sont ridiculement réducteurs !
e. C'est formidablement bien dit !

PRODUCTION ORALE Participer à un débat

27 Vous allez apprendre à participer à un débat en plusieurs étapes. Ces trois internautes ont participé à un forum de discussion consacré au patrimoine architectural. Lisez leurs commentaires, relevez les expressions d'opinion et classez-les dans le tableau.

Patrimoine architectural : faut-il transformer ou reconstruire « comme avant » ?

Archi : En tant qu'architecte, je ne suis pas opposé au réaménagement des bâtiments anciens, au contraire ! Cependant, il me paraît indispensable de respecter le style initial du bâtiment. Selon moi, il faut préserver le charme du bâtiment existant en intégrant un esprit contemporain.

Seb49 : Je ne suis ni architecte, ni historien mais je souhaiterais vous parler d'un exemple de transformation (totalement réussie, à mon avis) d'un bâtiment ancien à Angers. Dans le centre-ville, se trouve une ancienne abbaye de style gothique. Cette abbaye tombait en ruine et dans les années quatre-vingt, un projet de réhabilitation de cette abbaye a été initié. La toiture a été totalement refaite, non pas en ardoise, le matériau traditionnel de la région, mais en verre. La forme de la toiture a été respectée et je trouve que l'alliance de matériaux anciens pour les murs et de matériaux modernes pour le toit est tout simplement superbe ! Aujourd'hui, ce bâtiment abrite un musée de sculpture et la transparence du verre donne à cet endroit une clarté qui met les œuvres particulièrement en valeur. Je suis donc totalement favorable à une transformation (réfléchie) du patrimoine architectural.

Claudio : On connaît bien le patrimoine architectural des villes (monuments, édifices religieux…), le patrimoine industriel (usines, mines…) mais on connaît moins le patrimoine rural. Il me semble que celui-ci est particulièrement menacé. En effet, qui se soucie aujourd'hui des fermes, des hameaux, des villages ? Alors, faut-il aménager ou reconstruire ce patrimoine ? Personnellement, je suis contre le mélange des styles. Je pense qu'il faut préserver les techniques de construction et les matériaux traditionnels.

Pour exprimer son opinion	Pour dire qu'on est favorable à une idée	Pour dire qu'on est opposé à une idée

28 Écoutez ce débat sur le même sujet. Notez les expressions que les participants utilisent pour prendre et garder la parole. 96

Expressions pour prendre la parole	Expressions pour garder la parole

29 À votre avis, faut-il reconstruire à l'identique pour respecter le patrimoine architectural ? À vous de participer à ce débat.

PRODUCTION ÉCRITE Écrire un mail de réclamation

30 Vous allez écrire un mail de réclamation en plusieurs étapes. Premièrement, remettez les différentes parties de ce mail de réclamation dans l'ordre.

a. Selon les indications portées sur votre e-mail de confirmation de commande en date du 13 janvier 2015, vous deviez me livrer dans un délai de 3 jours ouvrés les articles suivants : 6 pots de 2,5 L de peinture blanche « murs et plafonds », 2 rouleaux pour peinture 120 mm et 2 pinceaux plats 40 mm.

b. Stéphanie CHANG

c. Je vous prie donc d'annuler la commande passée et de me rembourser sans délai la somme versée, soit un montant de 256,75 euros.

d. Madame, Monsieur,

e. De plus, j'avais posé des congés la semaine du 26 janvier au 2 février afin de pouvoir effectuer des travaux de rénovation de mon logement, ce que je n'ai pas pu faire à cause de ce retard de livraison.

f. Or, à la date du 30 janvier 2015, je n'ai toujours rien reçu.

g. Dans cette attente, je vous prie d'agréer, Madame, Monsieur, mes salutations distinguées.

h. De : CHANG Stéphanie
À : Matériaux-minute
Envoyé le : 30 janvier 2015

i. Objet : Retard de livraison

1	2	3	4	5	6	7	8	9

31 Complétez maintenant ce mail avec des expressions adaptées du tableau ci-dessous. Attention, certaines propositions ne peuvent pas être utilisées.

Donner le contexte de départ : Je fais suite à votre facture du 3 juin 2015. Suite à votre facture du 3 juin 2015. Je viens de recevoir votre facture en date du 3 juin 2015.
Exprimer un mécontentement : j'ai eu le désagrément de j'ai été étonné de c'est avec surprise que
Exprimer une demande : je vous serai donc obligé de je souhaiterais vivement qu'une personne de vos services me contacte afin que je vous serai reconnaissant de bien vouloir

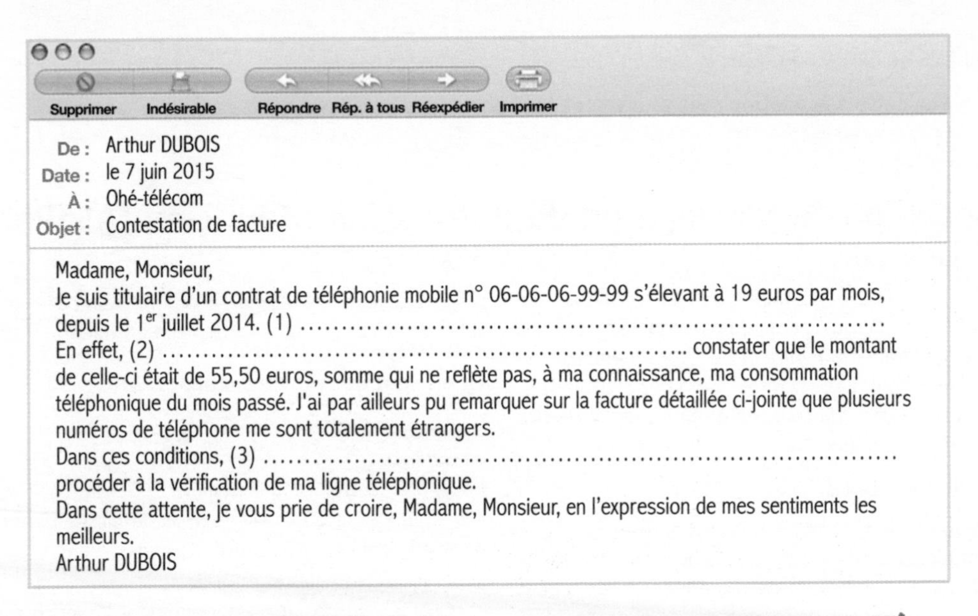

Supprimer Indésirable Répondre Rép. à tous Réexpédier Imprimer

De : Arthur DUBOIS
Date : le 7 juin 2015
À : Ohé-télécom
Objet : Contestation de facture

Madame, Monsieur,
Je suis titulaire d'un contrat de téléphonie mobile n° 06-06-06-99-99 s'élevant à 19 euros par mois, depuis le 1er juillet 2014. (1) ....
En effet, (2) .... constater que le montant de celle-ci était de 55,50 euros, somme qui ne reflète pas, à ma connaissance, ma consommation téléphonique du mois passé. J'ai par ailleurs pu remarquer sur la facture détaillée ci-jointe que plusieurs numéros de téléphone me sont totalement étrangers.
Dans ces conditions, (3) ....
procéder à la vérification de ma ligne téléphonique.
Dans cette attente, je vous prie de croire, Madame, Monsieur, en l'expression de mes sentiments les meilleurs.
Arthur DUBOIS

32 **Vous avez commandé le livre *Un patrimoine, des patrimoines* sur un site de vente en ligne. Quand vous recevez votre livre, vous constatez qu'il est très abîmé. Sur une feuille séparée, écrivez un mail de réclamation pour demander le remplacement de ce livre.**

TAC AU TAC Décrire une détérioration

33 **Travail par deux. Chacun choisit une image. Décrivez cette image à votre voisin. Expliquez comment ce lieu se dégrade et imaginez comment il pourrait être sauvegardé ou rénové. Vous avez deux minutes !**

1 Compréhension écrite : protéger le patrimoine

Lisez le tract de cette association puis choisissez la réponse qui convient.

Association de Sauvegarde du Patrimoine Mauricien (ASaPaM)

Qui sommes-nous ?

L'ASaPaM est une organisation non-gouvernementale qui œuvre pour la sauvegarde du patrimoine mauricien, qu'il soit matériel ou immatériel. Les membres de l'association sont des citoyens, hommes et femmes, représentant l'île Maurice dans toute sa diversité culturelle et religieuse.

Quel est notre but ?

- sauvegarder le patrimoine de l'île Maurice.

De nombreux sites naturels, édifices et traditions sont aujourd'hui menacés de disparition. Il est urgent aujourd'hui de préserver ces témoignages du passé et ces symboles de notre identité.

- informer les Mauriciens sur la richesse et la diversité de leur patrimoine.

L'enseignement de la préservation du patrimoine contribue à l'existence d'une nation où les valeurs de respect de la diversité et de la différence, et de partage sont comprises, préservées et mises en valeur.

Quels sont nos moyens d'action ?

- allonger la liste des sites inscrits au patrimoine mondial de l'Unesco.

En effet, cette reconnaissance internationale sort l'île Maurice de son isolement et la classe parmi les pays engagés dans la sauvegarde des biens pour les générations actuelles et futures.

- réclamer auprès du gouvernement mauricien une campagne nationale de sensibilisation à l'importance du patrimoine dans les écoles.

Il faut informer les habitants, dès leur plus jeune âge, de l'intérêt de ces sites naturels, de ces édifices et de ces traditions.

a. L'AsaPam est composée de :
- ☐ membres du gouvernement.
- ☐ citoyens mauriciens.
- ☐ membres du gouvernement et de citoyens mauriciens.

b. Le but de l'ASaPaM est de :
- ☐ préserver le patrimoine existant.
- ☐ mettre en valeur le patrimoine.
- ☐ réfléchir à la réhabilitation des sites négligés jusqu'à maintenant.

c. Le premier moyen d'action évoqué est de :
- ☐ proposer d'inscrire de nouveaux sites mauriciens au patrimoine de l'Unesco.
- ☐ classer l'île Maurice dans la liste des pays engagés dans la préservation du patrimoine.
- ☐ bien préserver l'isolement de l'île Maurice.

d. Le deuxième moyen d'action évoqué est de :
- ☐ préserver les sites historiques, notamment à la campagne.
- ☐ faire inscrire les écoles mauriciennes à la liste du patrimoine mondial de l'Unesco.
- ☐ demander au gouvernement d'entreprendre une campagne d'information auprès des enfants.

2 Production orale : porter un jugement de valeur

Quel est le dernier film que vous avez vu ? Qu'en avez-vous pensé ? Portez un jugement critique sur ce film en utilisant des expressions d'opinion et des adverbes.

9 Nourrir son quotidien

COMPRÉHENSION ÉCRITE L'évolution de notre alimentation

L'évolution de l'alimentation en France

En France, comme dans l'ensemble des pays industrialisés, les habitudes alimentaires ont beaucoup plus changé au cours des 50 dernières années qu'au cours des siècles précédents. L'évolution de l'alimentation accompagne les transformations de notre société. […]

L'amélioration des conditions socio-économiques observée au cours des dernières décades a permis un meilleur accès de la majorité de la population à des aliments plus variés. Si l'on compare l'évolution des salaires et celle du prix des aliments d'origine animale depuis le début du siècle, on constate que le prix de la douzaine d'œufs a augmenté 10 fois moins que le salaire de l'ouvrier métallurgiste, le prix du jambon, 8 fois moins, le prix du kilogramme de bifteck 2,5 fois moins. Ce qui permet aujourd'hui pour l'ouvrier métallurgiste, pour un même temps de travail, de s'offrir une quantité beaucoup plus importante d'aliments source de protéines animales.

Les progrès technologiques ont été particulièrement spectaculaires dans toutes les étapes de la chaîne agroalimentaire jusqu'à la mise sur le marché des produits : production, conservation, commercialisation, distribution […] Les techniques de stérilisation à haute température[1], de surgélation[2], de lyophilisation[3] ont amélioré les durées de conservation et favorisé la disponibilité des produits en tous lieux et en toutes saisons. Les modes de préparation familiale ont eux aussi évolué, avec notamment le développement des produits surgelés et de l'usage du four à micro-ondes.

La modification des goûts des consommateurs et de la valeur symbolique attachée aux différents aliments a été également très profonde. Le pain et la viande constituent des exemples frappants. Le pain a été longtemps rattaché à des valeurs traditionnelles morales, religieuses ou liées au travail : « jeter du pain était un péché », « on gagnait son pain à la sueur de son front », « on avait du pain sur la planche ». Aujourd'hui on ne gagne plus son pain, on gagne son bifteck… De plus, de nombreux aliments venant du bout du monde (kiwis, avocats…) et de nouvelles cultures culinaires (plats exotiques) ont été largement introduits et se sont intégrés dans les modèles alimentaires traditionnels.

Source : sante.gouv.fr, 2010

[1] technique qui détruit les microbes par la chaleur.
[2] technique qui consiste à congeler un produit alimentaire à très basse température, pour le conserver.
[3] technique qui consiste à déshydrater un produit alimentaire pour le conserver.

1 Lisez le texte et cochez les propositions correctes.

☐ **a.** L'alimentation en France a beaucoup évolué depuis 50 ans.
☐ **b.** Les habitudes alimentaires se sont profondément modifiées depuis plusieurs siècles.
☐ **c.** Les salaires ont augmenté plus vite que le prix des œufs et de la viande.
☐ **d.** Les classes sociales les plus modestes peuvent acheter des aliments plus variés.
☐ **e.** Aujourd'hui, les produits alimentaires se conservent moins longtemps qu'avant.
☐ **f.** Les progrès technologiques ont permis de conserver les aliments plus longtemps.
☐ **g.** Grâce aux avancées technologiques, on peut facilement trouver des produits variés tout au long de l'année.
☐ **h.** L'apparition des produits surgelés et du four à micro-ondes a modifié la façon de préparer les repas.
☐ **i.** La consommation de pain a beaucoup augmenté depuis une cinquantaine d'années.
☐ **j.** Autrefois, le pain avait une grande valeur symbolique.
☐ **k.** Aujourd'hui, la viande a une grande valeur symbolique.
☐ **l.** Les légumes et les fruits exotiques sont peu appréciés des Français.

2 **Agissez ! Vous êtes impressionné(e) par l'impact des progrès technologiques sur les produits alimentaires de votre pays. Vous présentez votre idée et la défendez avec conviction.**

....

....

....

....

LEXIQUE L'alimentation

→ Point Récap', livre p. 188

3 **Lisez ce prospectus des magasins Consobio et retrouvez les objectifs de chaque partie.**

Proposer des produits de saison - Favoriser les produits locaux - Développer le commerce équitable - Refuser les OGM - Favoriser une agriculture diversifiée - Exiger des produits bio de qualité

LE + STRATÉGIE

Lorsque je vois une nouvelle expression, j'essaie de lui associer une périphrase pour en expliquer le sens.

1. ....

Nous essayons de nous fournir directement chez les producteurs et nous donnons la priorité aux produits locaux afin de contribuer à l'économie locale et de limiter les transports.

2. ....

Nous nous opposons à la culture d'Organismes Génétiquement Modifiés qui représente actuellement des risques non maîtrisés pour l'environnement et la santé.

3. ....

Nous proposons de multiples variétés de fruits, de légumes et de céréales afin de préserver la biodiversité.

4. ....

Nous sélectionnons rigoureusement les produits bio que nous proposons. Impossible par exemple d'accepter de la farine ou du chocolat non bio dans un paquet de biscuits.

5. ....

Nous fixons un calendrier de commercialisation des fruits et légumes. Alors, chez Consobio, pas de tomates ni de fraises en hiver !

6. ....

Nous soutenons les filières équitables Nord/Sud afin d'assurer aux producteurs un salaire juste.

GRAMMAIRE Les articulateurs logiques

→ Point Grammaire, livre p. 180

4 **Lisez l'article, repérez les articulateurs logiques et classez-les selon leur fonction.**

a. Débuter : ....

b. Énumérer : ....

c. Préciser : ....

d. Présenter deux idées : ....

e. Exprimer la cause : ....

f. Exprimer la conséquence : ....

g. Exprimer l'opposition : ....

Psycho

Je suis toujours en retard, c'est grave docteur ?

« Je suis incapable d'arriver à l'heure : pour aller chercher mes enfants à l'école, pour mes rendez-vous professionnels et même le jour de mon mariage. D'un côté, je sais que ces retards agacent mes proches et, d'un autre côté, je n'arrive pas à y remédier. »

Vous vous reconnaissez dans ce témoignage et vous en avez assez d'être vu comme un retardataire chronique[1] ? Alors, lisez nos conseils !

Pour commencer, votre motivation est essentielle pour changer vos habitudes. Vous devez être prêt au changement et être conscient des raisons qui vous y poussent.
Ensuite, quand vous avez un rendez-vous, déterminez une heure de départ réaliste et essayez de respecter strictement cet horaire.
Puis, parlez de votre décision à vos proches. En effet, ils pourront vous soutenir et vous aider à changer de comportement.
Enfin, ne vous découragez pas en cas d'échec car de telles habitudes ne se changent pas en une semaine. Au contraire, restez positif et cherchez ce qui n'a pas fonctionné.

[1] On appelle parfois « retardataire chronique » une personne qui est toujours en retard.

5 Lisez ces conseils pour bien dormir et transformez chaque phrase avec un articulateur logique d'après l'indication entre parenthèses.

Exemple :
Les troubles du sommeil sont de plus en plus fréquents. Il suffit de respecter certaines règles simples pour retrouver un sommeil réparateur. (exprimer la concession)
→ Les troubles du sommeil sont de plus en plus fréquents. Pourtant, il suffit de respecter certaines règles simples pour retrouver un sommeil réparateur.

a. Certains dorment comme des bébés. D'autres n'arrivent pas à fermer l'œil de la nuit. (exprimer l'opposition)
→ ....

b. Les études montrent que nous avons tous besoin de dormir au minimum sept heures. De nombreuses personnes estiment que six heures de sommeil leur suffisent. (exprimer la concession)
→ ....

c. Pour bien dormir, commencez par adopter de bonnes habitudes alimentaires. Les aliments que nous consommons ont une influence directe sur la qualité de notre sommeil. (préciser)
→ ....

d. Par exemple, la caféine a un effet excitant jusqu'à six heures après sa consommation. Il est conseillé de ne pas boire de café après 17 heures. (exprimer la conséquence)
→ ....

e. Assurez-vous de vous coucher l'esprit tranquille. Fermez les yeux. Respirez profondément pendant quelques minutes. (débuter et énumérer)
→ ....

f. Veillez à votre environnement de sommeil en évitant autant que possible de vous coucher dans le bruit. Éloignez toutes les sources de lumière, comme les tablettes ou les réveils lumineux. (ajouter une idée)
→ ....

LEXIQUE Les besoins vitaux

→ Point Récap', livre p. 188

6 Écoutez cette conversation entre un étudiant et l'infirmière de l'université. 

À l'aide des conseils donnés par l'infirmière, complétez la fiche d'informations avec les expressions proposées.

insomnies - surpoids - inactivité - diabète - malbouffe - baisse de vigilance

Besoins de sommeil

Bien souvent, le sommeil est déterminant dans la concentration et le dynamisme pendant la journée. Si vous ressentez une (1) ...., cela est peut-être dû à un manque de sommeil.

Si vous êtes sujet aux (2) ...., aménagez-vous un environnement favorisant le sommeil profond : une chambre obscure, bien aérée, dont la température ne dépasse pas les 18 °C et si possible, au calme.

Besoins en alimentation

Le manque de temps et d'argent conduit souvent les étudiants à se tourner vers des produits alimentaires industriels riches en graisse, en sucre et en sel, ce qu'on appelle communément la (3) .... Si vous êtes en (4) .... et pour éviter les problèmes de (5) ...., essayez de préparer vos propres repas et faites du sport. N'oubliez pas qu'une alimentation déséquilibrée et l' (6) .... favorisent le développement de cette maladie.

GRAMMAIRE L'expression du regret et du reproche

→ Point Grammaire, livre p. 180

7 Choisissez la forme du verbe correcte pour compléter ces expressions du regret et du reproche.

a. — J'en ai marre ! Quand je t'appelle, tu ne réponds jamais ! À quoi ça te sert d'avoir un portable ?
— Excuse-moi. Je ne savais pas que c'était urgent. Si **(je sais / je savais / j'avais su)** que c'était toi, **(je réponds / je répondrais / j'aurais répondu)**.

b. — J'ai appris que ton entreprise allait fermer. Pourquoi tu ne m'as rien dit ?
— Je ne voulais pas t'inquiéter.
— Mais **(tu as dû / tu avais dû / tu aurais dû)** me le dire ! Je me demande comment **(tu as pu / tu avais pu / tu aurais pu)** garder ce secret aussi longtemps !

c. — Au fait, tu te souviens ? Sandy nous avait invités à son anniversaire samedi.
— Ah oui ! C'est vrai ! Tu lui avais dit que nous ne viendrions pas ?
— Non, je ne lui ai rien dit. Je regrette que **(nous ne la prévenions pas / nous ne l'ayons pas prévenue / nous ne la préviendrons pas)**. Je m'en veux **(de ne pas l'appeler / de ne pas l'avoir appelée / que je ne l'aie pas appelée)**.

8 Vous venez de recevoir une réponse négative suite à un entretien d'embauche. Vous faites le point sur vos manies et votre comportement afin de grandir de cette expérience. Listez dans le tableau vos regrets et vos reproches d'après les indications suivantes.

~~Tenue vestimentaire~~ - manque de confiance - timidité - stress - distrait - retard - manque de dynamisme

Regret	Reproche
Exemple : Je regrette d'avoir choisi cette tenue vestimentaire.	
Quel dommage que	Il fallait que ....
Je m'en veux de	J'aurais dû ....
Si	Je me demande comment ....

CONJUGAISON

9 Observez l'image et complétez les expressions de reproche et de regret avec un verbe au temps qui convient. Vous avez une minute !

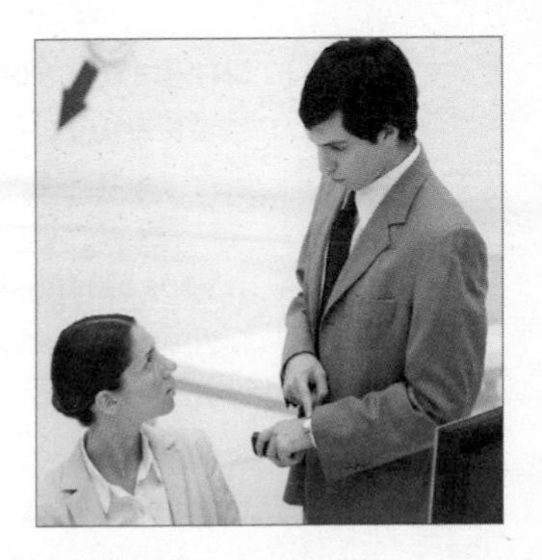

Reproche : Tu devais...
Tu aurais pu...
Comment oses-tu...

Regret : Je regrette de...
Je regrette que...
Si j'avais su, je...

LEXIQUE Les mauvaises habitudes

→ Point Récap', livre p. 188

10 Complétez les expressions imagées avec les définitions correspondantes.

(1) Il est maladroit, il casse tout ce qu'il touche. - (2) Il a l'habitude d'aller au lit très tôt. - (3) Il est distrait, il a du mal à se concentrer. - (4) Il est paresseux, il ne fait rien de la journée. - (5) Il a du mal à se souvenir des choses. - (6) Il est médisant, il dit souvent du mal des autres.

LE + STRATÉGIE

Lorsque j'apprends une nouvelle expression imagée, j'essaie de comprendre l'origine de cette expression. Je peux aussi imaginer un dessin pour illustrer cette expression.

a. Il a la tête dans les nuages.
....
....

b. Il a deux mains gauches.
....
....

c. Il est mauvaise langue.
....
....

d. Il se couche avec les poules.

....

e. Il a un poil dans la main.

....

f. Il a la mémoire courte.

....

GRAMMAIRE Les indéfinis

→ Point Grammaire, livre p. 180

11 **Lisez le graphique et complétez les résultats de ce sondage par les indéfinis qui conviennent. Accordez en genre et en nombre si nécessaire.**

personne - la plupart - certains - tout - quelques-uns - beaucoup

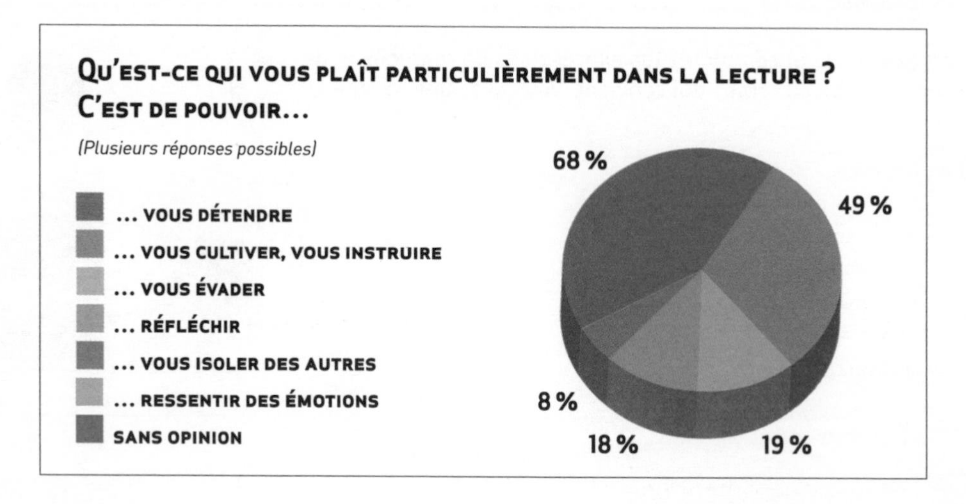

Lors de ce sondage, (1) .... les personnes interrogées ont donné leur opinion.
Pour (2) .... des personnes interrogées, la lecture est l'occasion de se détendre.
(3) .... estiment aussi que la lecture leur permet de se cultiver et de s'instruire.
(4) .... personnes lisent pour s'évader ou pour réfléchir et (5) .... le font afin de s'isoler des autres. Enfin, (6) .... n'a répondu que ce qui leur plaisait c'était de pouvoir ressentir des émotions.

12 **Complétez ces titres de livres et de films français en choisissant l'indéfini qui convient.**

a. *Ma grand-mère avait les* ***(chacun / mêmes / certaines)*** – Philippe Delerm, écrivain.
b. *Le loup qui mangeait* ***(n'importe quoi / aucun / plusieurs)*** – Christophe Donner, écrivain et Manu Larcenet, auteur de bandes dessinées.
c. *Je voudrais que* ***(quelques-uns / quelqu'un / nul)*** *m'attende quelque part* – Anna Gavalda, écrivaine.
d. ***(Chacun / Rien / N'importe où)*** *cherche son chat* – Cédric Klapisch, réalisateur.
e. ***(Quelques / Quelques-uns / Chaque)*** *jours avec moi* – Claude Sautet, réalisateur.
f. ***(N'importe quel / Quelque chose / Plusieurs)*** *à te dire* – Cécile Telerman, réalisatrice.

COMPRÉHENSION ORALE Le bonheur en musique

13 Écoutez l'emission et choisissez la proposition correcte. 98

a. Ce document est : ☐ une interview.
☐ un reportage radio.
☐ un débat.

b. L'invité, Frédéric Lebon, est : ☐ enseignant-chercheur.
☐ musicien.
☐ journaliste.

c. Des chercheurs : ☐ ont voulu savoir si la musique était un phénomène universel.
☐ ont étudié l'influence de la musique sur le bonheur.
☐ se sont demandé si la musique procurait du plaisir.

d. Ils ont découvert que : ☐ plus on écoute de musique, plus on est heureux.
☐ la musique classique rend plus heureux que les autres styles de musique.
☐ le bonheur vient du fait de choisir soi-même la musique qu'on écoute.

e. D'après Frédéric Lebon, ☐ pratiquer une activité artistique rend heureux.
☐ faire des choses qui nous plaisent et qui sont en accord avec nous-mêmes rend heureux.
☐ avoir les mêmes goûts musicaux que ses amis rend heureux.

14 Écoutez à nouveau et associez les définitions avec les mots entendus. 98

1. l'influence •	• **a.** l'effet
2. l'état d'esprit •	• **b.** la satisfaction
3. la sensation physique et psychologique agréable •	• **c.** le moral
4. la joie, le bonheur d'avoir accompli un désir •	• **d.** la motivation
5. l'ensemble des causes qui poussent à faire quelque chose •	• **e.** le bien-être

15 Réagissez ! Et vous, avez-vous l'impression que la musique vous rend heureux ? Quelles activités vous procurent du bien-être ?

LEXIQUE La santé, le bien-être

→ Point Récap', livre p. 188

16 Trois personnes exposent leurs troubles à un coach en développement personnel. Écoutez-les et identifiez la solution qui leur conviendrait. 99

1.

Pour bousculer vos habitudes et revitaliser votre corps, pratiquez les sports extérieurs.
Ils vous apporteront une bouffée d'air pur qui contribuera à votre bien-être mental.
Parlez-en à votre coach pour trouver le sport qui conviendra le mieux à votre situation.

2.

Bien dans son corps

Pour être mieux dans son corps et dans sa vie, le programme du docteur Hino vous accompagne tout au long de votre régime pour retrouver une alimentation saine et équilibrée. Vous trouverez au verso tout notre programme.

3.

Le Chœur de Belleville
Détente, oxygénation, activation de la circulation sanguine... chanter dans une chorale n'apporte que des bienfaits. Le Chœur de Belleville vous propose des activités de groupe pour progresser et nourrir votre curiosité. Plus d'informations sur notre site Internet : lechoeurdebelleville.fr

4.

Esprit libre
Libérez-vous de vos phobies et des idées noires grâce à la méditation. Le centre de méditation Esprit libre vous propose des cours adaptés à votre situation. Renseignez-vous au 01-34-58-60-**

a. Markus : ....

b. Lisette : ....

c. Sophie : ....

GRAMMAIRE L'infinitif

→ Point Grammaire, livre p. 180

17 Lisez l'article, repérez les infinitifs et classez-les dans le tableau.

Les bienfaits de la randonnée

Marcher régulièrement entretient notre forme physique et mentale. L'effort étant régulier et peu intense, la randonnée ne brutalise pas notre organisme. Elle permet de faire travailler notre appareil cardio-vasculaire et notre respiration. Par ailleurs, la randonnée a un effet positif sur notre état d'esprit. Cette activité de plein air est accessible à tous et les médecins n'hésitent pas à la conseiller en cas de dépression ou de baisse de moral.
Alors, quand les beaux jours arrivent, arpentez les nombreux chemins de randonnée qui sillonnent le pays. En effet, quoi de meilleur pour le moral que d'observer la nature s'épanouir ?

Propositions infinitives	Préposition (à ou de) + infinitif	Infinitif utilisé comme sujet

18 Quatre personnes parlent de ce qui les aide à se sentir bien. Écoutez-les et transformez ce qu'elles disent en utilisant une proposition infinitive. 100

a. Florent : — J'adore regarder ....

b. Céline : — J'aime entendre ....

c. Sonia : — Je ne vois plus ....

d. Ali : — Je sens ....

CONJUGAISON

19 Complétez cette phrase avec des propositions infinitives. Vous avez une minute.

J'aime me retrouver seul dans la nature et...

Exemple : J'aime me retrouver seul dans la nature et voir les nuages défiler dans le ciel.

PHONÉTIQUE Les géminées

20 On analyse ! Écoutez, observez et complétez le texte. 101

Il lutte contre l(e) label bio.

Quand deux (1) .... prononcées identiques se suivent dans deux mots différents, il faut les prononcer toutes les deux comme une seule (2) .... (3) .... Attention ! Ces deux consonnes peuvent se trouver en contact en raison d'un (4) .... non prononcé !

21 On fait la différence ! Écoutez et cochez ce que vous entendez. 102

a. ☐ Il s'en sort toujours ! ☐ Ils s'en sortent toujours !
b. ☐ Il s'en sort toujours ! ☐ Ils s'en sortent toujours !
c. ☐ Elle défend des projets bio. ☐ Elles défendent des projets bio.
d. ☐ Elle défend des projets bio. ☐ Elles défendent des projets bio.
e. ☐ Elle ne prend ni médicament ni homéopathie. ☐ Elles ne prennent ni médicament ni homéopathie.
f. ☐ Elle ne prend ni médicament ni homéopathie. ☐ Elles ne prennent ni médicament ni homéopathie.

22 On bouge la bouche ! Écoutez et répétez. 103

a. Il est en avance sur son temps !
b. L'air pur revitalise !
c. Confronte-toi à l'inconnu !
d. On bouscule les habitudes !
e. On décrasse son corps !

23 Phonie-graphie. Écoutez et soulignez les consonnes géminées. 104

a. On a un problème matériel.
b. La malbouffe fait des ravages.
c. Ne mange jamais d'OGM !
d. Le diabète tue !
e. C'est une humoriste talentueuse.

PHONÉTIQUE Les onomatopées

24 On analyse ! Écoutez, observez et complétez le texte. 105

a. Je déteste le **tic tac** de l'horloge.
b. Boum ! C'est tombé !
c. Aïe, je me suis fait mal !
d. Le chat fait « **miaou** ».

Une onomatopée est un mot qui .... un .... produit par un être vivant ou par un ....

25 On fait la différence ! Cochez les phrases qui contiennent des onomatopées. 106

a. ☐ **c.** ☐
b. ☐ **d.** ☐

26 On bouge la bouche ! Écoutez, associez les onomatopées à ce qu'elles désignent et répétez. 107

1. Toc toc toc ! •	• **a.** Boire
2. Glou glou •	• **b.** Petits bruits de bébé
3. Vlan •	• **c.** Frapper à la porte
4. Atchoum ! •	• **d.** Dégoût
5. Vroum ! •	• **e.** Éternuement
6. Dring dring ! •	• **f.** Voiture qui roule
7. Areu areu •	• **g.** Tomber dans l'eau
8. Pouah ! •	• **h.** Bruit fort et soudain
9. Plouf ! •	• **i.** Sonnette

PRODUCTION ORALE Prendre part à un conflit (de voisinage)

27 Vous allez réagir à un conflit en plusieurs étapes. Dans un premier temps, remettez les mots dans l'ordre pour former des expressions de reproche.

a. comment / je me demande / à cette heure-ci / votre pelouse / tondre / vous pouvez / ?

....

b. 23 heures / osez-vous / faire un tel vacarme / comment / alors qu'il est / ?

....

c. le silence / faire attention / vous pourriez / à respecter / !

....

d. plus tôt, / vous auriez dû / 23 heures / il est / commencer à tondre / !

....

28 Puis choisissez les expressions qui pourraient être utilisées pour protester, pour rejeter une accusation.

- ☐ **a.** Ça, c'est la meilleure !
- ☐ **b.** Non, mais, ça va pas !
- ☐ **c.** Tout va pour le mieux.
- ☐ **d.** Allez, ne vous en faites pas !
- ☐ **e.** Qu'est-ce que vous insinuez ?
- ☐ **f.** Ah là, vous exagérez !
- ☐ **g.** Comment je peux faire ?
- ☐ **h.** Pour qui me prenez-vous ?

29 À vous ! Votre voisin, monsieur Michu, a l'habitude de faire des barbecues juste sous la fenêtre de votre chambre. Vous allez le voir pour lui faire des reproches. Il proteste. Vous lui exprimez les règles de vie qu'il doit respecter.  

PRODUCTION ÉCRITE Réagir au courrier des lecteurs

30 **Vous allez écrire une lettre au courrier des lecteurs en plusieurs étapes. Dans un premier temps, associez chaque titre d'article à la phrase d'introduction du courrier qui le concerne.**

1. **Obésité, le mal du siècle**
2. *Naturopathie, aromathérapie, homéopathie... les fausses vérités*
3. Rigolez ! C'est bon pour la santé !
4. ***Les vertus de l'oisiveté***

a. Un grand merci pour votre article sur les effets positifs du rire !
b. Lectrice assidue de votre magazine, quelle ne fut pas ma déception en lisant votre article sur le surpoids.
c. J'ai lu votre article sur les médecines douces et je me dois de réagir.
d. J'ai particulièrement apprécié votre dossier sur les bienfaits de la lenteur.

1	2	3	4

31 **Un magazine de santé a publié un article dans lequel la ministre de la Santé propose de créer une taxe sur la malbouffe. Une lectrice a réagi à cette proposition. Complétez son courrier avec les expressions proposées.**

je suis scandalisée - c'est un non-sens - c'est totalement injuste - ce serait plus logique

Dans votre article sur la malbouffe, la ministre de la Santé pose la question d'instaurer une taxe sur les produits « trop gras, trop salés, trop sucrés » et je souhaite réagir à cette idée. À vrai dire, (1) .... par cette proposition. Je trouve que (2) .... !
On sait que la santé est liée à la classe sociale et que les principaux consommateurs de sodas, chips et sucreries sont les populations défavorisées. Ce n'est pas en tapant une nouvelle fois sur les plus modestes que les choses vont s'arranger. (3) .... !
Il vaut mieux baisser les prix sur les denrées alimentaires saines pour que les consommateurs les plus pauvres s'orientent vers des produits de bonne qualité.
(4) ...., à mon avis !

Marina L.

32 **À vous ! Lisez l'interview suivante et écrivez, sur une feuille séparée, au courrier des lecteurs pour réagir. Vous indiquerez d'abord où vous allez généralement faire vos courses et pour quelles raisons. Puis, vous donnerez votre avis sur les arguments d'Amel Alaoui en faveur des marchés.**

Marchés, supermarchés : où vaut-il mieux faire ses courses ?

Interview de Amel Alaoui, secrétaire de l'Association Nationale de Consommateurs (AssoNaCo)

Les marchés et supermarchés proposent-ils la même quantité et la même diversité de produits ?

Pas du tout. Les supermarchés ont des fournisseurs étrangers, ce qui leur permet de faire des bénéfices plus importants sur les produits. Sur les marchés, on a une proportion de produits français plus importante. Ensuite, les primeurs, les bouchers, les poissonniers… ont des capacités de stockage nettement moins importantes. Les produits des marchés sont donc plus frais et se conservent plus longtemps.

En termes de prix, où est-il plus avantageux de faire ses courses ?

Les supermarchés proposent des promotions qui attirent les clients, ce que ne font pas les vendeurs sur les marchés. Sur ces produits d'appel, il n'y a pas de doute : le supermarché est moins cher. Mais sur la facture globale, il est possible que le marché soit moins cher.

Si le marché présente tellement d'avantages, pourquoi de nombreuses personnes font encore leurs courses au supermarché ?

Je pense que les médias et la publicité jouent un grand rôle dans l'image que les gens se font des prix au marché et au supermarché. L'idée que le supermarché est forcément moins cher est, hélas, très répandue.

TAC AU TAC Exprimer des bienfaits

33 **Travail par deux. Chacun choisit les images A ou B. Présentez les bienfaits illustrés dans ces images, contestez les bienfaits décrits par votre partenaire.**

A

B

1 Compréhension orale : décrire un trouble

1. Écoutez cette conversation entre deux amies. Dites si les propositions sont vraies ou fausses. 109

	Vrai	Faux
a. Clélia a des problèmes de stress.	☐	☐
b. Ses enfants ne font aucun effort pour l'aider.	☐	☐
c. Mélanie lui conseille de pratiquer une activité de plein air.	☐	☐
d. Le yoga est basé sur des exercices respiratoires.	☐	☐
e. Les bienfaits du yoga concernent essentiellement la santé mentale.	☐	☐

2. Écoutez à nouveau et répondez. Que signifie l'expression « je ne pourrai pas m'en sortir toute seule » ? 109

☐ **a.** J'ai peur de sortir seule.
☐ **b.** Je ne pourrai pas résoudre mes problèmes seule.
☐ **c.** Personne ne m'aide, je me sens toute seule.

2 Production écrite : exprimer un bienfait

Vous lisez le message suivant sur un forum. Vous réagissez en donnant votre point de vue dans un texte cohérent. Vous présentez les bienfaits des jeux vidéo en illustrant votre propos d'exemples. (150 mots)

Forum

Alix : Depuis que je suis tout petit, j'adore les jeux vidéo. Mon entourage me parle souvent des effets négatifs de ces jeux sur la santé physique et psychologique (problèmes de vue, violence, isolement…) J'aimerais savoir si les jeux vidéo peuvent présenter des bienfaits.

posté le 28 / 12 – 18 : 04

Transcriptions

Unité 1

Piste 1
Activité 6

Moi, pour mes vacances, en général je m'y prends au tout dernier moment. Je ne veux pas réserver longtemps à l'avance, j'ai trop peur d'avoir de la pluie pendant tout mon séjour. Une semaine avant le départ, je consulte les sites météo et je choisis une destination où il fera beau. Et là, je suis sûre d'avoir du soleil ! Ensuite, je réserve un billet de train ou d'avion. Je peux profiter des promotions de dernière minute. Les compagnies aériennes et ferroviaires proposent toujours des billets à prix très intéressants. Comme ça, les clients sont attirés. Et alors, les compagnies peuvent écouler leurs invendus. Pour l'hébergement, je pratique régulièrement le couchsurfing. J'aime partager le quotidien de mes hôtes.

Piste 2
Activité 8

Mesdames et messieurs, bonsoir. Un temps très instable encore pour cette journée de demain. Une perturbation arrive par le Nord-Ouest, apportant des précipitations dans le Nord de la France et beaucoup de vent sur la côte atlantique. Sur le centre et à l'Est du pays, nous aurons un temps changeant avec des orages. Temps changeant également dans le Sud-Ouest où il y aura même des risques de grêle. Le Sud-Est du pays connaîtra un temps relativement calme, avec des éclaircies et les Corses pourront profiter d'un temps très ensoleillé.

Piste 3
Activité 12

- Bonjour monsieur, je vous en prie, asseyez-vous. Que puis-je faire pour vous ?
- Bonjour ! Voilà, je cherche une destination où je pourrais me reposer, me ressourcer… J'ai eu pas mal de soucis ces derniers temps et j'ai besoin de souffler.
- D'accord, oui. Et vous souhaitez partir pendant quelle saison ?
- Dans un mois environ, au début de l'automne.
- Très bien. Alors… J'ai deux propositions à vous faire. Pourquoi pas une semaine de méditation en Sologne ? Ce séjour comprend des cours de yoga, des exercices de relaxation… Parfait pour être au calme et se ressourcer. Je peux aussi vous proposer un séjour de 10 jours au Canada. C'est en automne que les paysages sont les plus beaux. Les forêts sont vraiment magnifiques ! Vous serez émerveillés par les tons rouges, orange et jaunes des feuilles d'érables et de bouleaux. Et comme destination nature, je crois que c'est idéal ! Le pays regorge de parcs nationaux où vous pourrez observer des espèces animales rares : des ours, des loups… Et dans les lacs et les torrents, il est assez fréquent de voir des castors ou des loutres.
- Ah… j'hésite, méditation ou immersion en nature… C'est tentant. Et en même temps, découvrir de nouveaux espaces… Je pense que ça me ferait du bien. Et puis j'aimerais bien voir ces animaux, vous savez ? Avec des cornes en bois, ils sont très impressionnants…
- Ah oui, les caribous ! Vous pouvez en rencontrer soit dans les montagnes, soit dans la toundra.
- Eh bien, ça m'intéresse beaucoup tout ça ! Allez, on réserve !

Piste 4
Activités 15 et 16

FLAVIE FLAMENT. - Louis Bodin, « Est-ce une impression ou le temps est de moins en moins beau en France ? », nous écrit Béa. « J'ai l'impression que l'hiver est beaucoup plus long qu'avant ».
LOUIS BODIN. - Non, c'est une impression. Alors, sauf le dernier hiver, hein, qui est un hiver historique.
F.F. - Ah ? C'était particulier quand même ?
L.B. - Ah oui, ça, c'était très particulier. D'ailleurs, c'était plus qu'un hiver, rappelez-vous, ça a commencé en novembre et ça s'est fini au mois de juin, assez brutalement, tant mieux.
F.F. - Donc, c'est plus qu'un hiver, c'est trois saisons quoi !
L.B. - Oui, ça a quasiment duré trois saisons. Donc là, moi j'avais jamais vu ça depuis que je fais de la météo, et même quand on se plonge un peu plus loin, là on se dit vraiment que là on était un peu hors normes, donc effectivement celui-là était tout à fait atypique. Mais, en règle générale, non. On a la mémoire très courte. Et ça euh, là je m'inscris en faux. On n'a pas de changement important, pour l'instant en tout cas, de nos conditions météo en France. D'ailleurs, pour simple preuve, très souvent je cite des coupures de journaux de la fin du XIXe siècle, où déjà on écrivait « Ah, mais y'a plus de saisons ! C'est pas possible ! »
F.F. - Ma bonne dame !
L.B. - Ma bonne dame ! Exactement ! Y'avait déjà, donc y'a un siècle, bien avant l'ère industrielle, bien avant le réchauffement climatique, on avait déjà cette inquiétude et cette sensation.
F.F. - Valérie Josselin, il a été établi effectivement que nos humeurs, notre moral dépend de la couleur du ciel.
VALERIE JOSSELIN. - Pas vraiment en fait… c'est ça qui euh… Tous… Tous les articles en fait, et toutes les recherches en en… psychologie positive, notamment, nous montrent que les activités les plus énergisantes, les plus euphorisantes, justement, sont les activités intérieures.
F.F. - D'accord. Donc c'est quand même incroyable. Donc ça veut dire que « Merci l'hiver ! » Merci le mauvais temps !
V.J. - Merci l'hiver ! Tout à fait ! Donc, il faut en profiter pour renouer avec tous les petits bonheurs domestiques. Parce que, justement, une des… des grandes recherches nous a montré que euh le principal bonheur, c'était dans le lien aux autres.
F.F. - Oui, c'est vrai.

Piste 5
Activité 22

a. Il fait deux degrés.
b. Il fait douze degrés.
c. Il y a eu deux averses.
d. Il y a eu douze averses.
e. Elle vaut de l'or.
f. Elle veut de l'or.

Piste 6
Activité 23

a. J(e) me la coule douce !
b. J'ai l(e) moral à zéro !
c. Le temps ? Pluvieux et nuageux…
d. C'est un beau feu d(e) forêt !
e. Des côtes rocheuses soumises à l'érosion.

Piste 7
Activité 25

Version 1. Bonjour. Je m'appelle Frédéric et j'ai 31 ans. Avec un ami de l'université, nous avons monté un projet innovant en rapport avec la météo. On en avait marre de déprimer dès qu'il fait gris. Du coup, on a créé une lampe qui diffuse une couleur différente selon le temps qu'il fait dehors. On est au courant de la météo depuis son salon !
Version 2. Bonjour. Je m'appelle Frédéric et j'ai 31 ans. Avec un ami de l'université, nous avons monté un projet euh innovant en rapport avec euh la météo. On en avait marre de déprimer dès qu'il fait gris. Du coup, on a créé une lampe qui… qui diffuse une couleur différente selon le temps qu'il fait dehors. On est au courant de la météo depuis son salon !

Piste 8
Activité 26

a. Tous les jours, c'est métro-boulot-dodo !
b. Ah ! J'aimerais bien euh souffler un peu !
c. L'été a filé à une vitesse impressionnante !
d. Je ne fais que… que courir après le temps !
e. Cette année, je vais prendre le temps de souffler un peu !

Piste 9
Activité 27

a. C'est un projet qui m'intéresse.
b. C'est un projet qui… qui m'intéresse.
c. Mes passe-temps préférés ? Le jardinage et la couture.
d. Mes passe-temps préférés ? Le jardinage et… euh la couture.
e. Il va y avoir des précipitations sur toute la France.
f. Il va y avoir des précipitations sur euh sur toute la France.

Piste 10
Bilan 1

PRÉSENTATRICE. - Antoine et Sophie ont quitté Paris pour s'installer à Rezé, dans la banlieue nantaise. Ils ont tout laissé derrière eux : travail, appartement et amis. Ils nous expliquent leur choix.
ANTOINE. - L'année dernière, on a décidé de tout plaquer pour aller vivre en province. En fait, quand on était à Paris, on n'avait pas une minute à nous. Tous les jours c'était la même chose : se réveiller à 6 heures, emmener notre fille chez la nounou à 7 h 45, prendre le métro, arriver au boulot à 9 heures, en partir le

soir à 17 h 30, récupérer la petite et rentrer à la maison vers 19 heures Je passais plus de 2 heures et demie par jour dans les transports ! Et en plus, j'avais l'impression de ne jamais voir la lumière.
SOPHIE. - C'est ça ! Et on culpabilisait aussi par rapport à notre fille. On la voyait une heure le matin et une heure le soir, pas plus ! Moi, je travaillais comme aide-soignante, j'avais donc des horaires décalés. J'étais souvent du soir. Comme je commençais à 14 heures, je pouvais emmener notre fille un peu plus tard, mais je ne pouvais pas la coucher le soir. En plus je travaillais quelquefois les week-ends ! C'est toute une organisation en fait !
ANTOINE. - Un jour, j'ai vu une offre pour un emploi d'ingénieur qui correspondait tout à fait à mon profil. C'était moins bien payé, mais c'était à Nantes. J'ai posé ma candidature, j'ai été accepté. On s'est dit que c'était l'occasion de changer de rythme et de changer de vie !
SOPHIE. - On n'a pas hésité une seconde ! D'autant plus que je savais que je pourrais trouver un travail assez facilement.
ANTOINE. - Et voilà ! Ici, c'est moins la course. Pourtant, je travaille jusqu'à 18 heures. Mais le trajet dure 10 minutes, ça n'a rien à voir ! La vie est plus sereine. Le soir, après le boulot, on prend le temps de se poser dans le jardin et de jouer avec notre fille. C'est bête mais on a l'impression d'être plus en accord avec la nature, de mieux ressentir les saisons. À Paris, on était tout le temps enfermé, qu'il pleuve, qu'il vente ou qu'il y ait du soleil !
SOPHIE. - C'est vrai ! À Nantes, même si le ciel est souvent couvert, ce n'est pas la même grisaille déprimante qu'à Paris. Bref, on se sent mieux ici !

Unité 2

Piste 11
Activité 4

Dialogue 1
- Bonjour.
- Bonjour Pablo. Alors, comment ça se passe au travail ? Où en êtes-vous de vos réflexions ?
- Au travail c'est toujours la même chose. Le métier de journaliste est trop instable et, d'une certaine manière, je m'ennuie : je ne peux pas faire ce que je veux et ce qu'on me demande ne m'intéresse pas. J'ai vraiment envie de changer de métier et de trouver quelque chose qui me corresponde mieux. Mais je ne sais pas de quoi je suis capable, et je ne voudrais pas me tromper encore une fois.
- Bon. Je vois... Vous avez surtout besoin de faire le point sur ce que vous savez faire ou ce dont vous avez envie pour choisir une nouvelle orientation. Voilà ce que je vous propose...

Dialogue 2
- Bonjour Élena. Alors ces examens ?
- Bonjour Madame. Ça s'est bien passé, merci. J'ai reçu la semaine dernière mon relevé de notes : je suis maintenant officiellement titulaire d'une licence en histoire et en géographie. Bon, je n'ai pas vraiment brillé en géographie, mais en histoire j'ai eu plutôt de bons résultats.
- Ah très bien. Et dis-moi, j'imagine que tu as déjà réfléchi à ce que tu voudrais faire plus tard ?
- Oui madame, mais je ne sais pas très bien comment m'y prendre.
- Bon. Explique-moi.
- Dans ma région, il y a beaucoup de lieux et de faits historiques mal connus. Les livres d'histoire n'en parlent pas, les musées ne sont pas bien mis en valeur, les monuments ne sont pas accessibles. Je voudrais travailler pour ça, pour faire connaître aux gens notre passé, nos artistes, nos richesses culturelles...
- Belle vocation. J'ai une formation tout à fait adaptée à te suggérer...

Dialogue 3
- Bonjour monsieur.
- Bonjour Rémi. Alors, est-ce que tu as discuté avec ton directeur des ressources humaines ?
- Oui. Il m'a dit que j'avais des possibilités d'évolution dans mon entreprise mais qu'il fallait d'abord que je me forme. Il serait d'accord pour financer une partie de ma formation.
- Et dans quel sens voudrais-tu évoluer exactement ? Prendre plus de responsabilités ? Changer d'activité ?
- Je voudrais travailler plus à l'international. Pour le moment, je suis commercial uniquement sur la France. Je voudrais évoluer sur les marchés étrangers. Mais pour ça j'ai besoin d'être plus à l'aise avec les langues étrangères et de mieux maîtriser les circuits de vente internationaux.
- Entendu. Je vais voir ce que nous pouvons te proposer...

Piste 12
Activité 8

- Avec nous par téléphone Cécile qui suit une formation en alternance à Mulhouse. Bonjour Cécile.
- Bonjour.
- Alors expliquez-nous : comment se passe pour vous cette formation ?
- Et bien, je travaille depuis 10 ans dans une société de marketing digital et j'aimerais évoluer dans mon métier, vers des fonctions de cadre, avec plus de responsabilités. Pour cela, il fallait que je me forme pour gagner en compétences mais sans arrêter de travailler.
- Donc votre entreprise a accepté de se passer de vous une semaine par mois ?
- C'est ça. J'ai fait le choix d'une formation en alternance, en management et gestion des entreprises, ce qui signifie que je travaille trois semaines et que pendant une semaine je suis des cours dans un centre.
- À la fin de votre formation, vous aurez un nouveau Master. Et pour l'obtention de ce diplôme, les deux comptent : les études et le travail ?
- Oui... À la fin de l'année, j'aurai des examens pour la partie théorique et un rapport à faire pour la partie pratique, en entreprise.
- C'est un mode de formation que vous recommanderiez ?
- Bien sûr. D'une part parce qu'il permet de concilier vie professionnelle et étude, on peut faire les deux en même temps ; d'autre part parce que je développe mes connaissances tout en développant mes aptitudes pratiques directement dans mon entreprise. C'est une vraie chance.

Piste 13
Activité 11

1. - Comment devient-on entraîneur de foot et en quoi consiste le métier ? Avec le jeu « C'est vous le coach », vous devenez entraîneur et vous avez en charge une équipe qui se prépare pour le prochain mondial. Dans un tel scénario, saurez-vous motiver les joueurs, les faire progresser sur le terrain et les amener jusqu'à la victoire ? Comment allez-vous gérer les budgets, les médecins, la publicité, les médias... ? Est-ce vraiment un métier pour vous ? Réponse à la fin du match...
2. - Pour comprendre les grands débats économiques actuels, « Déchiffrons » vous propose chaque semaine une série de questions. Répondez juste, vous gagnez des points et vous passerez à la question suivante ; répondez faux et on vous donnera une explication en vidéo. Une façon ludique d'apprendre et de réfléchir au fonctionnement de nos sociétés. Évaluez-vous ! Instruisez-vous ! Jouez !
3. - Votre ville vous la voudriez différente ? Avec plus de parcs, moins de statues ? Des rues plus larges ou des immeubles moins hauts ? « Ma city » vous permet de laisser aller votre imagination. Avec une boîte à outils riche de possibilités, dessinez votre ville virtuelle idéale... Qui sait : c'est peut-être une carrière d'architecte qui commence ?
4. - « Le rami » c'est un classique. Vous devez faire des combinaisons avec les cartes que vous avez en main : paire, suite, brelan... On en distribue 13 puis, tour à tour, les joueurs piochent et en remettent une des leurs dans le tas. À la fin du jeu, le gagnant n'a plus rien en main ; le perdant ? Et bien c'est celui à qui il reste le plus de points !
5. - Avec « J.O. » devenez un athlète de haut niveau sur console vidéo. Ces Jeux d'été sont l'occasion pour vous de participer virtuellement à toutes les compétitions. Judo, athlétisme, gymnastique, cyclisme, natation, tout y passe. À vous de réaliser les meilleurs temps et de pulvériser les records de toutes les épreuves proposées, ou encore d'organiser des tournois avec vos amis.
6. - Vous vous êtes toujours rêvé en héros, affrontant des créatures maléfiques et déjouant des pièges terrifiants ? Vous aimez les enquêtes, les énigmes et les combats au corps à corps ? « La malédiction du serpent » est un jeu pour vous. Choisissez un personnage ! Lancez-vous ! À chaque niveau de nouveaux défis à relever, des points à gagner et des vies à défendre. Le seul risque ? Ne plus s'arrêter !

Piste 14
Activités 15 et 16

EMMANUELLE BASTIDE. - À suivre les infos pratiques d'Amélie Niard. Bonjour Amélie Niard !
AMÉLIE NIARD. - Bonjour Emmanuelle !
E.B. - Cette semaine vous tenez une promesse que vous avez faite aux

auditeurs au début de l'été. Vous leur aviez parlé du métier d'ingénieur, en quoi consiste ce métier, et on vous a demandé d'enquêter ensuite sur des formations à distance pour devenir ingénieur, pour tous ceux qui ne sont pas satisfaits de la formation qui est proposée dans leur pays.
A.N. - Alors, finalement j'ai fini par trouver quelques formations à distance mais je vais devoir quand même tout de suite vous décevoir : sachez qu'il n'est pas possible d'obtenir un diplôme d'ingénieur uniquement à distance. D'abord parce que les universités et les écoles qui proposent des formations pour les ingénieurs à distance sont très rares, et puis surtout aucune de ces écoles ne propose une formation…
E.B. - intégrale…
A.N. - de bac + 1 à bac +5, à distance, ça n'existe pas. En revanche ce que vous pouvez faire c'est commencer vos études à distance et finir par des études traditionnelles en classe ou alors l'inverse mais vous ne pouvez pas faire les cinq années à distance.
E.B. - Et pourquoi le diplôme d'ingénieur entièrement à distance n'existe pas encore ? Quand même ? À cause de la technologie ?
A.N. - Alors il y a plusieurs raisons. D'abord les études d'ingénieurs sont quand même très difficiles, et on sait que d'étudier à distance, de manière isolée, ça ajoute de toute façon une difficulté supplémentaire. Donc ce sont vraiment des études très difficiles. Et puis une partie de la formation des ingénieurs consiste à effectuer des expériences, des manipulations, c'est donc indispensable de se rendre à l'école au moins quelques semaines par an. Et en fait les formations d'ingénieur à distance ont été pensées pour un public de professionnels qui veulent enrichir leur CV, dynamiser leur carrière et pas vraiment pour de jeunes bacheliers étudiants à temps plein ; disons qu'on considère qu'eux, ils ont le temps d'aller à l'école et de suivre une formation sur place ; le problème évidemment c'est qu'il y a certains pays dans lesquels ces formations n'existent pas.
E.B. - Alors vous avez sélectionné une formation de l'Institut international d'Ingénierie de l'eau et de l'environnement de Ouagadougou au Burkina Faso, le fameux 2iE qui est quand même maintenant assez connu…
A.N. - Oui, qui propose un Master à distance en Génie Civil et infrastructures avec à la clé un diplôme d'ingénieur reconnu au niveau africain et au niveau européen. D'ailleurs sachez qu'il y a quelques européens qui sont étudiants au 2iE. Alors c'est la seule formation à distance en Afrique francophone qui vous délivre un diplôme d'ingénieur.
E.B. - Mais là aussi on est d'abord passé par une université avant d'arriver chez eux en Master ?
A.N. - Par une université, par une école… Parce que le 2iE ne propose que les deux années de Master, Master 1 et Master 2. Alors sachant qu'il faut prévoir quelques semaines de cours pratiques, en classe et aussi quelques jours sur place pour les examens en fin d'année, choisir le 2iE c'est quand même plus intéressant, parce que ça coûtera beaucoup moins cher, ce sera quand même beaucoup plus simple, pour des étudiants africains d'organiser leur voyage en Afrique plutôt que vers l'Europe.

Piste 15
Activité 18

Bonjour à tous. Soyez les bienvenus au MOOC « devenir un webjournaliste ». Je suis content de voir que vous êtes aussi nombreux pour cette première classe virtuelle. Je m'appelle Armand et je suis votre tuteur. Avant de commencer je voudrais rappeler quelques règles pour que le cours se passe bien. Tout d'abord coupez bien votre micro pendant que les autres parlent. Si votre connexion n'est pas très bonne, vous pouvez aussi fermer votre caméra : on ne vous verra pas mais on vous entendra. Sur la droite de votre écran vous avez un menu. Ici vous pouvez communiquer par chat, en m'envoyant de courts messages, par exemple pour me demander de répéter ou de parler moins vite. Si vous voulez prendre la parole, vous devez d'abord la demander en cliquant sur le bouton en forme de petite main. Comme vous êtes très nombreux, je vous demanderai de vous présenter mais surtout d'être rapides, de poser des questions courtes. De temps en temps, j'utiliserai le tableau virtuel pour écrire les éléments importants ou pour vous montrer des documents. Ah… Nous avons une première question… Karine, tu peux ouvrir ton micro et te présenter. On t'écoute.

Piste 16
Activité 23

a. Bon
b. Lin
c. Son
d. Rang
e. Vont

Piste 17
Activité 24

a. La formation, c'est ma passion !
b. L'alternance, c'est tendance !
c. Internet, c'est très simple !
d. C'est une conférence intéressante.
e. Restez concentré un instant !

Piste 18
Activité 26

a. cours – école – formation – information – université
b. un cours – un cours de français
une école – une école de langue
une formation – une formation à distance
une information – une information importante
une université – une université renommée
c. Je suis un cours de français ↗ dans une école de langue. ↘ J'étudie le français ↗ et l'anglais. ↘

Piste 19
Activité 27

a. Je suis une formation ↗
b. Elle est étudiante ↗
c. Il est bénévole. ↘
d. C'est mon employeur ↗
e. J'ai fini mes études. ↘

Piste 20
Activité 28

a. Je postule pour un stage ↘.
b. Je postule pour un stage ↗ en entreprise ↘.
c. Je suis bénévole ↘.
d. Je suis bénévole ↗ dans une association ↘.
e. J'ai des connaissances ↘.
f. J'ai des connaissances ↗ et de l'expérience ↘.

Unité 3

Piste 21
Activité 8

Radio culture, la rubrique de Jean Chartier, « Cultures d'ici et d'ailleurs ».
PRÉSENTATEUR. - Et aujourd'hui, nous nous demandons : « Quelles sont vos superstitions ? » Vous évitez de croiser des chats noirs ou de passer sous une échelle ? Nous avons tous nos superstitions mais elles varient selon nos régions ou nos pays d'origine. Nos auditeurs répondent à notre question et on commence par Yasmina.
Alors, Yasmina, vous êtes d'origine marocaine et vous vouliez nous parler des superstitions qui viennent de votre culture.
YASMINA. - Oui… Bonjour Jean. Alors, en fait, au Maroc, il y a de nombreuses superstitions autour de l'eau. Et on dit qu'il faut éviter le contact avec l'eau chaude pendant la nuit. Remuer l'eau chaude la nuit attire les djinns, des êtres malfaisants qui jouent des tours aux habitants de la maison. Et pour moi, même en France, je ne peux pas supporter qu'on utilise de l'eau chaude la nuit.
PRÉSENTATEUR. - Ah oui ! Mais effectivement, on parle aussi de djinns dans certaines régions de France. Merci pour votre témoignage Yasmina. Nous avons maintenant en ligne Elis. Donc, Elis, vous êtes albanais et vous vouliez nous faire part d'une coutume dans votre pays…
ELIS. - Oui, c'est ça… En fait, en Albanie, ça peut surprendre les touristes mais on suspend des jouets sur les façades des maisons.
PRÉSENTATEUR. - On suspend des jouets ? Effectivement, pour nous, ça semble un peu surprenant…
ELIS. - Oui, mais en fait, pas du tout. Le jouet protège la maison et ça éloigne le regard jaloux d'autres personnes comme les voisins.
PRÉSENTATEUR. - Hmm c'est vrai qu'un jouet, c'est plutôt une image positive en général… En France, on ferait la même chose avec un fer à cheval pour apporter la chance dans une maison. Alors enfin, Zacharia… Alors, vous, vous venez du Kenya, c'est ça ?
ZACHARIA. - Oui, c'est ça… Chez nous, au Kenya, y'a des personnes qu'on appelle des sorciers. Ils peuvent jeter des mauvais sorts pour nous venger ou faire des rites pour soigner. En fait, c'est entre la superstition et la médecine, mais souvent ça marche !
PRÉSENTATEUR. - C'est intéressant cette croyance. Et vous en avez fait l'expérience ?

Piste 22
Activité 9

- Eh, Marc… Tu y crois, toi, à ces histoires de sorciers ?
- Bah, je sais pas… Mon voisin m'a dit qu'on lui avait jeté un mauvais sort et que ça lui avait porté malheur pendant 3 ans.

- Vraiment ? Je veux bien croire qu'on puisse guérir des maladies avec des plantes mais créer du malheur avec quelques mots…
- Pourquoi pas ? On ne sait jamais ! On en parle beaucoup dans les films alors ça doit bien exister quelque part.
- Les films, c'est juste de l'imaginaire. Il ne faut pas tout confondre !
- En attendant, j'ai bien vu que tu avais toujours un trèfle à quatre feuilles dans ton portefeuille.
- Oui, mais ça, c'est différent. C'est pour me porter chance financièrement.

Piste 23

Activité 15

FABIENNE SINTES. - Bonjour Gérald Roux.

GÉRALD ROUX. - Bonjour Fabienne, bonjour à tous.

F.S. - Ça s'appelle « Expliquez-nous… ». [..] Donc c'est quoi l'art contemporain ?

G.R. - Certains vous diront que cela recouvre toutes les formes d'art depuis 1945. Avant cette date, il y avait l'art moderne qui avait lui, commencé avec les impressionnistes vers 1870. D'un autre côté, certains affirment que l'art contemporain, c'est à partir des années soixante et d'autres disent que c'est à partir des années quatre-vingt.

F.S. - Voilà, donc en tout cas, il y a la notion d'avant-garde.

G.R. - Voilà. L'art contemporain est en rupture avec les formes d'art dites traditionnelles, en rupture aussi avec l'art moderne. Il revêt des aspects très différents, les technologies notamment dans les années quatre-vingt ont poussé les limites avec par exemple l'art vidéo ou les arts numériques.

F.S. - Et quoi qu'il en soit, Gérald, aujourd'hui, l'art contemporain est très visible.

G.R. - Ça, c'est clair ! Il est dans la ville, il est dans les musées, et en plus, il est très médiatisé. Quelques exemples seulement, écoutez : les colonnes de Buren noires et blanches au Palais Royal, le Pont Neuf emballé par Cristo, le chien ballon de Jeff Koons, la tête de mort incrustée de diamants de Damien Hirst, l'araignée géante de Louise Bourgeois. Tout ça, ça vous dit quelque chose car l'art contemporain, il est partout.

F.S. - Et logiquement le marché de l'art contemporain est de plus en plus important.

G.R. - Exact, il existe un rapport annuel qui donne les chiffres clés de ce marché. Le rapport de l'institut Artprice. C'est bien simple sur la période juillet 2013 – juillet 2014, l'art contemporain aux enchères a connu sa meilleure année : deux milliards de dollars de recettes, le chiffre d'affaires mondial de l'art contemporain a progressé de 1 078 % en dix ans et les prix, eux, de 70 %. En novembre 2013, l'Américain Jeff Koons est devenu l'artiste vivant le plus cher car il a vendu son chien ballon pour plus de 52 millions de dollars.

F.S. - Et j'entends déjà des gens hurler de l'autre côté du poste… Alors, qu'est-ce qui fait grimper le marché ?

G.R. - La demande chinoise et américaine, la multiplication du nombre de gens fortunés, notamment les millionnaires. Aujourd'hui, la Chine et les États-Unis représentent 78 % du marché de l'art contemporain, la Grande-Bretagne 15 %, la France 2 %.

F.S. - Gérald Roux, sur France Info.

Piste 24

Activité 16

G.R. - Exact, il existe un rapport annuel qui donne les chiffres clés de ce marché. Le rapport de l'institut Artprice. C'est bien simple sur la période juillet 2013 – juillet 2014, l'art contemporain aux enchères a connu sa meilleure année : deux milliards de dollars de recettes, le chiffre d'affaires mondial de l'art contemporain a progressé de 1 078 % en dix ans et les prix, eux, de 70 %. En novembre 2013, l'Américain Jeff Koons est devenu l'artiste vivant le plus cher car il a vendu son chien ballon pour plus de 52 millions de dollars.

F.S. - Et j'entends déjà des gens hurler de l'autre côté du poste… Alors, qu'est-ce qui fait grimper le marché ?

G.R. - La demande chinoise et américaine, la multiplication du nombre de gens fortunés, notamment les millionnaires. Aujourd'hui, la Chine et les États-Unis représentent 78 % du marché de l'art contemporain, la Grande-Bretagne 15 %, la France 2 %.

Piste 25

Activité 21

Paul Gauguin s'est installé à Tahiti en 1891.

Il aime peindre des scènes imaginaires.

Piste 26

Activité 22

a. Le monde actuel
b. Un courant artistique
c. Des données innovantes
d. Un résultat étonnant
e. Des études intéressantes
f. Une programmation ingénieuse

Piste 27

Activité 23

a. C'est une croyance incroyable.
b. C'est un robot intelligent.
c. C'est une divinité égyptienne.
d. Ce sont des connaissances encyclopédiques.

Piste 28

Activité 24

Salvador Dali est né en Espagne en 1904. Lors de ses voyages à Paris, il rencontre André Breton et rejoint le groupe surréaliste. Ses thèmes de prédilection sont l'onirisme, la religion et la mort.

Piste 29

Activité 25

C'est un peintre extraordinaire ! Ces couleurs sont incroyables !

Piste 30

Activité 26

a. C'est un sujet étonnant !
b. C'est un sujet étonnant !
c. C'est une composition affreuse !
d. C'est une composition affreuse !
e. C'est un courant artistique essentiel !
f. C'est un courant artistique essentiel !

Piste 31

Activité 27

a. C'est une peinture abominable !
b. Cette invention est insensée !
c. Cette œuvre est incompréhensible !
d. C'est un artiste exceptionnel !
e. Quelle extraordinaire composition !

Piste 32

Activité 33

Un fait divers surprenant aujourd'hui dans l'actualité. Un couple a été arrêté hier après-midi, dans un parc de la région parisienne, pris en flagrant délit de vol… de poussette. Il ne s'agissait pas de leur première tentative et les gendarmes les ont repérés grâce à une maman qui avait reconnu sa poussette volée la semaine précédente en vente sur Internet. Le couple avait bien rôdé son affaire. La femme repérait les mères assises sur les bancs et les incitait à aller vers leurs enfants en train de jouer, laissant ainsi la poussette de côté. Pendant ce temps, l'homme s'emparait de la poussette, la pliait et la cachait derrière des arbres. L'objet était ensuite récupéré une fois la nuit tombée, puis, mis en vente quelques jours plus tard. Le couple aurait ainsi volé plus de 300 poussettes. Il risque désormais une peine de prison et une forte amende.

Piste 33

Bilan 1

PRÉSENTATRICE. - Aujourd'hui, les nouvelles technologies envahissent notre quotidien : téléphones portables, tablettes, GPS mais aussi détecteurs de fumées, de mouvements… Mais les Français sont-ils prêts à accepter l'intrusion de toutes ces machines dans leur vie ? C'est ce que nous avons cherché à savoir à travers notre enquête dans les rues parisiennes.

1. - Nous ne pouvons pas échapper au progrès… On aime ou on n'aime pas les nouvelles technologies mais de toute façon, elles font déjà partie de notre vie… et puis, elles… euh… ça ne va pas s'arrêter là ! Il faut vivre avec son temps. Elles nous faciliteront la vie donc, euh… il faut les prendre comme une aide et pas comme une menace.

2. - On nous promet plein de choses avec les nouvelles technologies ! Elles devraient nous faciliter la vie, euh… elles… il paraît qu'elles seront plus précises et plus sûres… mais moi, ce que je vois, c'est qu'elles ne remplaceront jamais l'humain. On a besoin de contact et puis, les machines fonctionnent grâce aux personnes.

3. - Il faut arrêter de croire que les nouvelles technologies vont régler tous les problèmes. La plupart des machines sont inutiles et ne servent qu'à faire gagner de l'argent à ceux qui les vendent. Il est indiscutable que certaines technologies nous permettent de protéger notre environnement, de réduire la pollution mais bon… c'est aussi ça qui la produit, cette pollution ! Alors l'un dans l'autre…

4. - Je pense qu'il faut distinguer les différentes technologies. Certaines se sont avérées très utiles pour notre quotidien mais je ne pense pas qu'un robot puisse élever un enfant ou apporter à une personne âgée l'attention dont elle a besoin. Je crois qu'il faut remettre chaque chose à sa place : les nouvelles technologies doivent nous soutenir et non pas nous remplacer.

Unité 4

Piste 34
Activité 4

JOURNALISTE. - Bonjour Philippe. Vous êtes argentin et vous tenez un blog en français qui s'appelle « La vie privée de Monsieur Tout le Monde ». Comment vous est venue cette idée ?
PHILIPPE. - En fait, j'ai commencé à apprendre le français il y a cinq ans. Et puis, mon prof nous demandait souvent d'écrire des histoires. Alors le soir, à la maison j'écrivais. Personne dans ma famille ne parle français. Je me suis senti totalement libre d'écrire ce que je pensais, ce que je ressentais. C'était merveilleux ce sentiment de liberté ! Quand j'ai arrêté les cours, j'ai senti qu'il me manquait quelque chose. Un jour sur le net, j'ai eu l'idée d'ouvrir un blog et d'y jeter mes pensées, mes sentiments. Au début, c'était juste comme ça vous savez… pour m'amuser, améliorer mon français.
JOURNALISTE. - Pourquoi avoir choisi un pseudonyme et ce pseudo en particulier ?
PHILIPPE. - Très franchement, c'est le premier prénom qui m'est venu à l'esprit ! Et puis, je trouve que Philippe ça fait très français ! Aucune chance que ma famille me reconnaisse ! Et puis, J'ai un peu de mal à m'exprimer dans la vie de tous les jours, à parler de moi... alors ce blog me permet de me sentir libre... sans jugement... d'être moi-même. Je pense aussi que la reconnaissance de mes lecteurs me fait beaucoup de bien. Avec ce « Monsieur Tout le Monde », je me suis construit un personnage sans tabou pour exprimer ce que je vis.
JOURNALISTE. - C'est un blog qui a beaucoup de succès. Vous êtes devenu un véritable écrivain à succès ! Comment l'expliquez-vous ?
PHILIPPE. - C'est gentil mais non, non, je ne suis pas un véritable écrivain ! Je ne sais pas trop ; pourtant, je ne raconte rien de particulier dans mon blog, c'est très banal ! Mais je crois que peut-être son succès vient de là ; je n'ai rien d'exceptionnel, enfin je crois… Je suis comme tout le monde, un homme ordinaire, qui travaille, marié, deux enfants… Vous voyez, Monsieur tout le monde quoi !

Piste 35
Activité 6

PRÉSENTATEUR. - « Comment construire sa vie ? » Nous avons rencontré Léa et Julien, deux jeunes étudiants qui nous ont raconté leur parcours.
Nous sommes en 2014. Léa et Julien vivent ensemble depuis 2008. Léa a commencé une fac de psychologie en 2007. Julien a commencé en même temps mais il a brusquement changé de voie. Après une année d'économie, il a décidé d'entrée à l'université de droit.
JULIEN. - J'ai réalisé que le droit faisait partie de notre vie quotidienne ; nous sommes dans un état de droit, le droit est omniprésent.
PRÉSENTATEUR. - Léa et Julien vont faire des « jobs » pour étudiants pour se payer leurs études. De 2008 à 2013, Léa donne des cours particuliers, travaille comme serveuse le week-end dans un restaurant. Julien, lui, s'occupe des enfants dans les garderies les mercredis après midi et le week-end, il fait la plonge dans un restaurant. Tous les ans, en septembre, ils font les vendanges.
LÉA. - Nous habitons dans le bordelais, et c'est une véritable tradition pour les étudiants de faire les vendanges tous les ans. C'est physiquement difficile, mais il y a une ambiance formidable !
PRÉSENTATEUR. - En 2013, ils obtiennent leur diplôme. Ils ont mis à peu près six mois à trouver du travail. Léa a ouvert son cabinet et ça marche plutôt bien. Et Julien fait actuellement un stage chez un avocat. Il espère ouvrir son propre cabinet dans un an. En 2018, il prévoit de faire le tour du monde.

Piste 36
Activité 7

PRÉSENTATRICE. - Bonjour à tous et bienvenue dans notre émission « des racines et des identités » ; aujourd'hui nos auditeurs vont nous parler de leurs origines, de leurs racines, comment vivent-ils tout ça ? Nous allons faire les présentations, tout d'abord notre premier invité, Kamel bonjour.
KAMEL. - Bonjour Sandra, oui ça va vous paraître banal mais voila, moi je suis né en France, et mes parents sont Tunisiens. Depuis que je suis gosse j'ai été élevé à la française, on a toujours parlé français chez moi, j'ai fréquenté une école française, un lycée français, j'ai eu mon bac et j'ai fait des études supérieures ! J'allais en Tunisie quand j'étais petit, juste pour les vacances. Je ne parle pas vraiment arabe. Et dans ma famille en Tunisie, certains me disent trop « francisé ». C'est parfois un peu compliqué à vivre ! Je ne sais plus si je suis français ou tunisien.
PRÉSENTATRICE. - Merci Kamel ! Maintenant au tour de notre prochaine invitée. Bonjour Yaya.
YAYA. - Bonjour, en fait je suis chinoise et je suis arrivée en France il y a quatre ans avec mon mari. La culture française est très différente de la culture chinoise. Et mes enfants vont à l'école française et je vois bien qu'ils vont très vite connaître la culture française. Ils ne vivront probablement jamais en Chine, alors, moi, comment dire, je dois apprendre, vous voyez… comprendre cette nouvelle culture, pour aussi comprendre mes enfants vous comprenez… Et puis, j'aime beaucoup la culture française, j'ai envie de continuer à la découvrir !
PRÉSENTATRICE. - Bien. Et notre troisième invitée, Alissa ?
ALISSA. - Oui. Bonjour… Alors,… Je suis d'origine marocaine et italienne mais née en Suisse. Quand j'étais plus jeune, vraiment, je le vivais comme un poids parce que les gens parlaient tout le temps de mes origines, genre « ah tu dois savoir cuisiner tel plat italien car ta mère est italienne », « tu ne parles pas arabe pourtant ton père est marocain, non ? »
Enfin, bref les gens me collaient tout le temps des stéréotypes, plutôt que d'apprendre à me connaître, moi et ma personnalité ! En plus, je me sentais suissesse vu que je suis née en Suisse et ça m'énervait qu'on me traite « d'étrangère » tout le temps. En fin de compte, maintenant que je suis adulte, bizarrement j'ai l'impression que les gens se sont calmés ou alors c'est moi qui le remarque moins…
Et puis, je pense que, oui, c'est une chance d'avoir ces différentes cultures !
PRÉSENTATRICE. - Très bien, maintenant que les présentations sont faites, voici ma première question…

Piste 37
Activité 10

1. Suis-je la seule personne au monde à m'en rendre compte ? Comment peut-on vouloir être beau ? On ne peut pas l'être et réussir à se faire respecter. Les gens vous traitent tout de suite comme un objet décoratif. Ils se moquent pas mal que vous ayez un cœur. La beauté n'a jamais fait le bonheur.
2. Mon mari était contre la chirurgie esthétique ; mais moi, je me trouvais vieille. Il m'a fortement déconseillé de le faire. Je crois qu'il avait peur pour moi. J'ai quand même fait l'opération même s'il n'était pas d'accord. Aujourd'hui, j'ai rajeuni de 10 ans et je suis ravie !
3. C'est ma mère qui m'y a poussée. J'y suis allée surtout pour lui faire plaisir… L'opération des oreilles a très bien marché. Je reçois des félicitations, on me dit que je suis très belle. Finalement, le résultat est vraiment génial ! Je ne regrette rien !
4. J'étais un jeune homme plutôt mignon et sympa, enfin… je crois. Au lycée j'ai entendu un camarade qui se moquait de mon nez. Du coup, je me suis fait opérer une fois adulte, mais au final cela n'a pas vraiment changé ma vie.
5. Je trouve déjà qu'il est très important de préciser que je l'ai fait pour moi, et surtout pas pour les autres. J'avais beaucoup grossi ces derniers temps et je n'arrivais pas à maigrir. J'ai attendu trois ans pour trouver l'argent pour l'opération. Maintenant, je me sens revivre !

Piste 38
Activités 14 et 15

SANDRINE MERCIER. - Je m'appelle Sandrine Mercier, je suis journaliste, on a créé un magazine de voyages qui s'appelle *AR*, comme « Aller Retour » avec Michel Fonovich. Ça fait quatre ans et on voyage beaucoup dans le cadre de notre métier et puis on se pose toujours la question : « On s'arrêterait très bien ici pour vivre » ou alors « Est-ce que là ça te plairait pour vivre ? ». Alors c'est une question qu'on se pose toujours.
JOURNALISTE. - Cette interrogation Sandrine Mercier et Michel Fonovich ont décidé de l'adresser aux autres, notamment à ceux qui ont fait le choix de l'expatriation. Le résultat de cette enquête est un ouvrage qui vient de paraître aux éditions Lamartinière à Paris : *28 portraits d'expatriés français intitulés « Ils sont partis vivre ailleurs »*. Sandrine Mercier.
S.M. - Donc là, on a vraiment interrogé dans ce livre, *Ils sont partis vivre ailleurs* chez Lamartinière, ceux qui ont eu le courage d'aller s'installer ailleurs.

JOURNALISTE. - C'est pas votre premier livre sur la question ?
S.M. - Le premier, c'était justement, *Ils sont partis faire le tour du monde, 32 portraits de blog trotteurs* chez Lamartinière. C'est vraiment l'idée de présenter des portraits de gens avec leurs photos, avec leur expérience, et on essaye de comprendre comment ils ont eu le déclic du voyage, qu'est-ce qu'ils vivent sur place et est-ce qu'ils imaginent le retour.
JOURNALISTE. - Quels ont été les critères de choix de ces différents portraits ?
S.M. - Il fallait déjà qu'ils aient des belles photos puisqu'effectivement le livre est illustré de leurs photos, pour qu'on les voie vivre dans leur contexte, dans leur nouvelle vie à l'étranger. Donc, il faut que les photos soient belles, publiables, qu'ils nous présentent leur vie aujourd'hui. Deuxième critère, il fallait que ce soit, pas forcément des expatriés envoyés par leur boîte, mais c'est au contraire des gens qui avaient une dose d'aventures et qui voulaient vraiment créer un projet dans le pays dans lequel ils se sont installés. Cette démarche effectivement d'expatriation indépendante et individuelle.
JOURNALISTE. - Et parmi tous ces parcours, lequel vous a le plus parlé ?
S.M. - J'ai un coup de cœur pour Français-Adrien parce qu'il est parti au Népal. Au départ, il y est allé pour dévaler les pentes en surf. C'est un gars qui aimait bien la neige, la montagne et au Népal il s'est dit « mais en fait ce pays je l'adore, il fait beau, il n'y a jamais trois jours d'affilée où il fait gris » il venait de la banlieue parisienne et tout, les gens sont sympas et il a rencontré des paysans, il a vécu chez des paysans et il a développé maintenant, il fait du saucisson, il fait du fromage, il a fait venir des Savoyards qui faisaient du fromage, qui faisaient du saucisson. Il a travaillé avec ces paysans pour monter cette petite fromagerie et il a même créé des marchés locaux comme on en trouve en France, ce qui fait le charme aussi de la France et qui n'existait pas du tout au Népal et du coup avec d'autres personnes qui font aussi de la confiture, ils se sont rassemblés pour créer des marchés à Katmandou et maintenant il commence même à exporter ses fromages et ses saucissons en Inde.

Piste 39
Activité 18
- Bonjour à tous, aujourd'hui un nouveau membre vient de rejoindre notre association « Origines d'ailleurs ». Yoko, nous te souhaitons la bienvenue et je te laisse te présenter.
- Bonjour à tous... euh Je m'appelle Yoko. Je suis d'origine japonaise. Ma mère est française et mon père japonais. Je suis très proche de ma grand-mère japonaise, elle m'a tout appris de mes origines. Grâce à elle, je connais la culture japonaise, j'ai appris par exemple la cérémonie du thé. Je suis très sensible à cet art de vivre. L'art du thé parle d'harmonie, de respect et de sérénité, je suis très attachée à ces valeurs. Je tire de ces enseignements un grand apaisement qui me permet de vivre en relation avec mes racines, de plonger au cœur de la culture asiatique et de son art de penser...

Piste 40
Activité 21
a. Ca fait un(e) heur(e) que j'attends !
b. Ca fait un an qu(e) j'attends !
c. Depuis qu(e) vous êtes partis, c'est différent !
d. Depuis que vous êtes partis, c'est différent !
e. Il y a un an que tu travailles.
f. Il y a un an qu(e) tu travailles.

Piste 41
Activité 22
a. J(e) me suis fait r(e)fair(e) le nez.
b. J(e) vais me faire refaire les pommett(e)s.
c. Chui adepte de chirurgie !
d. Chui vraiment déçu !
e. C'est franchement déz(e)vant !

Piste 42
Activité 23
Complèt(e)ment !
Largement !
Ça fait un an qu(e) tu es parti !
Ça fait un(e) heure que tu es parti !
C(e) n'est pas comparable !
J(e) ressembl(e) à ma mère.

Piste 43
Activité 24
J(e) viens d'Italie et j'ai toujours pas la nationalité française. Ils veulent pas m(e) la donner. I' faudrait qu(e) j(e) passe un test de français, pour la naturalisation. C'est un test qu'est difficile, y a plein de questions. Et c'est quoi, vot' nationalité, à vous ?

Piste 44
Activité 26
a. Y'a pas d(e) travail dans mon pays.
b. I' faudrait qu'i change de vie.
c. Ch' parl(e) jamais d(e) mes racines.
d. J(e) veux parler de ma prop(re) histoire.
e. Depuis qu' chui p(e)tit, chui mal dans ma peau.

Piste 45
Activité 27
a. Je suis un citoyen comme un autre !
b. Chui un citoyen comme un autre !
c. Un apatride, c'est quelqu'un qu'a pas d'patrie.
d. Un apatride, c'est quelqu'un qui n'a pas de patrie.
e. Il y a dix ans que je suis en France.
f. Y a dix ans qu'chui en France.

Piste 46
Activité 28
Haruki Murakami *Autoportrait de l'auteur en coureur de fond.*
Né le 12 janvier 1949, l'auteur japonais mondialement connu, Haruki Murakami, est un enfant solitaire et inquiet. Il a très tôt une passion pour les chats. En 1974, il ouvre une boîte de jazz qui s'appellera d'ailleurs le « Peter Cat ». Les chats sont aussi très présents dans sa littérature. En 1981, il se déclare brusquement écrivain, vend sa boîte de jazz et se met à sa table d'écriture. Il fume soixante cigarettes par jour et prend du poids. Il décide alors de se mettre à la course à pied. Il écrit et court plusieurs fois par semaine, s'imposant une grande discipline. C'est ainsi qu'il écrira son roman *Autoportrait de l'auteur en coureur de fond.* Grâce à la course à pied, il acquiert ténacité et persévérance, des qualités nécessaires au travail d'écriture. Mais la course lui permet aussi de développer sa patience et d'aller au fond de sa véritable nature. On peut lire d'ailleurs dans son autoportrait : « Pour écrire un roman, je dois me contraindre à des activités physiques éprouvantes et y passer beaucoup de temps, faire beaucoup d'efforts. »

Unité 5

Piste 47
Activité 8
Chers auditeurs bonjour ! Aujourd'hui nous allons nous intéresser aux nouveaux mots, arrivés cette année dans nos dictionnaires. Vous vous en doutez : la plupart sont liés aux nouvelles technologies...
Et oui, à chaque saut technologique, on voit apparaître une série de nouveaux mots... C'est un fait que les linguistes connaissent bien : les inventeurs ne sont pas les seuls à innover, les dictionnaires aussi servent à faire évoluer notre vocabulaire. Cette année, on a vu apparaître par exemple dans la dernière édition du dictionnaire le « mooc », ce nouveau mode d'apprentissage ou encore les « anonymous », ce célèbre groupe de cybermilitants.
Pourtant, les réelles innovations sont rares quand on parle de vocabulaire : on préfère souvent construire des mots à partir de termes existants : « les biotechnologies » par exemple ; ou encore « la robotique », « la cybernétique » ; sur Internet, on trouve maintenant des : « webmestre », « webinaire », « webographie »...
La création de nouveaux mots nous permet de nommer les objets qui nous entourent, des objets en constante évolution...

Piste 48
Activité 15
- C'est un modèle qui existe depuis le XIXe siècle mais qui connaît ces dernières années un regain d'intérêt en France : celui des SCOP, les sociétés coopératives et participatives où les salariés détiennent le capital, et se partagent de manière équitable les bénéfices.
Elles sont aujourd'hui un peu moins de 2000, et regroupent environ 40 000 salariés. À l'échelle de l'économie française, c'est peu bien sûr, mais avec la crise un nombre croissant d'entrepreneurs s'intéresse à ce modèle.
« Tous patrons, tous salariés : la renaissance des coopératives de production », un grand reportage signé Daniel Vallot, Daniel que l'on retrouve en direct pour nous en parler dans un quart d'heure.
- Dans une SCOP, il faut gagner de l'argent pour continuer à exister. De ce point de vue, une coopérative de production c'est une entreprise comme les autres. Pour le reste, tout ou presque est différent, à commencer par le partage équitable des bénéfices : une partie revient aux salariés, le reste est mis de côté pour assurer la pérennité de l'entreprise. Autre différence : le capital doit être détenu à majorité par les salariés ce qui exclut toute possibilité de

délocalisation ou d'OPA.
Un autre élément à peser : la démocratie interne lié au statut coopératif. Dans les assemblées générales, chaque sociétaire a le même poids quelque soit son apport au capital. Quant au dirigeant de la SCOP, il est élu et c'est un salarié comme les autres. François Mélan est l'un des fondateurs de l'agence web Unox, créée en 2002, sur ce modèle.
FRANÇOIS MÉLAN. - On avait envie de monter notre propre boîte, de la diriger ensemble et de savoir où elle allait. Donc c'est un peu l'inverse du modèle du petit patron qui va décider pour ses salariés. Nous, on voulait quelque chose de plus démocratique et plus transparent.
JOURNALISTE. - Alors est-ce que c'est pas un frein la prise de décision collective comme ça pour une entreprise ?
F.M. - Alors ça, c'est également l'image que les gens ont souvent. C'est que « Oh ! Là, là ! Ça doit prendre du temps », vous devez jamais rien décider, c'est l'assemblée générale permanente. On a même entendu, au moment où on se créait, un banquier qui nous a dit « moi je n'y crois pas à votre projet, dans une basse-cour il faut un seul coq ». Donc ça c'est, voila, c'est une façon idéologique de concevoir les choses, mais c'est pas vrai. Non ça fonctionne très bien c'est quelque chose qui est très efficace si on en juge par nos chiffres, donc on est à 1 million 5 de chiffre d'affaires sur l'année dernière, avec une progression de 15-20 %. On est… On est très rentables.

Piste 49
Activité 16
François Mélan est l'un des fondateurs de l'agence web Unox, créée en 2002, sur ce modèle.
FRANÇOIS MÉLAN. - On avait envie de monter notre propre boîte, de la diriger ensemble et de savoir où elle allait. Donc c'est un peu l'inverse du modèle du petit patron qui va décider pour ses salariés. Nous, on voulait quelque chose de plus démocratique et plus transparent.
JOURNALISTE. - Alors est-ce que c'est pas un frein la prise de décision collective comme ça pour une entreprise ?
F.M. - Alors ça, c'est également l'image que les gens ont souvent. C'est que « Oh ! Là, là ! Ça doit prendre du temps », vous devez jamais rien décider, c'est l'assemblée générale permanente. On a même entendu, au moment où on se créait, un banquier qui nous a dit « moi je n'y crois pas à votre projet, dans une basse-cour il faut un seul coq ». Donc ça c'est, voila, c'est une façon idéologique de concevoir les choses, mais c'est pas vrai. Non ça fonctionne très bien c'est quelque chose qui est très efficace si on en juge par nos chiffres, donc on est à 1 million 5 de chiffre d'affaires sur l'année dernière, avec une progression de 15-20 %. On est… On est très rentables.

Piste 50
Activité 18
Des slogans, des pancartes, des poings levés… La révolte gronde ! Non, pas place de la République mais au Grand Palais où se déroule cette semaine la *fashion week*. Pour sa collection printemps-été 2014, Karl Lagerfeld a choisi un décor de rue, un défilé féministe et une ambiance de révolution pour les mannequins qui se sont avancées dans des robes colorées, des tissus fleuris, et des pantalons kaki… Pour mener le spectacle la très belle Cara Delevingne était vêtue d'un ensemble bleu, mégaphone à la bouche et bras levés, elle appelait à la « Libération des femmes ». Sur les pancartes on pouvait aussi lire « Faites la mode, pas la guerre », « Sans femmes, pas d'hommes ». Un premier défilé manif très réussi pour le créateur qui n'a pas fini de nous surprendre.

Piste 51
Activité 22
a. Un son
b. Ça sonne !
c. En fonction
d. Ça fonctionne !
e. Un surnom
f. Elle se surnomme

Piste 52
Activité 23
a. Je conteste ce conflit !
b. C'est mon opinion !
c. C'est une mutation abrupte !
d. Son smartphone fonctionne !
e. Sa sonnerie de téléphone m'assomme !

Piste 53
Activité 24
a. conteste – révolutionne – protestation – rebond – mécontent
b. smartphone – informations – téléphone – fonctionne – sonne

Piste 54
Activité 25
On est ici parce qu'on en a marre que le gouvernement ne nous écoute pas !

Piste 55
Activité 26
a. Je suis fatigué.
b. Je suis fatigué !
c. Mais arrête !
d. Mais arrête !
e. Nous avons le droit de faire grève !
f. Nous avons le droit de faire grève ?

Piste 56
Activité 27
a. Je suis indigné !
b. Ça me révolte !
c. Je suis vraiment mécontent !
d. Je proteste contre cette réforme !
e. Je suis excédée par ces décisions !

Piste 57
Activités 28 et 29
1. C'est une catastrophe ! On est fichus ! On va tous mourir !
2. Ces gens sont vraiment bizarres…
3. Bon, pour commencer, réfléchissons : à quelle distance de la terre sommes-nous ?
4. Ça va être horrible par ici, moi je préfère encore partir loin.
5. Ça a l'air pas mal par ici. Coucou ! On arrive !
6. Écoutez-moi, il faut vous ressaisir ! Tout va bien.

Unité 6

Piste 58
Activité 4
- Radio 65, bonjour. Aujourd'hui dans notre émission « La passion du jour », nous recevons Guy, maire de Larreule. Bonjour Guy ! Alors tout d'abord, pourriez-vous nous parler un peu de vos activités de maire, ici à Larreule ?
- Bonjour. Alors, pour comprendre, je crois qu'il faut d'abord parler un peu de la commune de Larreule. C'est un village, ici, il y a un peu de plus de 400 habitants, c'est tout. Moi, je suis né ici, j'ai grandi ici, je travaille ici et ça fait 10 ans que je suis maire. On peut dire que je connais tout le monde et que tout le monde me connaît.
- Justement, qu'est-ce qui vous motive à continuer à exercer vos fonctions de maire ?
- C'est vrai que ce n'est pas tous les jours facile. Quand il y a des problèmes, c'est moi que les gens viennent voir. Ça peut être désagréable mais moi, je me sens animé d'un idéal : celui de faire vivre mon village. C'est un combat de tous les jours ! J'ai tout vécu ici, l'amour, les larmes, tous types d'émotions. C'est moi qui célèbre tous les mariages, par exemple. On peut dire que j'ai attrapé le virus de mon village ! Et puis, je suis un adepte de la politique, c'est vrai…
- La politique, c'est toute votre vie ?
- Ah oui, j'ai ça dans le sang, être maire, c'est ma vocation, je ne pourrais plus m'en passer. Mais bon, ce sont les citoyens qui choisissent, hein, pas moi !

Piste 59
Activité 7
- Aujourd'hui, Dans « Dites-moi tout », Jean-Louis Cerrat, auteur de *Dédramatisons les expressions du français*. Première question, pourquoi ce livre ?
- Et bien, j'ai écrit ce livre d'abord pour comprendre l'histoire de nos proverbes et puis je me suis rendu compte que beaucoup de nos expressions avaient une dimension finalement assez grave, dramatique. Ça m'a fasciné ! Prenez les expressions sur l'amour, par exemple, que de passion, que de souffrance ! Tenez, dans « tomber amoureux », pourquoi utilise-t-on « tomber » ? Vous avez l'expression voisine « faire une rencontre renversante », avec, encore une fois cette idée de chute, de vertige. C'est joli mais un peu sombre, non ?
- En effet…
- C'est comme « avoir le cœur qui fait boum », comme une explosion, pourtant on est bien vivant, il s'agit de battements rapides du cœur. On devrait dire « avoir le cœur qui fait boum-boum-boum » si vous voulez. Et puis, regardez aussi le célèbre « avoir un coup de foudre », ah oui, ça, avec la foudre, on a bien cette idée d'immédiateté, de quelque chose qui arrive d'un coup, mais être frappé par la foudre, comme ça, n'est-ce pas un peu dramatique ? C'est comme « l'amour est aveugle », pourquoi pas sourd ou muet ? On comprend bien que quand on est amoureux, on ne voit pas les défauts de l'autre. Pourtant les yeux, c'est très important en amour, nous, on dit qu'on « regarde quelqu'un avec amour » c'est-à-dire qu'on regarde l'objet de son amour de façon passionnée, nos amis les Anglais parlent « d'amour au premier regard » eux…

- Et « déclarer sa flamme » ?
- Ah, celle-là, elle est magnifique, on a cette idée d'incendie, oui, c'est ça, le cœur qui brûle et il faut tout de suite le dire à la personne aimée parce qu'on se rend compte à ce moment précis qu'on ne pourra plus jamais vivre sans elle. Là encore, quel drame quand les sentiments ne sont pas partagés…

Piste 60
Activité 12

- Société CNAL, Bonjour !
- Allô, je voudrais parler à madame Duprat, du service marketing s'il vous plaît.
- C'est moi-même.
- Ah oui, c'est vrai, j'ai votre ligne directe, du coup je tombe directement sur vous, c'est sûr ! Euh… oui, donc, bonjour, c'est monsieur Coutais de l'association Alternatives théâtrales. On s'est parlé hier.
- Oui, monsieur Coutais, je me souviens ! Comment allez-vous ?
- Très bien, merci. Dites, je vous appelle au sujet de votre offre de soutien parce que je n'ai pas vraiment compris le principe, je crois…
- Alors, il s'agit en fait de mécénat…
- Euh oui, mais concrètement, vous allez nous financer, c'est ça ? Vous savez, à cause de la crise, nous avons moins d'aides financières alors on a fermé les locaux où répétaient nos jeunes.
- Oui, Monsieur Coutais, nous sommes au courant. Nous savons que, faute de moyens, une association comme la vôtre ne peut pas survivre. CNAL croit en Alternatives théâtrales et souhaite donc associer son image à vos actions.
- Ah super, merci ! Bon, ben alors, on peut peut-être parler un peu du budget, maintenant…

Piste 61
Activités 14 et 15

Rencontre avec Élisabeth Fuchs, directrice de l'antenne IMS-entreprendre en région PACA, à l'occasion de la première édition des défis Mecenova.

JOURNALISTE. - Nous sommes sur la première édition des défis Mecenova, dans le cadre de l'année européenne du bénévolat et du volontariat. Quel est le but de ces défis ?

ÉLISABETH FUCHS. - Alors le but des défis Mecenova, c'est de mobiliser un maximum de salariés d'entreprise sur toute la France, pendant toute une semaine. Et au niveau de, de l'IMS, en fait, on… on a mobilisé 500 000 collaborateurs, ce qui est énorme. Donc, ça a démarré, euh, ça a démarré il y a plus de 3 mois, c'est-à-dire que l'IMS est allé rencontrer l'ensemble de ces entrepri… entreprises adhérentes, qui sont au nombre de 220 au niveau national, et on leur a proposé, puisqu'on les, on les connaît bien, on leur a proposé, euh, d'aller plus loin dans leur engagement et d'organiser donc une grosse opération nationale, euh, de mobilisation de collaborateurs pour donner envie à des salariés, qui jusqu'à présent ne savaient pas forcément ce que c'était le bénévolat, de s'engager, euh, ben pour la première fois soit sur des actions individuelles, soit sur des actions collectives. Sur d'autres régions de France, on a par exemple des collaborateurs qui sont allés, euh, cartographier des villes pour voir si les trottoirs, par exemple, étaient accessibles à des personnes en fauteuil roulant. Et ici, sur Nice, on est sur une opération de speed dating où de manière individuelle, des salariés de 12 entreprises différentes vont rencontrer des associations et se dire « Ben, finalement, pourquoi pas moi ? ».

JOURNALISTE. - Et quelles sont vos attentes à l'issue de cette session ?

E.F. - Alors, nous, ben ce qu'on espère, c'est d'avoir un maximum de rencontres, de belles rencontres, qui se font entre des, des salariés d'entreprises qui ont envie de découvrir autre chose que le monde du travail et des associations qui ont des projets, euh, toujours passionnants, vraiment, le, le, l'hétérogénéité, la diversité des projets présentés extraordinaire, donc faire en sorte que, que cette rencontre se fasse et que finalement les associations puissent bénéficier de ressources nouvelles, sachant que côté salariés, finalement, ils ont envie de s'investir mais souvent ils ne savent pas dans quoi. Et c'est le rôle de l'IMS de les aider à trouver, euh, des associations locales.

JOURNALISTE. - Alors, une enquête inédite a été réalisée par l'IMS sur le thème du bénévolat et de l'entreprise, est-ce qu'on peut avoir déjà les premières grandes tendances ?

E.F. - Oui, alors, ce qu'on a pu apprendre et, euh, on en est parfois étonné, c'est que finalement, euh, le bénévolat, ben c'est pas que des retraités, c'est pas que des chômeurs mais c'est aussi beaucoup des salariés d'entreprise et euh, et dans les chiffres qui ressortent, c'est qu'en fait, 54 % des salariés d'entreprise sont eux-mêmes actifs dans des associations. Euh, ça, c'est une donnée, euh, assez extraordinaire, c'est que oui, le bénévolat existe beaucoup dans le monde de l'entreprise. Et puis, c'est que, euh, les salariés qui se mobilisent, se mobilisent aussi de manière assez significative, un quart de, de nos répondants, euh, investissent plus de dix heures par mois dans leurs associations partenaires, ce qui est aussi assez énorme. Euh, on apprend aussi que, euh, certains salariés s'investissent, peut-être de manière moins importante, mais tout au long de l'année sur un coup d'une heure ou deux et finalement, on voit que, euh, ben chacun peut réussir à donner en fonction du temps qu'il souhaite vraiment accorder à l'association.

Piste 62
Activité 17

FARID. - Radio Nouvelle, Bonjour ! Nous sommes aujourd'hui dans « C'est comme ça que ça se passe » avec Thierry qui est allé à la rencontre d'une famille un peu particulière…
THIERRY. - Pas forcément particulière, non Farid, mais on va dire « moderne », représentative de notre époque, du moins.
FARID. - Expliquez-nous ça…
THIERRY. - Et bien il s'agit d'une famille de 9 personnes ou de 8 ou de 7, tout dépend de votre point de vue. Le mieux, c'est encore de les écouter.
GÉRARD. - Alors, moi c'est Gérard, j'ai 64 ans et je suis marié avec Sylvie…
SYLVIE. - Oui, depuis 35 ans !
GÉRARD. - C'est ça. Alors nous, on a un fils, Nicolas qui a 33 ans et trois petits-fils, Edgar, 8 ans, Oscar, 6 ans et Gaspard 2 ans…
SYLVIE. - Quatre petits-fils.
GÉRARD. - Oui, si tu veux, enfin trois petits-fils à nous et un petit-fils je dirais, d'adoption, Armel, qu'on adore hein ! On les aime tous les quatre aussi fort, attention !
NICOLAS. - Moi c'est Nicolas, j'ai effectivement trois garçons, les deux premiers ben, de mon premier mariage justement, avec Aurélie, et le petit dernier avec Vanessa, ma seconde épouse.
VANESSA. - Et dernière épouse !
NICOLAS. - Ah, ah, oui ! Et puis j'espère bien aussi être ton deuxième et dernier mari !
VANESSA. - Ah ben, oui… Donc, euh, moi, c'est Vanessa et avant, j'ai eu un petit garçon, Armel, 5 ans aujourd'hui, avec mon premier époux et qui vit avec Nico et moi…
NICOLAS. - C'est Armel qui vit avec nous, hein, pas son premier mari !
VANESSA. - Euh, non, bien sûr ! Et puis, je voudrais dire qu'Armel s'entend très bien avec tous ses frères…
NICOLAS. - Oui, donc, je rappelle, ses frères qui sont Edgar et Oscar que j'ai eus avec mon ex-femme et Gaspard qu'on a eu avec Vanessa.
THIERRY. : - Voilà Farid, vous y voyez un peu plus clair, non ?

Piste 63
Activité 21

a. Ça me tient à cœur.
b. Ça me tient au corps.
c. C'est du bon or !
d. C'est du bonheur !
e. Elles volent ses notes.
f. Elles veulent ses notes.

Piste 64
Activité 22

a. Mon cœur a trouvé l'âme sœur !
b. C'est un vrai cocktail d'hormones !
c. Mon corps est plein de phéromones !
d. Quand votre cœur fait boum !
e. J'adore leur odeur !

Piste 65
Activité 24

a. L'amour est éternel ↗ ?
b. Est-ce que ↗ tu crois que la passion dure trois ans ↘ ?
c. Est-ce que tu crois que la passion dure trois ans ↗ ?
d. Combien ↗ de temps dure la passion ↘ ?
e. Combien de temps dure la passion ↗ ?
f. Tu préfères être amoureux ↗ ou passionné ↘ ?

Piste 66
Activité 25 a

a. L'amour rend aveugle ?
b. L'amour rend aveugle.
c. Il a trouvé l'âme sœur.
d. Il a trouvé l'âme sœur ?

Piste 67
Activité 25 b

a. Faut-il ↗ utiliser des abréviations ↘ ?
b. Est-ce que tu peux me prêter tes notes ↗ ?

c. Pourquoi ↗ tu votes ↘ ?
d. Pourquoi tu milites ↗ ?

Piste 68

Activité 26

a. Est-ce que ↗ tu es marié ↘ ?
b. Est-ce que tu es pacsé ↗ ?
c. Tu vis en union libre ↗ ?
d. Tu es divorcé ↗ ?
e. Tu as un demi-frère ↗ ou une demi-sœur ↘ ?

Piste 69

Activité 33

JÉROME OUACHI. - Et bien, « Engagez-vous » c'est une association au service des associations. Ça peut sembler un peu étrange dit comme ça mais, si vous voulez, notre mission à nous, c'est d'aider les gens à devenir bénévole dans des associations, à consacrer du temps à une association qui leur plaît, qui a un objectif en rapport avec ce qu'ils aiment faire ou avec ce en quoi ils croient.
Et ça prend plusieurs formes : ça peut être des gens qui veulent simplement faire un don à une grosse organisation comme Médecins sans frontières ou alors ça peut être des gens qui souhaitent devenir membre d'une association. Et ça va de la grosse ONG à la petite association de quartier.
Je vous donne un exemple : l'autre jour, un monsieur est venu me trouver parce qu'il est passionné d'escalade mais comme il habite loin de la montagne, il est obligé de s'entraîner sur des murs d'escalade artificiels. Il est venu me voir, il n'avait pas d'idée précise, il m'a juste présenté son problème, c'est tout. Moi, je l'ai orienté vers une association qui s'occupe de rénover les infrastructures sportives qu'on a en ville. Voilà. C'est ce qu'on fait, on met les gens en relation.
Bon et puis alors attention, hein, ce sont les gens qui décident de venir nous voir parce que pour faire partie d'une association, il faut quand même être un minimum motivé et puis, de toute façon, légalement, hein, nous, on n'a pas le droit d'aller chercher les gens pour les obliger à faire du bénévolat ou des dons. Donc on a un bureau pour accueillir le public et on est 25 rue des Joyeux et on est ouverts les lundis et les mercredis de 9 heures à midi et de 14 heures à 18 heures.

Piste 70

Bilan 2

Message 1. Bonjour, Antonio de Lyon. Pour moi, tous ces gens qui pratiquent des sports extrêmes sont complètement inconscients. J'ai l'impression que ceux qui font du base jump, du parapente, tous ces trucs qui se font dans la nature, oublient qu'en pleine nature, justement, c'est pas eux les chefs ! On dirait qu'ils veulent tout explorer, comme ça, sans aucune mesure de sécurité. À force d'aller toujours plus loin, ben, ça peut être mortel ! Après tout, si les gens ont besoin de sensations fortes, ils peuvent aller dans un parc d'attractions, au moins là c'est sans risques !
Message 2. Bonjour ! Géraldine, 44 ans. J'ai adoré le reportage sur Raphaël Delacre, ce passionné de plongée en apnée qui nous parle de son sport avec tellement de respect pour la nature ! Et puis quel palmarès impressionnant ! En plus, il trouve encore le temps de promouvoir sa passion auprès des plus jeunes. Les gens engagés dans quelque chose, comme ça, moi ça me fascine ! Alors, oui, Monsieur Delacre le reconnaît, l'apnée, ça peut être une pratique à risques mais quand tout est bien préparé, bien calculé, c'est presque sans danger. Voilà, dans la vie, il suffit de mesurer les risques, c'est tout.

Unité 7

Piste 71

Activité 4

Bonjour Célia, c'est maman. Comment vas-tu ? Je suis inquiète, tu ne m'as pas appelée depuis deux semaines ! Écoute, l'autre jour, au supermarché, j'ai croisé ton ami d'enfance, Pierre ! Tu sais, il s'est marié et il a un bébé de deux ans. Ah, autre chose, je n'ai pas ton nouveau numéro de portable, peux-tu me le donner, s'il te plaît ? Allez, tu me rappelles dès que possible, OK ? Bisous.

Piste 72

Activité 8

À la une de l'actualité aujourd'hui. Les candidats aux élections présidentielles se traitent mutuellement de menteurs, mais qui ment vraiment, et surtout, lequel dit les plus gros mensonges ?
Un bluffeur sachant bluffer, c'est l'histoire de ce bandit qui a réussi à braquer trois bijouteries avec un simple revolver en plastique. Le bluff n'a pas duré, puisque le quatrième bijoutier s'est aperçu que l'arme n'était qu'un jouet et a réussi à faire arrêter le malfaiteur.
En région Poitou-Charentes, un couple de retraités porte plainte pour une escroquerie de 120 000 euros sur l'achat d'une maison. Ils l'ont payée en liquide mais la maison n'a jamais été construite. L'escroc, un agent immobilier d'une trentaine d'années, est aujourd'hui introuvable.
Enfin, les opérateurs de téléphonie mobile sont-ils des arnaqueurs ? Les associations de consommateurs se plaignent de ces arnaques où le client paye pour des services téléphoniques qu'il ne reçoit pas. Ce sera l'objet de notre enquête spéciale.

Piste 73

Activité 10

JOURNALISTE. - Qu'est-ce que vous faites dans la vie, M. Bobard ?
LIONEL BOBARD. - Je suis P.-D.G. d'une start-up basée dans le quartier de la Défense, à Paris. Grâce à cette entreprise, je suis devenu millionnaire en quelques semaines.
J. - Quelle est votre situation familiale ?
L.B. - Je suis marié, ma femme est formidable. Nous allons avoir notre deuxième enfant.
J. - Parlez-nous de votre enfance...
L.B. - J'étais très populaire, j'avais beaucoup d'amis.
J. - Qu'avez-vous fait pendant vos dernières vacances ?
L.B. - Ma femme et moi, nous nous sommes offerts un voyage de noces au Mexique. J'ai toujours été passionné par la culture mexicaine.

Piste 74

Activité 16

Sophie Larmoyer sur Europe 1. Les Carnets du monde – En français dans le texte
SOPHIE LARMOYER. - Il est de retour ! Nicolas Carreau, et son livre de la semaine, en français dans le texte, bien sûr, et donc Nicolas, comme annoncé tout à l'heure, vous avez lu un livre un peu particulier, vous vous êtes fait plaisir, en quelque sorte !
NICOLAS CARREAU. - Il était une fois, Sophie, si je vous dis, « Le Vaillant Petit Tailleur », « Le Petit Chaperon rouge », « Cendrillon », vous me dites ?
S.L. - *Les Contes de Grimm* !
N.C. - Voilà ! Et bien, c'est ce que j'ai lu cette semaine, régression totale, enfin, c'est ce que je pensais, mais en fait non : c'est une version modernisée des contes des frères Grimm ; modernisée et illustrée, surtout, par un illustrateur contemporain, Yann Legendre. Ce n'est pas le premier venu, il a reçu plusieurs prix, beaucoup de talent, il vit à Chicago, et son éditeur lui a demandé de choisir d'abord quelques contes et de les illustrer.
S.L. - Alors, qu'est-ce qu'on peut lire comme conte, par exemple ?
N.C. - Il y a, il y en a une vingtaine : « Blanche-Neige », « Le Vaillant Petit Tailleur », je l'ai dit, mais aussi de très peu connus : « La Jeune Fille sans mains », par exemple, « Chat et souris associés », « L'Esprit dans la bouteille », vous connaissiez, vous ?
S.L. - Pas du tout !
N.C. - Vous en voulez un ?
S.L. - Oui ! S'il vous plaît.
N.C. - Ok, alors, asseyez-vous au coin de la cheminée, Sophie, pas trop près du feu quand même, donc, « L'Esprit dans la bouteille »:
Il était une fois un pauvre bûcheron qui travaillait du matin jusqu'à une heure avancée de la nuit. Quand il eut enfin mis de côté une petite somme d'argent, il dit à son fils :
« Tu es mon seul enfant, et je veux employer, pour ton éducation, l'argent que j'ai gagné à la sueur de mon front. Si tu apprends quelque chose de convenable, tu pourras me nourrir quand je serai vieux, que mes membres seront devenus raides, et que je serai obligé de rester à la maison. »
Bon, je n'ai pas le temps de tout vous lire, je vous résume : le fiston part à l'université, ça se passe très bien, il travaille dur, mais, une fois la réserve d'argent épuisée, il doit rentrer chez lui, il est obligé de travailler avec son père dans la forêt parce qu'il n'a pas appris assez pour trouver un métier, mais dans la forêt, il entend une voix qui supplie « Libérez-moi ! Libérez-moi ! ». Il regarde par terre et il voit un bocal, avec un petit homme dedans, enfermé. Il ouvre le flacon, et l'esprit, de ce petit homme, se transforme en géant.
S.L. - Et là, il va avoir trois vœux !
N.C. - Nan, laissez-moi raconter ! Au contraire, l'esprit lui annonce qu'il doit maintenant le tuer, c'est la règle : il est censé tuer celui qui le libère !
S.L. - Oh, c'est pas drôle !
N.C. - Mais il est intelligent, le garçon, il a fait la fac ! « Comment je peux être sûr que c'est bien toi l'esprit qui était dans ce bocal ? Tu es trop grand pour y entrer ! Alors le géant

rapetisse et rentre à nouveau dans le flacon pour lui prouver que c'est bien lui. Mais évidemment, hop ! Le garçon ferme le bocal, alors l'esprit l'appelle encore « Libère-moi ! Cette fois, je ferai de toi un homme riche. »
S.L. - Bien ouèj ! Et, et... ?
N.C. - Et vous lirez la suite, y'a pas de raison ! Alors celui-ci n'est pas très connu même si ça nous fait penser un peu à « Aladin », mais il y en a aussi des célébrissimes, comme « Le Petit Chaperon rouge » !
S.L. - « Et la bobinette cherra, c'est ça ? »
N.C. - Eh bien justement non, la traduction est plus moderne... Vous avez tout faux aujourd'hui !
C'est le cas de tous les contes du livre d'ailleurs, explications de Yann Legendre.
YANN LEGENDRE. - Je me suis attaché à ce que la traduction française soit le plus proche possible du langage parlé, puisqu'en fait ce sont des contes qui ont été d'abord transmis de bouche à oreille, de famille en famille, de village en village etc. Et les frères Grimm ont eu ce génie de les réunir pour la première fois par écrit, et d'en... en gardant une forme littérale très orale. Or nous la première traduction qu'on a eue des contes de Grimm, enfin moi en tout cas les versions que j'ai eues quand j'étais petit étaient dans un français très soutenu, très XIXe, on va dire, et je voulais vraiment garder ce côté oral, en fait, de la lecture des contes. Et d'ailleurs quand on les lit on a... on a envie de se les réciter presque à voix haute. Il y a une sonorité de ... de ces contes.
S.L. - Voilà, au risque de faire hurler les puristes, les contes de Grimm sont donc modernisés.

Piste 75

Activité 17

Il était une fois un pauvre bûcheron qui travaillait du matin jusqu'à une heure avancée de la nuit. Quand il eut enfin mis de côté une petite somme d'argent, il dit à son fils : « Tu es mon seul enfant, et je veux employer, pour ton éducation, l'argent que j'ai gagné à la sueur de mon front. Si tu apprends quelque chose de convenable, tu pourras me nourrir quand je serai vieux, que mes membres seront devenus raides, et que je serai obligé de rester à la maison. »
Bon, je n'ai pas le temps de tout vous lire, je vous résume : le fiston part à l'université, ça se passe très bien, il travaille dur, mais, une fois la réserve d'argent épuisée, il doit rentrer chez lui, il est obligé de travailler avec son père dans la forêt parce qu'il n'a pas appris assez pour trouver un métier, mais dans la forêt, il entend une voix qui supplie « Libérez-moi ! Libérez-moi ! ». Il regarde par terre et il voit un bocal, avec un petit homme dedans, enfermé. Il ouvre le flacon, et l'esprit, de ce petit homme, se transforme en géant.
S.L. - Et là, il va avoir trois vœux !
N.C. - Nan, laissez-moi raconter ! Au contraire, l'esprit lui annonce qu'il doit maintenant le tuer, c'est la règle : il est censé tuer celui qui le libère !
S.L. - Oh, c'est pas drôle !
N.C. - Mais il est intelligent, le garçon, il a fait la fac ! « Comment je peux être sûr que c'est bien toi l'esprit qui était dans ce bocal ? Tu es trop grand pour y entrer ! Alors le géant rapetisse et rentre à nouveau dans le flacon pour lui prouver que c'est bien lui. Mais évidemment, hop ! Le garçon ferme le bocal, alors l'esprit l'appelle encore « Libère-moi ! Cette fois, je ferai de toi un homme riche. »
S.L. - Bien ouèj ! Et, et... ?
N.C. - Et vous lirez la suite, y a pas de raison !

Piste 76

Activité 19

Bonsoir à tous, j'ai choisi cette semaine de vous présenter 4 récits que vous connaissez probablement déjà bien et je vous expliquerai pourquoi.
Tout d'abord, *Pinocchio*, c'est l'histoire merveilleuse de ce vieil homme, ce vieux menuisier qui fabrique des pantins, des marionnettes, enfin des personnages en bois, et qui rêve d'avoir un fils. Et une nuit arrive une fée, qui éveille l'un de ces pantins et le fait devenir un vrai petit garçon. On croit souvent que ce récit existe depuis des siècles, mais pas du tout ! C'est un journaliste italien qui l'a écrit en 1829.
Et puis, ce court récit intitulé *Le bois qui chante*, un récit qui reprend une croyance des Sioux, ces Indiens d'Amérique du Nord, pour expliquer comment est née la flûte. La flûte, donc, un instrument de musique très important dans les rituels sioux, aurait en fait été créée par un pic-vert, vous savez, ce petit oiseau qui fait touk touk touk touk, sur le bois des arbres, eh bien à force de taper sur le bois, ce petit oiseau aurait créé la flûte, un instrument de musique et de magie. Un livre enchanteur, donc, avec de très belles illustrations.
Et puis nous avons aussi *Les Rougon-Macquart*, c'est-à-dire cet ensemble de 20 romans d'Émile Zola, qu'il a lui même sous-titré « Histoire naturelle et sociale d'une famille sous le Second Empire ». Zola, maître du récit social, naturaliste, y fait un portrait global de la France du XIXe siècle : des mines de charbon dans le Nord aux grands magasins parisiens.
Ah ! Et *Le corbeau et le renard*, inoubliable ! Ça, c'est un texte que tous les Français connaissent, pour l'avoir appris et récité à l'école primaire ! Une histoire amusante composée par La Fontaine, le roi des fabulistes, au XVIIe siècle. L'objectif à l'époque était de donner une leçon de vie à travers ces récits en vers où les animaux parlent. On a tous en tête cette leçon, la fameuse morale « Tout flatteur vit aux dépens de celui qui l'écoute. », qui pourrait être encore d'actualité aujourd'hui...

Piste 77

Activité 23

a. tromé
b. keuf
c. béton
d. ass
e. teuf
f. reup
g. cimer
h. ouam
i. iép
j. tiep

Piste 78

Activité 24

a. On va chez ouam ou chez ouat ?
b. Chui teubê, j'ai raté mon contrôle d'histoire...
c. Chui resté kéblo à la question 4.
d. Il est zarb', ce prof !
e. Il m'a trop vénère!

Piste 79

Activité 25

Je vais vous présenter ma mifa : ma reum s'appelle Anna et mon reup Lucas. J'ai deux reus et un reuf. Mon reuf, c'est trop un ouf ! Parfois, il me vénère...

Piste 80

Activité 26

Eh bien moi, écoutez, je pense que le devoir de mémoire est important. Alors, bon, déjà parce qu'il permet à tous de se souvenir. Et puis, bon ben, du coup, il peut empêcher qu'on reproduise les mêmes erreurs que dans le passé.

Piste 81

Activité 27

a. Bon, alors, tu es allée au Panthéon ?
b. Ils sont allés au parc Astérix aujourd'hui !
c. Allô, c'est Marie !
d. Ben, moi, je pense que tu te trompes !

Piste 82

Activité 28

a. En fait, tu aimes raconter des histoires, toi, hein ?
b. Ben moi, j'adore les contes de fée !
c. Alors, écoutez, je crois que c'est une légende urbaine.
d. Bon, eh bien toi, tu crois à cette rumeur absurde !

Piste 83

Bilan 1

PRÉSENTATEUR. - Et pour terminer ce journal, une petite histoire en lien avec la grande histoire : un des bicornes de Napoléon a été vendu ce matin pour plus d'un million huit cent mille euros. Notre reportage.
JOURNALISTE. - Le commissaire-priseur Vincent Merlu, en charge de la vente de 87 objets ayant appartenu à Napoléon Bonaparte, ne s'attendait pas à un tel succès. Le chapeau de l'empereur avait été mis à prix à 500 000 euros, mais un entrepreneur français a fait monter les prix jusqu'à un million huit cent quatre-vingt quatre mille euros pour emporter la vente. Le chapeau « de forme traditionnelle, en feutre noir », porté par l'un des personnages historiques français les plus connus dans le monde, est l'un des 19 bicornes authentifiés de l'Empereur. Vincent Merlu nous explique.
VINCENT MERLU. - C'est un chapeau authentique, sa forme est très connue, tout le monde l'associe à Napoléon. C'est celui que portait Bonaparte sur le fameux tableau peint par David, où le futur empereur est à cheval. C'est également ce chapeau que Napoléon a porté le jour où il est devenu empereur, en 1806. Il est vendu par l'arrière-petit-fils de l'empereur Jacques-Louis-Simon Bonaparte.
JOURNALISTE. - C'est Jean-Pierre Birambeau, président et fondateur du

géant de l'informatique Macronoft, qui s'est offert le célèbre chapeau. Il a expliqué qu'il considérait l'Empereur français, à la fois comme un grand personnage de l'Histoire, et comme le guide de l'homme d'affaires moderne. Il voit donc dans son couvre-chef un symbole de l'esprit d'entreprise, et souhaite exposer ce chapeau pour éduquer le public. L'homme d'affaire de 57 ans s'explique dans un communiqué, je cite : « J'ai toujours admiré l'esprit indomptable de Napoléon, pour qui rien n'était impossible...Alors, j'ai acheté son chapeau pour communiquer un vent nouveau à l'esprit d'entreprise ».

Unité 8

Piste 84
Activité 5

JOURNALISTE. - Bonsoir monsieur ! Je suis journaliste à *Cinéphilie Magazine*. J'aimerais savoir ce que vous avez pensé du film *Famille, familles*.
PREMIER SPECTATEUR. - Ah... c'est une perle ! Il faut absolument découvrir ce film qui traite du poids de l'héritage familial.
JOURNALISTE. - Bien ! Je vous remercie. Et vous monsieur, vous êtes allé voir ce film ?
DEUXIEME SPECTATEUR. - Mouais... le scénario est bancal et le film n'est pas assez rythmé à mon goût. Mais demandez à ma femme et à ma belle-sœur. Je crois qu'elles n'ont pas le même avis que moi.
PREMIÈRE SPECTATRICE. - Écoutez, j'ai trouvé ça superbe ! Cette chronique de la vie quotidienne de familles de diverses classes sociales est magnifiquement interprétée. Hein, qu'est-ce que tu en penses, Annie ?
DEUXIÈME SPECTATRICE. - Bon... À mon avis, le thème a déjà été traité de nombreuses fois et ce film n'apporte malheureusement rien de nouveau ! Je suis un peu déçue, à vrai dire...
JOURNALISTE. - Merci beaucoup messieurs dames ! Et bonne fin de soirée ! Excusez-moi madame. Pourriez-vous me donner votre avis sur le film ?
TROISIÈME SPECTATRICE. - À éviter ! Les personnages sont vraiment caricaturaux et les situations sont maladroitement exposées. C'est lent, on s'ennuie à mourir !
JOURNALISTE. - D'accord. Et vous, madame, s'il vous plaît...
QUATRIÈME SPECTATRICE. - Hmm... Le film est un peu lent, c'est vrai, mais le réalisateur nous montre habilement comment les savoir-faire et les habitudes se transmettent de génération en génération.

Piste 85
Activité 9

- Ici, radio Amphi, la radio des étudiants érudits. Aujourd'hui, dans notre émission « Devoir de mémoire », nous nous intéresserons aux professions liées au patrimoine.
- Oui, tout-à-fait. La première profession étant celle de restaurateur d'œuvres d'art. Le temps qui passe abîme bien souvent les tableaux, les gravures, les sculptures et c'est cet artisan qui est chargé de leur redonner leur apparence d'origine. Plusieurs écoles supérieures en France préparent à ce métier.
- Très bien ! Parlez-nous de la deuxième profession, maintenant, toujours en relation avec l'art.
- C'est le guide. Qui n'a jamais visité un musée, un monument ou une ville sous la conduite dynamique d'un guide-conférencier ? Ce professionnel passionné d'art et d'histoire dévoile au public les secrets des sites et des œuvres exposées. La Licence professionnelle de guide-conférencier permet de passer ensuite un concours à l'issue duquel on obtient, ou pas, une carte professionnelle.
- L'archéologue, maintenant...
- L'archéologue étudie les traces laissées par l'homme depuis la Préhistoire. Les découvertes de ce scientifique permettent de mieux connaître et comprendre les modes de vie des sociétés du passé. Un doctorat en histoire de l'art et archéologie est souvent exigé pour exercer cette profession.
- Enfin, lorsqu'on pense au mot « patrimoine », on peut aussi penser au patrimoine personnel, celui que l'on va transmettre...
- Oui, et la dernière profession, c'est le notaire. Le notaire intervient à tous les moments importants de la vie : mariage, achat d'un bien immobilier, décès... Ce représentant de l'État appose sa signature sur les documents tels que les contrats par exemple, ce qui leur donne une valeur juridique. Les notaires sont généralement titulaires d'un master en droit notarial et d'un diplôme supérieur de notariat.
- Merci pour toutes ces précisions ! À demain pour une nouvelle émission !

Piste 86
Activité 10

1. Messieurs, nous allons procéder à la lecture du testament de madame Moreau, votre mère.
2. Une question, s'il vous plaît... Est-il possible de refuser l'héritage ?
3. Votre patron, monsieur Delarbre, vous lègue la totalité de ses biens.
4. Madame Honoré, vous souhaitez donc faire une donation de votre terrain à votre fils Simon ?
5. Je souhaiterais connaître les nouvelles mesures fiscales concernant les donations ou les successions.
6. J'accepte la succession, Maître.

Piste 87
Activité 12

a. C'est vrai ce qu'on dit ? Mamie veut léguer sa maison à Suzanne et Gabriel ?
b. Tu vois les deux tableaux dans la salle à manger ? Et bien, pour Noël, je vais offrir ces tableaux à ta sœur et toi !
c. Tu as dit aux enfants que je comptais vendre notre chalet à la montagne ?
d. Il vous a parlé de son projet de faire restaurer sa grange ?
e. Pendant les vacances, je voudrais emmener les enfants dans le village où j'ai grandi.
f. Mon frère a appelé. Il me demande de lui prêter de l'argent.

Piste 88
Activités 13 et 14

LAURENT BAZIN. - Bonjour Stéphane Bern.
STÉPHANE BERN. - Bonjour Laurent. Ça va ?
L.B. - Vous êtes ce matin au château de Carcahu dans le Perche. On entend à votre voix que ça va bien, mais généralement, ça va bien ! Euh, vous ferez tout à l'heure l'ouverture de...
S.B. - Oui, en général ça va très bien. C'est pas l'ouverture de la chasse, c'est l'ouverture des Journées du Patrimoine, les trentièmes Journées Européennes du Patrimoine. Et c'est vrai que cette année, on célèbre les 100 ans de l'inscription, c'est-à-dire le fait qu'en 1913 on ait voulu protéger les monuments historiques. Donc moi, ce que j'ai envie de dire Laurent, c'est d'inviter tous les Français à ouvrir les grilles, à aller, y a gratuité totale, c'est pendant 2 jours, le samedi et dimanche. En plus, la météo sera du côté des vieilles pierres. C'est-à-dire qu'il faut pas hésiter à aller visiter le patrimoine. Ce patrimoine, c'est notre bien commun, c'est un bien national. Qu'il soit public ou privé, c'est vrai que ce sont, c'est notre héritage. Et je crois que la France est un magnifique pays, la France est un musée à ciel ouvert, c'est la raison pour laquelle les touristes du monde entier se précipitent en France. Donc il faut pas hésiter à aller visiter... Faut vraiment défendre notre patrimoine.
L.B. - Mais, on le défend d'ailleurs et les Français vous suivent. 12 millions de visiteurs l'an dernier. C'est une passion française le patrimoine.
S.B. - C'est absolument... vous avez raison Laurent, c'est une passion française. Parce que d'abord on a besoin de nos racines, on a besoin de savoir d'où on vient. Et puis, d'abord, c'est une façon de savoir aussi où on va. C'est la défense de l'Histoire. Mais vous savez, le patrimoine, c'est pas seulement un patrimoine architectural historique, c'est aussi le patrimoine industriel, c'est aussi, partout, dans chaque village de France, il y a aussi des choses à visiter. Et puis, c'est aussi les jardins. Euh j'ai eu le bonheur de présenter récemment une émission sur les jardins. Et vous pouvez pas imaginer combien les Français sont attachés non seulement au patrimoine architectural, mais au patrimoine vivant que sont les jardins parce que ça aussi c'est notre héritage.

Piste 89
Activité 18

Je me souviens très bien de notre rencontre. C'était en 1987. J'étais étudiant à la Sorbonne et après les cours, j'avais l'habitude d'aller à la bibliothèque de l'université. Vous savez, cette bibliothèque immense qui date du XVIIIe siècle ! Ce jour-là, j'ai choisi une place au fond de la salle. Une jeune fille rousse est arrivée, elle a pris une chaise près de moi. J'ai levé la tête. Je l'ai regardée, elle m'a regardé. Nous avons échangé un sourire. Puis, nous avons commencé à travailler. Lorsqu'elle est sortie, j'ai pris mon courage à deux mains et je l'ai suivie. Je l'ai invitée à prendre un café. Nous avons discuté jusqu'à la tombée de la nuit. Avant de rentrer chacun chez soi, nous avons échangé nos numéros de téléphone, puis nous avons échangé une poignée de main. Le soir même, nous avons parlé au téléphone et nous avons fixé un rendez-vous le lendemain.

Piste 90
Activité 21

a. Loueur
b. Lueur
c. Je me souviens de lui !
d. Je me souviens de Louis !
e. Cette mouette ne parle pas !
f. Cette muette ne parle pas !

Piste 91
Activité 22

a. Ma succession part en miettes !
b. Mon patrimoine est mal en point !
c. Il a continué à lui donner.
d. Ce loueur a une lueur d'espoir.

Piste 92
Activité 23

a. déclaration – patrimonial – fric – oseille – payer
b. gratuité – puissance – fortune – effectuer
c. loueur – patrimoine – dévoiler – avoir – soupeser

Piste 93
Activité 24

a. Je suis terriblement déçu par cette exposition !
b. Cette œuvre d'art est magnifique !

Piste 94
Activité 25

a. C'est drôlement intéressant !
b. C'est drôlement intéressant !
c. C'est vachement important !
d. C'est vachement important !
e. C'est complètement faux !
f. C'est complètement faux !

Piste 95
Activité 26

a. Je suis vraiment d'accord avec vous !
b. Vos arguments sont complètement stupides !
c . Vous avez parfaitement raison !
d. Vos exemples sont ridiculement réducteurs !
e. C'est formidablement bien dit !

Piste 96
Activité 28

PRÉSENTATRICE. - Bonsoir à tous ! Nous allons parler aujourd'hui de patrimoine. Alors, le patrimoine, tout le monde est d'accord pour dire qu'il faut le respecter. Mais, respecter un bâtiment qui se détériore, est-ce que cela signifie automatiquement le reconstruire à l'identique ? Est-ce que transformer un bâtiment c'est le respecter ? Pour en discuter, j'ai le plaisir d'accueillir Yvan Lassalle, conservateur aux archives de Paris et Jean-Marc Lemaître, architecte. Bonsoir à tous les deux !
YVAN LASSALLE et JEAN-MARC LEMAITRE. - Bonsoir !
PRÉSENTATRICE. - Yvan Lassalle, pour commencer. Quel est votre avis sur la question ?
YVAN LASSALLE. - Écoutez… Nous sommes maintenant conscients de la valeur du patrimoine architectural légué par nos ancêtres. Et c'est un grand progrès ! Tout le monde est sensible à l'importance de ce patrimoine, alors, je trouve vraiment dommage que des architectes soient payés, non pas pour redonner à ce patrimoine l'allure qu'il avait autrefois, mais pour le dénaturer.
JEAN-MARC LEMAITRE. - Ah, excusez-moi ! Je dois réagir ! Il ne s'agit pas de le dénaturer mais de le mettre en valeur. Prenons l'exemple de Viollet-le-Duc qui…
PRÉSENTATRICE. - Vous permettez que je précise qui était Viollet-le-Duc pour nos auditeurs ? Viollet-le-Duc était chargé de restaurer la cathédrale Notre-Dame de Paris à la fin du XIXe siècle.
YVAN LASSALLE. - Viollet-le-Duc était un imposteur !
PRÉSENTATRICE. - Monsieur Lassalle, je n'ai pas fini… Il ne s'est pas contenté de rénover l'édifice datant du Moyen Âge, il y a ajouté de nombreux éléments de décor, comme des statues, pour recréer l'atmosphère fantastique du Moyen Âge.
JEAN-MARC LEMAITRE. - Oui, c'est ça. Et bien, monsieur Lassalle, vous ne pouvez pas dire aujourd'hui que les décors de Viollet-le-Duc ont dénaturé Notre-Dame !
YVAN LASSALLE. - Mais oui, je le dis !
JEAN-MARC LEMAITRE. - Laissez-moi terminer, s'il vous plaît ! Ces statues sont aujourd'hui le symbole même de Notre-Dame !

Unité 9

Piste 97
Activité 6

L'INFIRMIÈRE. - Asseyez-vous, je vous en prie. Donc vous êtes monsieur Javier Jimenez, vous êtes inscrit en fac d'économie.
JAVIER JIMENEZ. - Oui, c'est ça.
L'INFIRMIÈRE. - Alors, avant de commencer l'examen médical, avez-vous des problèmes de santé en particulier ?
J.J - Euh non… Enfin, c'est vrai que je ne dors pas bien. Le soir, je me couche vers minuit et je n'arrive pas à m'endormir avant une ou deux heures du matin.
L'INFIRMIÈRE. - Bien. Alors peut-être que vous ne vous couchez pas assez tôt.
J.J - Non, c'est surtout que je me réveille fréquemment, vers 3 ou 4 heures du matin. Et quand ça arrive, impossible de me rendormir !
L'INFIRMIÈRE. - D'accord. Alors, en cas d'insomnies, la première règle à respecter est de dormir dans un environnement calme, propice à la détente : pas de lumière, pas de bruit, une chambre pas trop chaude, pas trop froide. Et, le matin, pensez à l'aérer. D'accord ?
J.J - Oui, c'est vrai qu'entre le radio-réveil, le portable, il y a pas mal de lumière dans ma chambre. Je vais y penser. Sinon, il y a une chose dont je voulais vous parler. J'ai pris du poids depuis le début de l'année.
L'INFIRMIÈRE. - Hmmm et cela vous inquiète ?
J.J - Oui.
L'INFIRMIÈRE. - Alors commençons par le commencement. Qu'est-ce que vous mangez le midi ?
J.J - Bah, vous savez, comme tous les étudiants, j'ai pas beaucoup de temps, alors en général c'est panini frites.
L'INFIRMIÈRE. - Et est-ce que le matin, vous avez un peu de temps ?
J.J - Oui, en général, je ne commence pas les cours avant 9 heures ou 10 heures.
L'INFIRMIÈRE. - Alors, profitez de ce temps du matin pour vous préparer un sandwich « maison ». Et vous pouvez aussi prendre un fruit ou un yaourt dans votre sac par exemple.
J.J - Bon bah, il va falloir que je me motive alors !
L'INFIRMIÈRE. - Oui, si vraiment votre poids vous inquiète. Sinon, est-ce que vous faites du sport ?
J.J - Non, pas cette année.
L'INFIRMIÈRE. - Vous pouvez vous inscrire au club de sport de l'université, il n'est pas trop tard. Essayez de rester actif. C'est le meilleur moyen de prévenir le diabète et ça limite les problèmes de santé en général.
J.J - OK, je vais essayer de suivre vos conseils.
L'INFIRMIÈRE. - Bien. Alors, on va pouvoir passer à l'examen médical à proprement parler.

Piste 98
Activités 13 et 14

JOURNALISTE. - Il est 15 h 30 et vous écoutez *L'air de rien* sur Radio 8. Émission consacrée aujourd'hui à l'influence de la musique. Plusieurs études le confirment, la musique a un effet sur nous, sur notre moral et notre bien-être. Une équipe de chercheurs d'universités associées s'est penchée sur cette question. Avec nous aujourd'hui, Frédéric Lebon, professeur de psychologie. Bonjour.
FRÉDÉRIC LEBON. - Bonjour.
JOURNALISTE. - Alors, Frédéric Lebon, vous travaillez sur la psychologie sociale et sur la musique. Vous avez mené une étude sur l'influence de la musique chez les jeunes. Quel a été le point de départ de votre recherche ?
F.B. - Déjà, on sait que la musique est un phénomène universel. Elle est omniprésente avec les portables, les lecteurs mp3, etc., on peut écouter de la musique partout, tout le temps n'est-ce pas ? Et les jeunes sont tout particulièrement consommateurs de ces nouvelles technologies.
JOURNALISTE. - Oui…
F.B. - Alors, on s'est demandé si écouter de la musique pouvait rendre les gens plus heureux. Alors, quand on dit heureux, on parle de bonheur, de bonheur global, de satisfaction envers la vie en général. On ne parle pas de petits plaisirs qui nous rendent heureux comme euh…
JOURNALISTE. - Manger du chocolat ?
F.B. - Oui, comme quand vous mangez du chocolat ou un bon petit plat. Oui, c'est ça exactement. Ça c'est acquis, on sait qu'écouter de la musique donne des moments de plaisir temporaire, momentané, très intense parfois. Mais on s'est posé la question : « Est-ce que la musique rend les gens plus heureux en général, est-ce que ça participe à leur bonheur ? »
JOURNALISTE. - Et alors, il y a une relation entre les deux ? Il semblerait que oui…
F.B. - Oui, tout à fait, le simple fait d'écouter de la musique peut-il être associé au bonheur ? A priori, on pourrait penser que les jeunes qui aiment beaucoup la musique, bah, plus ils écoutent de la musique, plus ils sont heureux. Mais, en fait, ça n'est pas tout à fait ça. Les questionnaires révèlent qu'il n'y a absolument pas de lien entre la

quantité de musique écoutée et le niveau de bonheur reconnu par les jeunes.
JOURNALISTE. - D'accord, donc la quantité de musique n'est pas importante ! Et le style de musique ? La musique classique par exemple ?
F.B. - Pas nécessairement. Mais il y a un autre paramètre à prendre en compte. En psychologie sociale on sait que ce qui importe, c'est les raisons pour lesquelles on fait les choses, c'est parfois plus important que de faire les choses elles-mêmes, donc c'est la motivation qu'on a. En fait, on a découvert un lien significatif entre motivation et bonheur. Je vous explique. Les jeunes qui écoutent leur musique préférée, plus pour eux-mêmes en fait, par pur plaisir ou par choix personnel sont plus heureux que ceux qui écoutent de la musique pour des raisons de pression sociale ou pour se conformer à la mode, pour faire comme les copains en gros !
JOURNALISTE. - Ça veut dire que si on contrôle ce qu'on écoute, on a plus de bonheur ? Si on est libre en fait ?
F.B. - Oui, bah, si on est capable de s'affirmer, d'être soi-même, à ce moment-là, ça semble être associé au bonheur en général et lorsqu'on écoute tel ou tel artiste un petit peu par pression sociale, ça semble être associé à un peu moins de bonheur en général. Mais ça peut s'appliquer à d'autres choses dans la vie. C'est un principe qu'on connaissait déjà pour d'autres domaines. Faire des choses qui sont concordantes avec nous-mêmes, avec notre identité, en général, non seulement on en retire plus de plaisir mais ça semble aussi apporter un peu plus de bonheur dans notre vie.
JOURNALISTE. - Bien. Merci Frédéric Lebon. Alors, on va continuer avec un intermède musical. Est-ce que ça va vous rendre plus heureux ?

Piste 99
Activité 16

a. - Bonjour, je m'appelle Markus et j'aurais besoin de vos conseils. En fait, je travaille dans un bureau et je passe beaucoup de temps devant mon ordinateur. Je suis pris dans une routine qui fatigue mon corps et mon esprit. J'ai besoin de m'aérer et je voudrais faire une activité, peu coûteuse, car je crains de ne pas sortir de ce train-train quotidien.
b. - Lisette, 68 ans. Depuis que j'ai pris ma retraite, je m'ennuie. Je passe mes journées à lire ou à regarder la télé, mais ça ne me suffit pas. J'ai peur de la solitude et le manque d'activité me pèse. J'ai essayé de m'inscrire à un club de sport, mais ça n'a pas été une révélation… Mes relations avec les membres étaient très limitées, on ne partageait rien ensemble.
c. - Je m'appelle Sophie et j'ai un souci dont je ne veux parler à personne. J'ai peur du noir. Dès que je suis dans une pièce sombre, je panique, je crains que quelqu'un soit caché, prêt à m'agresser. Quand j'étais petite, cela semblait normal, mes parents venaient me rassurer. Mais j'ai aujourd'hui 40 ans et mes angoisses n'ont pas disparu. Je voudrais vraiment savoir comment faire pour me détendre.

Piste 100
Activité 18

PRÉSENTATEUR. - Bonjour à tous ! Dans le cadre de notre émission hebdomadaire sur le bien-être, nous avons voulu savoir ce qui vous aide à lâcher prise et à vous sentir bien. Écoutez ces messages de nos auditeurs.
FLORENT. - Bonjour, moi, c'est Florent. J'ai la chance d'habiter au bord de la mer. Ce qui m'apaise, c'est de contempler l'étendue infinie de la mer. J'adore regarder les bateaux qui naviguent au loin, comme immobiles.
CÉLINE. - Bonjour tout le monde ! Je m'appelle Céline et moi, le bien-être, j'essaie de le vivre au quotidien. Je suis une jeune maman et ce que j'aime surtout, c'est entendre mes enfants qui rient ensemble.
SONIA. - Bonjour, Sonia, 42 ans. Je travaille beaucoup pendant la semaine et, le week-end, je relâche la pression, mon agenda est vide et je ne fais rien, tout simplement. De cette manière, je ne vois plus les heures qui passent.
ALI. - Bonjour à tous les auditeurs ! Je m'appelle Ali. Pour moi, le bien-être, ça ne coûte pas cher, ça ne demande pas beaucoup de temps. Quand je suis stressé, je prends quelques minutes, je m'assois sur un banc, à l'extérieur, dans mon jardin ou dans un parc, je ferme les yeux et je sens l'air qui caresse mon visage. Voilà, il suffit de quelques minutes pour se ressourcer.

Piste 101
Activité 20

Il lutte contre l(e) label bio.

Piste 102
Activité 21

a. Ils s'en sortent toujours !
b. Il s'en sort toujours !
c. Elles défendent des projets bio.
d. Elle défend des projets bio.
e. Elle ne prend ni médicament ni homéopathie.
f. Elles ne prennent ni médicament ni homéopathie.

Piste 103
Activité 22

a. Il est en avance sur son temps !
b. L'air pur revitalise !
c. Confronte-toi à l'inconnu !
d. On bouscule les habitudes !
e. On décrasse son corps !

Piste 104
Activité 23

a. On a un problème matériel.
b. La malbouffe fait des ravages.
c. Ne mange jamais d'OGM !
d. Le diabète tue !
e. C'est une humoriste talentueuse.

Piste 105
Activité 24

a. Je déteste le tic tac de l'horloge.
b. Boum ! C'est tombé !
c. Aïe, je me suis fait mal !
d. Le chat fait « miaou ».

Piste 106
Activité 25

a. Psst, tu me passes un stylo ?
b. La porte s'est refermée bruyamment.
c. Hummm ! Il est très bon ce gâteau !
d. Chut ! Taisez-vous !

Piste 107
Activité 26

1. Toc toc toc !
2. Glou glou
3. Vlan
4. Atchoum !
5. Vroum !
6. Dring dring !
7. Areu areu
8. Pouah !
9. Plouf !

Piste 108
Activité 29

- …
- Ah, bonjour !
- …
- Oui, et alors ?
- …
- Elle est bien bonne celle-là ! Vous exagérez ! Vous n'avez qu'à fermer vos fenêtres !
- …
- Bien, bien, calmez-vous ! Je vais le mettre plus près de ma maison, comme ça, je n'aurai pas besoin de traverser tout le jardin pour aller faire griller mes saucisses…
- …
- Pourquoi je ne l'ai pas fait avant ? Ben, pour que les odeurs ne rentrent pas chez moi…

Piste 109
Bilan 1

MÉLANIE. - Salut Clélia !
CLÉLIA. - Salut Mélanie…
MÉLANIE. - Eh dis donc, ça n'a pas l'air d'aller fort toi…
CLÉLIA. - Bah pfff… Tu sais, je prépare le concours de l'école d'infirmiers. J'ai emprunté des livres, je me suis inscrite à une formation à distance… mais y'a rien à faire, je n'arrive pas à me mettre au boulot et à me concentrer. Dès que je commence à travailler, mon esprit divague et je pense à autre chose… C'est plus fort que moi !
MÉLANIE. - Tu travailles quand ? Dans la journée ?
CLÉLIA. - Bah, oui, quand les enfants sont à l'école. Mais même le soir, je trouve toujours quelque chose de mieux à faire que de travailler. Pourtant, les enfants me soutiennent, ils sont calmes, ils me laissent tranquilles.
MÉLANIE. - Tu sais, tu devrais peut-être essayer de courir ou de marcher au grand air, ça te ferait du bien !
CLÉLIA. - Oh non… tu as vu le froid qu'il fait ? J'ai pas le courage… Et puis, je ne suis pas sûre que ça m'aide beaucoup. J'ai l'impression que je ne pourrai pas m'en sortir toute seule.
MÉLANIE. - Sinon, j'ai une amie qui m'a parlé de cours de yoga. Elle était stressée et elle m'a dit que ça l'avait beaucoup aidée. En fait, ce sont des exercices de respiration et de relaxation. Apparemment, ça aide à résoudre les troubles de stress, de mémoire et de concentration justement ! Et, elle m'a même dit qu'elle avait perdu du poids et qu'elle avait retrouvé un corps plus tonique !
CLÉLIA. - Ah… ça m'intéresse ! Et tu sais où elle suit les cours, ton amie ?
MÉLANIE. - Non, mais je peux te donner son numéro de téléphone. Elle pourra t'expliquer tout ça en détail !

Corrigés

Unité 1 : Prendre le temps

Activité 1 – page 4
a. Vrai – **b.** Faux – **c.** Vrai – **d.** Faux

Activité 2 – page 4
Réponse a.

Activité 3 – page 5
Proposition de corrigé :
Pour ma part, j'ai l'impression que le temps passe très vite quand j'ai quelque chose à faire dans un temps limité. Par exemple, lorsque je passe un examen et que je dois écrire un texte en une heure, les minutes défilent à vive allure, sans que je m'en rende compte. Je prends toujours du temps pour réfléchir à ce que je vais écrire et, quand je commence à écrire, je regarde ma montre, et je suis étonné de voir que 30 minutes se sont déjà écoulées !
À l'inverse, le temps ne passe pas vite quand j'attends quelqu'un ou quelque chose. Lorsque je vais chez le médecin par exemple, il m'arrive de patienter 20 minutes ou 30 minutes.
Je m'installe dans la salle d'attente, je prends un magazine pour m'occuper, mais les minutes me paraissent durer une éternité.

Activité 4 – page 5
(1) la lenteur – (2) une course effrénée – (3) freiner la machine – (4) en même temps – (5) en priorité – (6) détendre – (7) distraire – (8) oxygéner

Activité 5 – page 5
a. Quand nous faisons une longue route, nous mettons de la musique dans la voiture de manière à ce que le temps passe plus vite.
b. Le ministre a décidé d'allonger la pause déjeuner des écoliers de sorte qu'ils soient plus concentrés l'après-midi.
c. Tous les vendredis, elle va faire une marche avec ses amies afin de se détendre après sa semaine de travail.
d. Je vérifie mon agenda tous les matins de peur d'oublier un rendez-vous important.
e. J'ai demandé de ne plus travailler le lundi matin dans l'espoir de mieux profiter de ma journée du dimanche.

Activité 6 – page 6
(1) d'avoir de la pluie – (2) choisir une destination où il fera beau – (3) profiter des promotions de dernière minute – (4) que les clients soient attirés – (5) de partager le quotidien de ses hôtes

Activité 7 – page 6
a. … de manière à ce que les automobilistes me voient bien.
… afin que ma tête soit protégée en cas d'accident.
… de peur qu'un automobiliste me percute.
b. … histoire que mes collègues ne me dérangent pas.
… pour que mes enfants ne soient pas tentés de surfer sur Internet.
… de crainte que mon directeur m'envoie des messages tous les jours.

Activité 8 – page 6
a : la Corse – **b** : Sud-Est – **c** : Sud-Ouest – **d** : Nord – **e** : Ouest – **f** : Centre

Activité 9 – page 7
1d – 2a – 3c – 4e – 5b – 6f

Activité 10 – page 7
Proposition de corrigé :
a. Je voudrais avoir un peu de temps libre, j'aimerais bien m'inscrire à un club de sport.
J'aimerais que Pierre soit un peu plus présent à la maison, ça me plairait qu'il s'occupe davantage des enfants en rentrant le soir.
b. Nous aimerions avoir une pause et pouvoir sortir de la classe.
Ce serait bien que le cours soit plus intéressant et que le temps passe plus vite.
Nous sommes fatigués, nous avons envie de dormir !

Activité 11 – page 7
Proposition de corrigé :
je souhaiterais, tu aurais envie, il préférerait, nous voudrions, vous aimeriez, ils apprécieraient…

Activité 12 – page 8
La faune : un ours – un loup – un castor – une loutre – un caribou
La flore : un érable – un bouleau
Le paysage : une forêt – un lac – un torrent – les montagnes – la toundra

Activité 13 – page 8
a. La mienne – **b.** la leur – **c.** le mien – **d.** le vôtre ; le nôtre – **e.** Les vôtres

Activité 14 – page 8
(1) le leur – (2) le mien – (3) les leurs – (4) la sienne

Activité 15 – page 9
a. une discussion – **b.** notre rapport aux saisons

Activité 16 – page 9
a. Faux – **b.** Vrai – **c.** Vrai – **d.** Faux – **e.** Faux

Activité 17 – page 9
Proposition de corrigé :
Oui, il me semble que les hivers durent plus longtemps et surtout qu'ils sont plus pluvieux qu'avant. J'aimerais qu'il pleuve moins parce que la pluie empêche de sortir. Par contre, le froid sec ne me gêne pas. On peut pratiquer des sports de plein air même si les températures sont basses. Et puis quand il fait vraiment très froid, j'apprécie de retrouver ma famille autour d'un feu de cheminée.

Activité 18 – page 9
1b – 2c – 3d – 4e – 5a – 6g – 7f

Activité 19 – page 10
a. Un marais est une région basse où le sol est très humide et dont la végétation est particulière.
b. Une barque est un petit bateau en bois que les habitants utilisent pour aller pêcher, par exemple et qui permet d'aller dans les eaux peu profondes.
c. Le héron est un oiseau dont les pattes sont très longues et qui se nourrit essentiellement de poissons.

Activité 20 – page 10
(1) qui – (2) qui – (3) dont – (4) ce qui – (5) où – (6) ce qui – (7) qui – (8) Ce que – (9) qui – (10) dont

Activité 21 – page 11
[u] : bouche très fermée - lèvres arrondies - langue en arrière
[o] : bouche fermée - lèvres arrondies - langue en arrière
[ø] : bouche fermée - lèvres arrondies - langue en avant

Activité 22 – page 11
[u] : b. ; d.
[o] : e.
[ø] : a. ; c ; f.

Activité 24 – page 11
a. Les mots à trouver sont dans les cases grises.

c	h	r	o	n	o	m	è	t	r	e
h	m	o	r	a	g	e	u	x	m	j
a	e	t	r	o		t	n	b	o	o
u	p	l	u	v	i	e	u	x	m	u
d	o	u	l	o	t	o	a		e	r
s	o	l	e	i	l	d	g	o	n	n
d	s	o	u	f	f	l	e	r	t	é
b	e	a	u	o	c	o	u	r	s	e
d	o	u	c	e	u	r	x	t	ô	t

b. métro-boulot-dodo
c. [u] : « ou ».
[o] : « o » à la fin d'une syllabe, « eau », « au », « ô ».
[ø] : « eu » à la fin d'une syllabe.

Activité 25 – page 12
a. présente son projet avec assurance : 1
présente son projet en hésitant : 2
b. Je m'appelle Frédéric et * j'ai 31 ans. Avec un ami de l'université, on a monté un projet * innovant en rapport avec * la météo. On en avait marre de déprimer dès qu'il fait gris. Du coup, on a créé une lampe qui *diffuse une couleur différente selon le temps qu'il fait dehors. On est au courant de la météo depuis son salon !
c. « euh » (« projet euh », « avec euh »).
La syllabe finale des mots est allongée (« Je m'appelle Frédéric et »).
Les mots grammaticaux sont allongés ou répétés (« une lampe qui, qui »).

Activité 26 – page 12
assurance : **a.** ; **c.** ; **e.**
hésitation : **b.** ; **d.**

Activité 28 – page 12
Proposition de corrigé :
la fabrika n. ; la nuagette ; la machinanuage.

Activité 29 – page 12
(1) qui – (2) dont – (3) où – (4) qui – (5) que – (6) que – (7) dont

Activité 30 – page 13
Expression d'un but : **a.** ; **c.** ; **e.**
Expression d'un souhait : **b.** ; **d.** ; **f.**

Activité 31 – page 13
Proposition de corrigé :
Le bonnet « J-1 » : Le bonnet à remonter le temps
J'ai imaginé un bonnet qui permet de remonter le temps. Il suffit de mettre le bonnet sur sa tête avant de se coucher. Il faut ensuite sélectionner le nombre de jours que vous voulez revivre. Attention, ce nombre est limité à 7 jours ! Vous vous endormez tranquillement et vous vous réveillez le matin du jour que vous avez choisi. Nous avons imaginé cet objet afin d'aider les personnes qui regrettent ce qu'elles ont fait la veille ou la semaine précédente. Nous espérons que cet objet contribuera à la bonne entente dans les familles, entre amis ou voisins et même entre les peuples. En effet, si par exemple vous vous êtes disputés avec un voisin, il suffit de mettre ce bonnet le soir même avant de vous coucher et vous n'aurez plus qu'à revivre cette journée en évitant bien sûr de rencontrer votre voisin ou d'évoquer avec lui des sujets qui fâchent.

Activité 32 – page 13
la douce humidité ; vent glacial qui fouettait mon visage ; le crissement de la neige sous mes pieds ; chants d'oiseaux ; l'odeur fraîche et tendre des fleurs ; la chaleur écrasante ; une telle explosion de couleurs ; odeur d'humidité et de champignons ; des omelettes aux cèpes

Activité 33 – page 14
Proposition de corrigé :
(1) je ne me ferai jamais à –
(2) je ne supporte pas – (3) j'ai horreur –
(4) Vivement – (5) J'ai hâte –
(6) j'aime bien – (7) J'apprécie

Activité 34 – page 14
Proposition de corrigé :
Ça y est ! Les jours s'allongent et je me sens revivre ! J'ai horreur de l'automne, lorsque jour après jour, nous perdons deux minutes, trois minutes de soleil… pour finalement vivre des journées plus courtes que les nuits. Je ne me ferai jamais aux mois d'octobre et de novembre, quand le froid et l'obscurité s'installent.
Pour moi, le soleil, c'est la vie ! Quand vient le mois de décembre, j'ai hâte que le solstice arrive et avec lui, les jours plus longs, la lumière plus franche et plus vive du soleil. De juillet à décembre, je vis dans l'attente du jour où, enfin, la présentatrice météo dit « Nous gagnons aujourd'hui 2 minutes de soleil » !

Activité 35 – page 14
Proposition de corrigé :
A. Cette BD humoristique présente le rythme de vie effrénée d'un homme. Sur la première image, on le voit dans le métro. Sur la seconde, il est au bureau. Enfin, sur la dernière image, on le voit dans son lit. Sur chaque image le dessinateur a retranscrit des bruits « Tuuuu », « bip bip », « Driiing », « tap tap tap ». Cela insiste sur le fait que les journées de cet homme sont rythmées par des bruits stressants et même la nuit il peut entendre le « tic tac » de l'horloge. Pour moi, cette BD illustre de manière négative la cadence de la vie urbaine. Personnellement, même si cela peut être stressant, je préfère la vie trépidante et pleine de surprises des grandes métropoles.
B. Cette BD est composée de trois vignettes. La première vignette nous présente une femme en train de lire tranquillement dans le métro. Sur la deuxième vignette, la femme est au travail, elle a l'air détendu. Elle travaille en souriant et en écoutant de la musique. Enfin, sur la dernière vignette, on peut voir cette même femme dans son lit où elle dort paisiblement. Il me semble que l'expression « métro-boulot-dodo » n'a pas ici le sens qu'elle a habituellement. Je pense que cette femme vit une vie sereine, elle n'est pas stressée par le rythme de la ville. Moi, je suis comme cette femme, je suis heureux et la course effrénée de la ville ne m'affecte pas.

Bilan 1 – page 15
a. À Paris, Antoine et Sophie avaient l'impression de manquer de temps.
C'est Antoine qui a trouvé un emploi à Nantes.
Antoine et Sophie profitent de leurs soirées pour s'amuser avec leur fille.
b. À Nantes, il fait rarement beau, le ciel est souvent gris mais à Paris, Sophie avait l'impression que tout était gris et cela la rendait triste.

Bilan 2 – page 15
Proposition de corrigé :
Salut Marion,
J'espère que tu vas bien et que tu t'adaptes bien à ta nouvelle vie d'étudiante.
Moi, tu vois, j'ai décidé de souffler un peu cette année. L'année dernière a été très chargée. Au boulot, j'ai mis en place plein de projets qui m'ont demandé beaucoup d'investissement personnel. Je terminais tous les soirs à 20 heures, j'avais l'impression que ma vie était une course contre la montre, alors, là, j'ai décidé de lever le pied. J'ai demandé à mon directeur d'être à 70 %. À partir de septembre, je ne travaillerai plus le lundi matin, ni le mercredi toute la journée.
À moi la belle vie ! À moi les grasses matinées et les siestes dans le canapé ! Non… Je plaisante ! J'ai bien l'intention de mettre à profit mon temps libre pour faire un peu de sport. J'ai envie d'aller à la piscine régulièrement, histoire de garder la forme. Et puis, j'aimerais me lancer dans un art martial, pourquoi pas le judo ou l'aïkido ?
Sinon, je vais profiter des mercredis après-midi pour passer un peu plus de temps avec les enfants. Je ne toucherai pas à mon ordinateur, je me consacrerai entièrement à eux pour qu'on fasse des choses ensemble : du bricolage, du jardinage ou des sorties.
Bon, je vais voir si ça marche… Je serai peut-être tentée de lire mes messages et de travailler à la maison, finalement… Mais je vais essayer de tenir bon !
Je te tiendrai au courant !
À très bientôt ! Je t'embrasse.
Camille

Unité 2 : Apprendre autrement

Activité 1 – page 16
a. Faux – **b.** Faux – **c.** Vrai – **d.** Vrai – **e.** Faux – **f.** Faux

Activité 2 – page 17
Qui apprend ? : une classe de 4e ; gamins ; la jeunesse ; élèves ; enfants
Comment apprendre ? : cours d'improvisation ; une clé ; un outil ; cette discipline ; cette expérience ; matière
Pourquoi apprendre ? : se découvrir ; être soi-même ; trouver sa place ; changer ; s'ouvrir ; s'affirmer ; s'aimer ; grandir ; l'écoute ; le respect ; la solidarité ; se construire ; évoluer ; vivre ensemble ; être heureux
Où apprendre ? : collège ; classe ; école ; établissement

Activité 3 – page 17
Proposition de corrigé :
J'étais un adolescent plutôt timide. Dans une famille de 3 frères et sœurs, j'étais sans doute le plus solitaire. Je passais beaucoup de temps sur l'ordinateur, à jouer à des jeux en réseau, ou sur les réseaux sociaux et j'avais assez peu de copains. Quand j'ai eu 12 ans, j'ai eu quelques problèmes de santé et le médecin a conseillé à mes parents de m'inscrire au sport. J'ai choisi l'athlétisme : courses, saut en longueur… J'ai commencé par apprendre à accepter mon corps, ce qui m'était difficile au départ : j'étais très complexé. J'ai aussi appris à être observé, jugé, sans que cela ne m'effraie. Ça a aussi facilité mes relations au collège, avec mes proches, avec mes professeurs. Et puis dans le sport, même individuel, il y a toujours une dynamique collective. Lorsque nous allions dans des tournois, nous étions tous solidaires, une vraie équipe. Ils sont d'ailleurs tous restés mes amis.

Activité 4 – page 17
a. Fiche 3 – **b.** Fiche 1 – **c.** Fiche 4

Activité 5 – page 18
a. étudié – **b.** étudiés – **c.** étudié – **d.** étudiée – **e.** étudiées – **f.** étudiée

Activité 6 – page 18
(1) venue – (2) étudiée – (3) lus – (4) étudié – (5) venus – (6) étudiés.

Activité 7 – page 18
Proposition de corrigé :
Je les ai rencontrés au club de foot. / Quand vous êtes-vous rencontrés ?
Je l'ai découvert sur Internet. / Il s'est découvert petit à petit.
Elle s'est motivée pour monter ce spectacle. / Ils m'ont motivée pour le cours d'improvisation.
Ils sont sortis de la fac avec un diplôme. / Nous les avons sortis de leur routine.

Activité 8 – page 18
employée – une formation – des cours – dans son entreprise – un diplôme – professionnelle

Activité 9 – page 19
Description ou habitude : (1) – (3)
Action(s) ponctuelle(s) ou limitées dans le temps : (4) – (5)
Action antérieure à une action passée : (2) – (6)

Activité 10 – page 19
a. Depuis 1932, l'une des 22 manufactures des tabacs françaises se trouvait à Lyon, dans le 8e arrondissement.
b. L'ingénieur Joseph Clugnet l'avait construite au début du XXe siècle.
c. En 1987, la production s'est arrêtée et la ville a décidé de transformer le bâtiment en campus pour l'université Jean Moulin Lyon 3.

Activité 11 – page 19
jeu de culture générale : 2 – jeu d'aventure : 6 – jeu de cartes : 4 – jeu de construction : 3 – jeu de simulation : 1 – jeu sportif : 5

Activité 12 – page 20
a. en pleurant – en riant
b. en travaillant – en cherchant
c. en dénichant – en apprenant
d. en perdant – en gagnant
e. en jouant
f. en s'amusant

Activité 13 – page 20
a. en faisant un BTS en informatique.
b. en cherchant une formation sur Internet.
c. en travaillant toute la semaine.
d. en les testant dans son entreprise.
e. en restant chez lui.
f. en obtenant une nouvelle qualification.

Activité 14 – page 20
Proposition de corrigé :
- Il téléphone / discute en marchant.
Il marche en discutant / téléphonant.
- Elle lit en se reposant / se détendant.
Elle se repose / se détend en lisant.
- Elle écoute de la musique en courant / faisant du sport. Elle fait du sport / court en écoutant de la musique.

Activité 15 – page 21
quelques – professionnels – Il n'existe pas – Master – les cours pratiques – les examens

Activité 16 – page 21
Réponses **c**, **d** et **f**.

Activité 17 – page 21
Proposition de corrigé :
Comme beaucoup d'étudiants de ma génération, j'ai dû travailler un peu pendant mes études. Non pas que l'université coûtait cher mais j'ai dû changer de ville pour m'inscrire en licence de droit, payer un loyer, et garder un peu d'argent pour les sorties. Du coup, j'ai trouvé un « petit boulot » dans une brasserie. Je faisais le service trois soirs par semaine et une journée le week-end. Heureusement, il me restait un peu de temps en dehors des cours pour travailler, aller à la bibliothèque, ou retrouver mes camarades pour préparer nos exposés. Pendant les périodes d'examens, c'était plus difficile : certains jours, j'avais 6 heures de devoir écrit et j'enchaînais sur 4 heures de service à la brasserie. Difficile dans ces conditions d'avoir une vie sociale ! Mais malgré tout, j'ai passé de belles années à la fac, mes études m'ont passionnée et surtout j'étais très motivée. Aujourd'hui je suis avocate au pénal, et je ne regrette rien.

Activité 18 – page 21
a. reproduction sur Internet d'une salle de classe.
b. personne qui encadre, encourage, les étudiants dans une formation à distance.
c. ensemble des outils ou fonctions que l'on peut utiliser dans un logiciel.
d. logiciel de discussion instantanée sur Internet.
e. utiliser la souris pour sélectionner quelque chose.
f. espace que l'on utilise dans une classe virtuelle pour montrer des documents aux étudiants connectés ou prendre des notes au fur et à mesure du cours.

Activité 19 – page 22
a. ne ; personne – **b.** Aucun ; ne – **c.** ne ; nulle part – **d.** n' ; plus – **e.** n' ; jamais – **f.** Personne ; ne

Activité 20 – page 22
(1) n' – (2) pas – (3) ni – (4) ne – (5) ni – (6) ni - (7) n' – (8) n' – (9) pas – (10) ne – (11) pas – (12) ni – (13) ne – (14) pas

Activité 21 – page 22
Proposition de corrigé :
Monter : Tu es monté(e) au sommet de la Tour de Pise. Tu as monté tes affaires dans ta chambre ?
Sortir : Il/Elle est sorti(e) en boite. Il/Elle a sorti son chien.

Descendre : Nous sommes descendu(e)s au 3e étage. Nous avons descendu les marches à toute vitesse.
Passer : Vous êtes passé(e)s au service des inscriptions ? Vous avez passé vos examens ?
Rentrer : Ils/Elles sont rentrées(e)s à l'université ce matin. Ils/Elles ont rentré leurs plantes à l'intérieur, il fait trop froid dehors.

Activité 22 – page 23

[ɛ̃] : Bouche ouverte - Lèvres tirées - Langue en avant
[ɑ̃] : Bouche très ouverte - Lèvres tirées et arrondies - Langue au milieu
[ɔ̃] : Bouche fermée - Lèvres arrondies - Langue en arrière

Activité 23 – page 23

[ɛ̃] : b.
[ɑ̃] : d.
[ɔ̃] : a. – c. – e.

Activité 25 – page 23

a. Les mots à trouver sont dans les cases grises.

a	m	p	h	i	t	h	e	a	t	r	e
l	c	a	f	o	r	m	a	t	i	o	n
t	o	p	p	r	l	e	p	n	n	e	t
e	m	p	l	o	y	e	a	p	t	t	r
r	p	i	d	r	c	e	t	o	e	u	e
n	t	o	e	n	e	j	r	i	r	d	p
a	e	n	o	j	e	t	o	n	n	i	r
n	r	u	a	n	n	t	n	t	e	a	i
c	o	l	l	e	g	i	e	n	t	n	s
e	x	p	e	r	i	e	n	c	e	t	e

b. apprendre en jouant
c. [ɛ̃] : in, en.
[ɑ̃] : an, am, en, em.
[ɔ̃] : on, om.
[ɛ̃] et [ɑ̃] ont une graphie commune : en.
Pour [ɑ̃], « en » est à l'intérieur du mot. Pour [ɛ̃], « en » est en fin de mot.

Activité 26 – page 23

a. dernière – **b.** dernière – **c.** monte ; descend

Activité 27 – page 24

terminée : **c.** ; **e.** - pas terminée : **a.** ; **b.** ; **d.**

Activité 29 – page 24

a. vidéo – **b.** seul – **c.** un détective

Activité 30 – page 24

1a – 2d – 3b – 4c – 5e

Activité 31 – page 24

Réponses **a**, **d** et **e**.

Activité 32 – page 24

Le tableau perdu est un jeu vidéo qui se joue seul. Bon alors, avant de lancer le jeu, tu dois choisir un personnage. Dans tous les cas tu seras le détective. Le jeu se déroule dans une maison. Là tu vois c'est le propriétaire. Il a l'air très en colère parce qu'on lui a volé un tableau. Le tableau était ici, sur le mur, dans la bibliothèque. Bien sûr tu as compris : pour terminer le jeu, il faut retrouver le tableau et le voleur… Pour ça, tu dois examiner chaque pièce attentivement, trouver des objets et ainsi récolter des indices pour résoudre l'énigme. Tu peux utiliser les flèches pour te déplacer et changer de lieu grâce à la carte. Bon, voila, je pense que je n'ai rien oublié. À toi de jouer !

Activité 33 – page 25

Diplômes : **a.** ; **b.**
Expériences : **b.** ; **c.**

Activité 34 – page 25

Qualités personnelles : gentillesse, générosité, sens de l'humour, jovialité, modestie, calme.
Qualités professionnelles : rigueur, capacité à travailler en équipe, ponctualité, sérieux, créativité, sens de la communication.

Activité 35 – page 25

Madame, Monsieur,

En réponse à l'annonce parue dans le Quotidien le 12 octobre dernier, je vous fais parvenir ma candidature au poste de community manager de la Cité des arts.
Titulaire d'une licence en communication de la Sorbonne, je travaille depuis plus de 10 ans dans les médias, dans l'audiovisuel au sein de l'équipe d'une équipe de télévision, puis en tant que tutrice d'une formation à distance sur les nouveaux médias.
Ces expériences m'ont permis de consolider des compétences très variées avec différents supports de communication, en particulier sur Internet, mais également de développer une capacité d'adaptation à divers environnements professionnels, en équipe ou au contraire en complète autonomie.
Mais la communication n'est pas mon seul centre d'intérêt. L'art tient également une place importante dans mon parcours : j'ai un diplôme d'arts et techniques à l'École nationale des Beaux-arts de Lyon et grâce à mon passage dans l'émission d'Art d'art, j'ai pu mettre en pratique ma formation.
C'est donc en toute logique que votre annonce a retenu mon attention et que je souhaite vivement pouvoir intégrer la cité des arts que je connais bien pour la fréquenter très régulièrement.
Je vous remercie de l'attention que vous voudrez bien porter à ma candidature et me tiens à votre disposition pour tout renseignement complémentaire.

Veuillez agréer, Madame, Monsieur, l'expression de mes salutations distinguées.

Activité 36 – page 26
Proposition de corrigé :

A. Moi, le premier atelier qui m'intéresse, c'est celui qui parle d'actualité. Je trouve que c'est le meilleur moyen de connaître le pays, de suivre les informations et d'en discuter avec des gens d'ici. La danse, surtout celles qui sont proposées, on peut faire ça n'importe où. Pas besoin d'être à Bayonne pour apprendre la salsa ! La pelote basque, c'est déjà plus typique. Mais je suis allée voir un match l'autre jour et ça ne me donne pas du tout envie. À choisir, je préfère encore la pétanque ! L'atelier sur l'image c'est le plus intéressant que tu proposes : mais j'ai peur qu'il soit trop théorique. Qu'est-ce que tu penserais de celui sur les univers musicaux plutôt ?
B. Ah non ! Pas d'accord avec les univers musicaux. Moi j'aime la musique, mais l'étudier c'est une autre histoire. Et puis j'ai envie de quelque chose qui fasse bouger : en sortant des cours, faire à nouveau des activités intellectuelles, ça n'est pas pour moi. La danse c'est bien. C'est vrai qu'on peut faire ça partout… Mais justement c'est l'avantage : on pourra continuer à s'entraîner quand on partira. Alors qu'avec la pétanque, même si tout le monde connaît, chez moi il y a très peu d'endroits où jouer. Et puis j'ai l'impression qu'ici il n'y a pas beaucoup de jeunes qui jouent aux boules. Avec la pelote basque c'est différent. Tous les basques s'y intéressent. Ça serait un bon moyen pour rencontrer du monde.

Bilan 1 – page 27

a. le pseudonyme de Gilles Calvez.
b. une association éducative.
c. « se libérer ».
d. à tout le monde.
e. un journal sur Internet écrit par les jeunes de l'association EduPop.
f. complète l'école.

Bilan 2 – page 27
Proposition de corrigé :

Je suis rédacteur au ClichyBlog depuis un an. Le ClichyBlog m'a appris beaucoup de choses. D'abord j'ai appris à travailler en groupe : on avance tous ensemble, on s'aide. Ensuite, j'ai commencé à lire les journaux ; avant je ne m'intéressais pas à l'actualité. Et ça m'a aidé

à améliorer mon français, mon écriture. Enfin, j'ai appris à organiser mes idées : quand on écrit un article, on doit penser au lecteur et bien présenter le sujet, bien expliquer son opinion, chercher les bons arguments. Du coup, j'ai aussi de meilleures notes à l'école.
À mes amis je leur conseille de venir avec moi, surtout ceux qui sont tristes ou qui ont des difficultés. Je leur explique que c'est un exercice qui nous apprend à réfléchir mais que c'est aussi un vrai moyen d'expression, pour faire connaître les problèmes des jeunes des quartiers populaires.

Unité 3 : Développer son esprit critique

Activité 1 – page 28

a. croire qu'on en est capable ; travailler
b. « Je ne suis pas doué en maths ».
c. Il faut avoir des aptitudes particulières.

Activité 2 – page 28

Réponses **b**, **c**, **e** et **f**.

Activité 3 – page 29

Proposition de corrigé :
À mon avis, nous n'utilisons pas toutes les capacités que nous offre notre cerveau. Il est probable qu'en s'exerçant régulièrement nous pourrions avoir une mémoire plus rapide et plus efficace. Je pense aussi que certaines personnes entraînent plus leur cerveau et ont probablement plus de facultés que d'autres. Mais le cerveau ne fait pas tout. La confiance en soi permet certainement de développer ses facultés. Je suis convaincu qu'en ayant confiance, on apprend beaucoup mieux et beaucoup plus vite. Je crois que c'est aussi le rôle des enseignants que de nous aider à avoir confiance. Il me semble que leur soutien nous permet de développer des techniques de travail efficaces et adaptées à notre niveau.

Activité 4 – page 29

(1) aires – (2) activée – (3) compréhension – (4) potentiel – (5) idée – (6) démontré – (7) connaissances

Activité 5 – page 29

a. La présence d'eau est observée sur d'autres planètes.
b. Un nouveau robot a été créé par les ingénieurs français.
c. Medhi s'est laissé influencer par les superstitions de sa grand-mère.
d. Les jeunes chercheurs se sont fait aider par des collègues expérimentés.
e. Le projet a été approuvé par la communauté scientifique.
f. Ces observations n'ont pas été validées par les scientifiques.

Activité 6 – page 30

a. Le ballon à air a été inventé par les frères Montgolfier en France en 1783.
b. Le vaccin contre la rage a été découvert par le français Louis Pasteur au XXe siècle.
c. La « première machine à courir assis », c'est-à-dire le vélo, a été réalisée par Karl Drais von Sauerbronn.
d. Les premières télévisions ont été vendues par l'ingénieur écossais Baird en 1930.
e. D'autres planètes seront habitées par l'humanité dans les siècles à venir.

Activité 7 – page 30

Proposition de corrigé :
Histoire 1
Un petit chat a été trouvé par des enfants dans la rue.
Il a été ramené à la maison par les enfants.
Il a été nourri par leur père.
Il a été emmené chez le vétérinaire par leur mère.
Il a été observé par le vétérinaire.
Le vétérinaire a été payé par les parents des enfants.
Une photo du chat a été distribuée aux clients du vétérinaire.
Il a été adopté par une vieille dame du quartier.
Histoire 2
Un vélo a été volé pendant la nuit.
Il a été cherché dans tout le quartier par ses propriétaires.
Une petite annonce a été déposée chez tous les commerçants pour le retrouver.
Les propriétaires ont été appelés par un voisin.
Des explications ont été données sur la disparition du vélo par le voisin.
Le vélo a été emprunté par le maire qui ne pouvait pas rentrer en voiture car elle était tombée en panne.
Les propriétaires ont été contactés par le maire et ils sont venus chez lui.
Le vélo a été retrouvé devant la maison du maire.

Activité 8 – page 30

a. porte malheur – **b.** mauvais œil – **c.** symbole – **d.** porte bonheur – **e.** malveillants – **d.** jettent des sorts

Activité 9 – page 30

« **E**h, **M**arc… **T**u y crois, toi, à ces histoires de sorciers **?**
- **B**ah, je sais pas… **M**on voisin m'a dit qu'on lui avait jeté un mauvais sort et que ça lui avait porté malheur pendant 3 ans**.**
- **V**raiment **?** Je veux bien croire qu'on puisse guérir des maladies avec des plantes mais créer du malheur avec quelques mots…
- **P**ourquoi pas **? O**n ne sait jamais **! O**n en parle beaucoup dans les films alors ça doit bien exister quelque part**.**
- **L**es films**,** c'est juste de l'imaginaire**. I**l ne faut pas tout confondre **!**
- **E**n attendant**,** j'ai bien vu que tu avais toujours un trèfle à quatre feuilles dans ton portefeuille**.**
- **O**ui**,** mais ça**,** c'est différent**. C**'est pour me porter chance financièrement**.** »

Activité 10 – page 31

Bonjour Sophia**,**
Comme promis**,** je te donne mes impressions sur ma visite à la cité des sciences**. C**'était absolument génial **! J**'ai profité de l'exposition **«** C3RV34U, l'expo neuroludique **»** et j'ai découvert énormément de choses sur le fonctionnement de mon cerveau**. O**n nous explique que notre cerveau est toujours actif et qu'il est fait pour fonctionner en société**.**
En plus**,** les activités proposées sont vraiment ludiques et j'ai passé un très bon moment avec mes amis**. F**ranchement**,** je te recommande d'y aller**. L**'entrée coûte 9 euros mais ça vaut vraiment la peine **!**
Amuse-toi bien **!**
À bientôt**.**

Activité 11 – page 31

a. j'ai trouvé – **b.** scientifiques – **c.** grâce à leur intelligence – **d.** compréhensible – **e.** donner des idées – **f.** machines

Activité 12 – page 32

Information certaine : **b**, **e**, **f**
Information non confirmée : **a**, **c**, **d**

Activité 13 – page 32

(1) aurait – (2) existerait – (3) aperçoivent – (4) auraient vu – (5) seraient – (6) surprenne

Activité 14 – page 33

Proposition de corrigé :
« Tintin aurait été imaginé par les Japonais.
- Non, vraiment ?
- Oui, Hergé aurait découvert les dessins dans un sac sur un bateau.
- Ah bon ? Quand ?
- Il serait parti en Chine en bateau pour ses études.
- Et alors ?
- Et alors, il aurait trouvé le sac et aurait volé les dessins.
- C'est incroyable !
- Oui ! Et il aurait proposé les dessins à un journal qui lui aurait offert beaucoup d'argent

pour ses histoires.
- Je n'y crois pas ! »

Activité 15 – page 33
a. Faux – **b.** Faux – **c.** Vrai – **d.** Vrai – **e.** Faux

Activité 16 – page 33
a. 2 milliards de dollars – **b.** Il y a de plus en plus d'acheteurs américains et chinois.

Activité 17 – page 33
Proposition de corrigé :
Quand j'étais au collège, je devais faire un dessin pour illustrer une fable. D'abord, je ne savais pas quelle histoire j'allais illustrer. Alors, j'ai feuilleté les livres que j'avais lus quand j'étais plus petite. Je n'ai rien trouvé qui me plaisait. Finalement, j'ai reçu une lettre de ma correspondante allemande qui habitait à Brême. Alors, je me suis souvenu de l'histoire des animaux de Brême et j'aimais bien les personnages. Ensuite, j'ai réfléchi sur la manière dont je devais faire mon dessin. Je voulais représenter tous les animaux dans la forêt. Je me suis souvenu d'un de mes professeurs de dessin. Il m'avait dit que pour faire un beau dessin, il ne fallait pas laisser de blanc. J'ai imaginé de représenter une vue d'en haut. Mon dessin n'était pas très beau mais j'ai eu une bonne note pour mes idées.

Activité 18 – page 33
vives – symbolisent – ses œuvres – influencée – compositions

Activité 19 – page 34
a. doute – **b.** doute – **c.** certitude – **d.** doute – **e.** doute – **f.** certitude

Activité 20 – page 34
a. Je doute que l'artiste ait choisi les bonnes couleurs pour son tableau.
b. Il est évident que le pass pour les musées permet de faire des économies.
c. Je suis certain que la visite intéresse les enfants.
d. Il est probable qu'à l'avenir, l'homme saura utiliser toutes les capacités de son cerveau.
e. Je ne crois pas que les romans de cet écrivain aient beaucoup de succès.
f. Il semble que la greffe ait bien réussi.

Activité 21 – page 35
(1) différentes – (2) vocaliques – (3) consonne prononcée – (4) voyelle – (5) début – (6) consonantique

Activité 22 – page 35
enchaînement consonantique : **a.** (4 syllabes), **e.** (7 syllabes)
enchaînement vocalique : **b.** (6 syllabes), **c.** (6 syllabes), **d.** (7 syllabes), **f.** (8 syllabes)

(1) interdite – (2) nom – (3) verbe

Activité 24 – page 35
Salvador Dalí est né en Espagne en 1904.
Lors de ses voyages à Paris, il rencontre André Breton et rejoint le groupe surréaliste.
Ses thèmes de prédilection sont l'onirisme, la religion et la mort.

Activité 25 – page 35
(1) première – (2) hautes – (3) fortes – (4) enchaînement.

Activité 26 – page 35
Réponses b, c et f.
(1) vocalique – (2) consonantique

Activité 28 – page 36
contexte de l'œuvre : **a**, **e**
description de l'œuvre : **b**, **c**
Accueil de l'œuvre par le public : **d**, **f**

Activité 29 – page 36
Positive : **a**, **b**, **c**
Négative : **d**, **e**, **f**

Activité 30 – page 36
Proposition de corrigé :
L'*Avalanche* de Morellet est une installation constituée de néons disposés sur le sol et en l'air. Elle donne à la fois une impression d'ordre et de désordre. Morellet s'inspire du minimalisme en utilisant peu de matériaux. La lumière est utilisée pour donner des chocs visuels aux spectateurs.

Activité 31 – page 37
l'agresseur : un des employés du traiteur – la victime : *Le cocher et son fiacre* – les circonstances : pendant le vernissage de l'exposition – l'élément insolite : dans son évier – l'arme : le feu – le témoin : le gardien du musée – la conséquence : la disparition d'une des œuvres

Activité 32 – page 37
1c – 2a – 3d – 4f – 5b – 6e

Activité 33 – page 37
Proposition de corrigé :
Vol de poussettes dans un parc parisien

De nombreuses poussettes ont été volées dans un parc de la région parisienne. Les poussettes étaient dérobées quand les mères s'éloignaient pour s'occuper de leur enfant. Les objets étaient cachés puis récupérés pendant la nuit. Ils étaient ensuite mis en vente sur un site d'objets d'occasion. Plus de 300 poussettes auraient ainsi été revendues. Le couple a été arrêté par la police et risque la prison et une amende.

Activité 34 – page 38
Proposition de corrigé :
A. Un balai sert bien sûr à faire le ménage et à enlever les toiles d'araignée au plafond. Il peut servir à ramasser des objets sous les meubles ou à bloquer une porte. On peut le mettre dans un champ comme un épouvantail pour faire fuir les oiseaux ou le suspendre pour étendre du linge. Mais on peut aussi l'utiliser pour jouer : au golf ou au criquet avec une balle, se défendre contre quelqu'un ou encore voler comme une sorcière…
B. Une bouteille sert à mettre de l'eau ou du lait. On peut aussi l'utiliser comme un vase pour mettre des fleurs ou s'en servir en cuisine pour étaler la pâte. Si on la met debout avec d'autres bouteilles, on peut jouer aux quilles. On peut aussi la remplir d'eau et l'utiliser comme altère ou encore y mettre un message et la lancer à la mer…

Bilan 1 – page 39
a. Le rôle des nouvelles technologies dans notre vie.
b. plutôt d'accord : 1, 4 – plutôt pas d'accord : 2, 3

Bilan 2 – page 39
Proposition de corrigé :
Bonjour Monsieur Jimenez,
Je viens de tester votre nouveau robot et je dois admettre que j'ai été agréablement surpris par toutes ses fonctions. Je pense qu'il peut vraiment faciliter la vie des personnes qui ont des difficultés pour se déplacer. Il est incontestable que sa compréhension de la langue orale rend tous les ordres plus simples. Il paraît que certains chercheurs ont développé une reconnaissance vocale très perfectionnée et elle pourrait probablement vous permettre de perfectionner votre robot. Il se pourrait qu'ils cherchent à vendre leurs résultats et il est indiscutable que vous en feriez bon usage. Avec de tels outils, je suis convaincu que votre robot pourrait changer la perception du monde pour beaucoup de gens. Vous feriez partie de ces inventeurs qui ont changé la face du monde ! Si vous le souhaitez, je peux vérifier la validité des informations concernant la reconnaissance vocale.
Je vous souhaite une bonne continuation dans vos recherches.
Cordialement,
Marc Pépin

Unité 4 : Décrypter ses identités

Activité 1 – page 40
a. La construction de l'identité numérique chez les jeunes. La prévention face aux dangers d'Internet.
b. Ne pas regarder ce que fait son enfant sur le net, c'est accepter qu'il consulte des sites illégaux.

Activité 2 – page 41
a. Vrai – **b.** Faux – **c.** Vrai – **d.** Faux – **e.** Faux

Activité 3 – page 41
Proposition de corrigé :
Je passe beaucoup de temps sur Internet et je trouve que c'est un moyen d'expression vraiment intéressant. J'ai un compte Facebook que j'ai sécurisé avec uniquement un accès pour mes « amis ». Je dis ce que j'aime, les musiques, les livres, et je mets les photos de mes vacances et de mes amis. Je « like » aussi beaucoup ! J'ai mis ma profession mais pas le nom de mon employeur. J'exprime mes opinions en particulier politiques. Je ne laisse pas mes coordonnées, à part mon adresse mail. On peut connaître mon apparence car j'ai mis des photos de moi sur Facebook et aussi sur Instagram. Tous mes contacts (famille, amis, relations professionnelles) sont enregistrés dans ma boîte mail mais aussi sur plusieurs réseaux.
C'est vrai que je laisse beaucoup d'informations sur Internet. Je ne m'en rendais pas vraiment compte. Et lorsque je fais le bilan de toutes les traces que je laisse, je réalise qu'il est facile de créer mon « profil ».

Activité 4 – page 41
(1) identité – (2) libre – (3) s'identifier – (4) être reconnu – (5) accomplir – (6) un rôle

Activité 5 – page 42
Pendant – Pendant – En – Cela fait – en – Depuis

Activité 6 – page 42
1b – 2a – 3e – 4f – 5d – 6c

Activité 7 – page 42
a. Kamel – **b.** Yaya – **c.** Alissa – **d.** Alissa – **e.** Kamel – **f.** Yaya

Activité 8 – page 43
(1) différents – (2) Le plus – (3) plus – (4) que – (5) plus – (6) qu'– (7) moins – (8) que – (9) autant – (10) comme

Activité 9 – page 43
Mériadeck
Diversité culturelle : Il y a moins de diversité culturelle à Mériadeck qu'à Saint-Michel.
Vie de quartier : Il est moins vivant que Saint-Michel.
Services publics : Il y a plus de services publics qu'à Saint-Michel.
Catégorie d'habitations : Il y a plus de barres d'immeubles à Mériadeck qu'à Saint-Michel.
Saint-Michel
Diversité culturelle : Le quartier de Saint-Michel offre une plus importante diversité culturelle que Mériadeck.
Vie de quartier : Il est plus vivant, coloré et cosmopolite que Mériadeck.
Services publics : Il y a moins de services publics qu'à Mériadeck.
Catégorie d'habitations : Les maisons sont plus anciennes qu'à Mériadeck.

Activité 10 – page 44
1b – 2c – 3e – 4a – 5d

Activité 11 – page 44
a. Adrien apprendra l'anglais dans le cas où il partirait aux États-Unis.
b. Le jour où Maria commencera à écrire un blog, elle utilisera un pseudonyme.
c. Avec un bateau, Hind et Swann pourraient faire le tour du monde.
d. Bruno peut découvrir ses origines si un jour il part au Portugal.
e. Mon père ne m'a pas appris sa langue maternelle, je ne suis pas bilingue.
f. Alexia est d'origine grecque, elle est déjà allée dans ce pays.

Activité 12 – page 45
Proposition de corrigé :
a. Si j'avais la possibilité de changer un élément de ma vie, je changerais mon lieu d'habitation.
b. Si je pouvais réaliser un rêve, je choisirais de voyager dans l'espace.
c. Dans le cas où je pourrais changer d'identité, je serais Barack Obama.
d. Si je pouvais imaginer un meilleur monde, ce serait un monde sans travail.

Activité 13 – page 45
Proposition de corrigé :
S'il n'arrive pas dans 5 minutes, je fais un scandale ! / S'il avait été à l'heure, j'aurais pu aller à mon cours de yoga !
Si je ne m'accroche pas bien, je pourrais tomber… / Si nous étions allés à la piscine, je ne serais pas dans cet arbre…
Sans mon ballon, je ne serais plus jamais heureux !
Si j'accélère un peu, je pourrais le dépasser facilement ! / Si j'avais mieux dormi, je roulerais plus vite…

Activité 14 – page 46
a. *28 portraits d'expatriés français : ils sont partis vivre ailleurs.*
b. avoir de belles photos qui montrent leur vie - avoir le goût du risque.

Activité 15 – page 46
a. Vrai – **b.** Vrai – **c.** Faux – **d.** Vrai – **e.** Vrai – **f.** Faux

Activité 16 – page 46
Proposition de corrigé :
Je m'appelle Rupert et j'habite à Londres. Je suis allé plusieurs fois en France pour perfectionner mon français pour mon travail. Si je pouvais changer de vie, j'aimerais vraiment vivre dans un village français. Pour moi, ce serait une vie calme, simple, au milieu de la nature. J'aime aussi cuisiner, manger, découvrir de nouveaux produits, c'est une vraie passion ! Et en France, j'ai trouvé que la cuisine était excellente, en particulier la pâtisserie ! Si j'avais le temps et l'argent, j'apprendrais à faire de la pâtisserie française et j'ouvrirais une boutique dans un joli village touristique, dans la région du Lot et Garonne par exemple. En vivant là-bas, je ferais les marchés de la région, j'achèterais des produits locaux et artisanaux. J'adorerais vivre cette vie-là ! Mais il n'est peut-être pas trop tard !

Activité 17 – page 46
a. un mal-être – **b.** s'accomplir – **c.** être épanoui – **d.** avoir le besoin de – **e.** faire le grand saut – **f.** quitter son employeur

Activité 18 – page 47
a. avec laquelle – **b.** grâce à laquelle – **c.** auquel – **d.** dont – **e.** auxquelles – **f.** dont

Activité 19 – page 47
(1) auxquelles – (2) dont – (3) de laquelle – (4) avec lesquels – (5) auxquels – (6) grâce à laquelle

Activité 20 – page 47
Bouche plus ou moins fermée - Lèvres arrondies - Langue en avant

Activité 21 – page 47
[ə] : **a**, **d** et **e**.
[ə] muet : **b**, **c** et **f**.

Activité 23 – page 48
a. « e » sans accent, à la fin d'une syllabe écrite.
b. Quand il est précédé de deux consonnes prononcées et suivie d'une consonne prononcée.
c. Quand il est précédé et suivi d'une consonne prononcée. En début de phrase avec « je » et « ce ».

d. Quand il est placé à la fin d'un mot, en fin de phrase ou devant une voyelle.

Activité 24 – page 48
J**e** viens d'Italie et j**e** ~~**n'**~~ai toujours pas la nationalité française. I~~**ls**~~ ~~**ne**~~ veulent pas m**e** la donner. I~~**l**~~ faudrait qu**e** j**e** passe un test de français, pour la naturalisation. C'est un test qu~~**i**~~ est difficile, ~~**il**~~ y a plein d**e** questions. Et c'est quoi, vot~~**re**~~ nationalité, à vous ?

Activité 25 – page 48
- « l » de « il »
- ellipse de la négation
- voyelle du pronom relatif « qui »
- « r » du groupe consonantique : « vot nationalité »
- « il » de « il y a »
- et des [ə] muet

Activité 27 – page 48
Réponses **b**, **c** et **f**.

Activité 28 – page 48
a. « Né le 12 janvier 1949, l'auteur japonais mondialement connu, Haruki Murakami, est un enfant solitaire et inquiet. »
b. « En 1981, il se déclare brusquement écrivain, vend sa boîte de jazz et se met à sa table d'écriture. »
c. « Grâce à la course à pied il acquiert ténacité et persévérance, des qualités nécessaires au travail d'écriture. »
d. Elle cite un passage du livre d'Haruki Murakami.

Activité 29 – page 49
Proposition de corrigé :
Née en 1963, Régine Detambel est une écrivaine française. De formation kinésithérapeute, elle s'intéresse à la mémoire et à notre rapport au corps. Son premier roman est *La Verrière* paru en 1996. Elle obtient le Grand Prix de la société et des gens en 2011 pour l'ensemble de son œuvre. Fascinée par l'enfance et l'adolescence, périodes de changement et de sensibilité, l'auteure écrit au scalpel. Le lecteur reçoit chaque mot comme un choc ; chaque mot fait mal, heurte et bouscule. Son dernier roman *La Splendeur*, biographie de Girolamo Cardano, célèbre médecin, astronome et mathématicien du XVIe siècle a paru à la rentrée littéraire 2014. Là aussi, elle bouscule, avec un certain plaisir, les codes conventionnels de la biographie.
Pour Régine Detambel, « on n'écrit pas avec des idées, on écrit avec des mots. [...] Un livre doit être une hache pour la mer gelée en nous. »

Activité 30 – page 49
a. Évoquer ses origines – **b.** Évoquer ses origines – **c.** Faire une description physique ou morale et se comparer – **d.** Faire une description physique ou morale et se comparer – **e.** Raconter un souvenir

Activité 31 – page 49
a. présent – **b.** présent et passé composé – **c.** présent et passé composé – **d.** imparfait

Activité 32 – page 49
Proposition de corrigé :
Née en 1976, je suis d'une famille d'artistes et j'ai un grand frère. Mes parents sont tous les deux acteurs de théâtre. J'ai des origines corse du côté de mon père et allemande du côté de ma mère. Comme ma mère, j'ai les cheveux blonds et j'ai les yeux bleus, mais plus clairs que ceux de ma mère, alors que mon frère est aussi brun que mon père. Autant mon frère est grand, autant je suis petite. Nous ne nous ressemblons pas du tout physiquement. Je suis d'une nature rêveuse et sensible. Mes parents m'ont transmis leur goût du théâtre. Mon frère et moi avons hérité de ce tempérament d'artiste ; mon frère est musicien professionnel et je suis metteur en scène de théâtre. Quand j'étais petite, je faisais toujours des représentations théâtrales et je me déguisais tout le temps avec de vieux rideaux !

Activité 33 – page 50
Proposition de corrigé :
A. Ton personnage est-il plus vieux que Tiphanie ? B. – Non.
B. Ton personnage a-t-il les cheveux plus clairs que Zélie ? A. - Oui
A. Ton personnage est-il aussi brun que Marie ? B. – Non.
B. Ton personnage a-t-il le même nez qu'Annie ? A. – Non.
A. Ton personnage a-t-il les yeux plus foncés qu'Amélie ? B. – Oui.
B. Ton personnage a-t-il les cheveux plus courts qu'Amélie ? A. – Non
A. Ton personnage est-il Mélodie ? B. – Oui, tu as gagné.
B. Ton personnage est-il Amélie ? A. Oui !

Bilan 1 – page 51
1. La réflexion autour du choix du prénom d'un enfant - La construction de l'identité d'un enfant par son prénom
2. a. Vrai – **b.** Vrai – **c.** Faux – **d.** Faux – **e.** Vrai

Bilan 2 – page 51
Je m'appelle Rafaël. J'aime beaucoup mon prénom car c'est celui d'un ange. Ma mère est turque et mon père français. Ils ont choisi ce prénom parce qu'il est facile à dire dans les deux langues. Ils ont aussi aimé ce prénom car il le trouvait beau et la référence au peintre et à l'ange leur plaisait. Je suis très fier de mon prénom car il est aussi l'image de ma personnalité : les Rafaël ont un grand cœur et sont très dynamiques, comme moi !

Unité 5 : Vivre une révolution

Activité 1 – page 52
a. Vrai – **b.** Faux – **c.** Faux – **d.** Vrai – **e.** Vrai – **f.** Faux

Activité 2 – page 52
réveiller l'opinion publique ; prise de conscience ; changer les mentalités

Activité 3 – page 53
Proposition de corrigé :
Chèr(e)s ami(e)s,
Samedi prochain, je serai à un rassemblement pour la défense de la culture et des travailleurs du spectacle. Je ne suis que spectateur et pourtant, je pense que nous devrions tous nous mobiliser pour aider les acteurs, les musiciens, les techniciens à préserver leur liberté de création.
Moi, je rêve d'un monde où les spectacles ne seront pas choisis en fonction de l'argent qu'ils peuvent rapporter, où les comédiens ne seront pas obligés d'accepter n'importe quel travail pour vivre, où la publicité ne sera pas le seul moyen de financer des pièces de théâtre ou des films.
La culture est en danger ! C'est pour cette raison que je serai samedi prochain, à partir de 15 heures sur la place Saint-Michel, pour protester contre la fermeture des salles de spectacle publiques et la diminution des budgets de la culture. Vous aussi mobilisez-vous !

Activité 4 – page 53
a. Opinions exprimées par un vote. – **b.** Augmenter de façon importante et soudaine. – **c.** Période de difficultés, de dysfonctionnement. – **d.** Qui prennent position sur des sujets politiques ou sociaux. – **e.** Changement établi par la loi. – **f.** Possibilité d'accomplir une action ou de bénéficier d'un bien essentiel.

Activité 5 – page 54
a. vont travailler ; va révolutionner
b. pourra ; implantera ; appellerez ; apparaitra

Activité 6 – page 54
a. allez recevoir – **b.** pourrai – **c.** se déplacera – **d.** vont faire tomber – **e.** serons – **f.** ne vas pas croire

Activité 7 – page 54
Proposition de corrigé :
Quand je serai grand(e), je combattrai le système ; en attendant, je vais manger ma soupe.
Plus tard, je serai président, mais je vais d'abord finir mes exercices.
Bientôt, on reprendra le pouvoir ; d'ici là, on va continuer à râler.
Dans l'avenir, les femmes dirigeront le monde ! Pour commencer, elles vont essayer de se faire entendre.
Un jour nous nous battrons contre la faim ; mais pas demain, nous allons jouer au foot.

Activité 8 – page 55
a. cybermilitants – **b.** inventeur – **c.** biotechnologies – **d.** robotique – **e.** webinaire – **f.** innover
préfixes : cyber-, web- ; suffixes : -technologies, -tique.

Activité 9 – page 55
D'abord : auront inventé, aurons développé, aurai installé, sera chauffée, sera réalisé, seront installés
Ensuite : aurons, pourrons, consommera, seront, utiliserai, serons

Activité 10 – page 56
(1) imaginaient – (2) avons eu – (3) viendra – (4) aurons inventé – (5) s'élèveront – (6) auront rendus

Activité 11 – page 56
Proposition de corrigé :
Je n'aurai plus besoin de travailler le jour où j'aurai gagné au loto.
Ils pourront partir à l'étranger quand ils auront fini leurs études.
Dès que j'aurai trouvé du travail j'en profiterai pour voyager.
Quand elle sera revenue sur Toulouse, elle viendra vivre chez moi.
Tu pourras aller au festival de Cannes quand tu seras devenu riche et célèbre.

Activité 12 – page 56
(1) services – (2) monnaies – (3) marché – (4) valeur – (5) inégalités – (6) travail

Activité 13 – page 57
a. Opposition – **b.** Concession – **c.** Opposition – **d.** Opposition – **e.** Concession – **f.** Concession

Activité 14 – page 57
(1) Contrairement aux – (2) En dépit de – (3) malgré – (4) à l'opposé du – (5) mais – (6) Même si

Activité 15 – page 58
Réponses **b**, **d**, **e** et **g**.

Activité 16 – page 58
a. Vrai – **b.** Faux – **c.** Vrai – **d.** Faux – **e.** Faux – **f.** Vrai

Activité 17 – page 58
Proposition de corrigé :
Je pense qu'un fonctionnement coopératif dans une entreprise peut avoir de bonnes conséquences sur le travail quotidien : on doit se sentir plus engagé dans la vie de l'entreprise, dans ses résultats, dans son avenir et dans son développement. Du coup, c'est aussi moins de stress, moins de conflits et plus de collaboration.
Par ailleurs, les personnes qui travaillent dans une entreprise sont celles qui connaissent le mieux son fonctionnement et qui peuvent prendre de bonnes décisions.
Selon moi, les difficultés que connaissent les entreprises actuellement ne sont pas seulement économiques. Elles sont aussi liées au fait que les personnes qui organisent le travail ou définissent les objectifs ne connaissent pas bien l'entreprise : ce sont des financiers, des actionnaires. Dans ce contexte, les SCOP peuvent avoir un bel avenir si l'on décide de changer ce système et de privilégier des entreprises où il n'y a plus un seul patron et des salariés mais une organisation collective et équilibrée.

Activité 18 – page 58
(1) défilé – (2) libération – (3) collection – (4) créateurs – (5) pancartes – (6) féministes

Activité 19 – page 59
Antériorité : il y a dix ans, avant de
Simultanéité : tant que, lorsque, alors que
Postériorité : après

Activité 20 – page 59
(1) Avant de – (2) Une fois que / Dès que / Quand / Lorsque – (3) Pendant qu' / Tandis qu' / alors qu' – (4) Dès que / Aussitôt que – (5) jusqu'à ce qu' – (6) Après

Activité 21 – page 60
[ɔ̃] : Bouche fermée, lèvres arrondies, langue en arrière, voyelle nasale. L'air passe par la bouche et par le nez.
[ɔ] : Bouche fermée, lèvres arrondies, langue en arrière, voyelle orale. L'air passe uniquement par la bouche.

Activité 22 – page 60
[ɔ̃] : **a**, **c**, **e**.
[ɔ] : **b**, **d**, **f**.

Activité 24 – page 60
a. révolutionne – **b.** informations
[ɔ̃] : « o » + « n/m » dans la même syllabe → mécontent, compte
[ɔ] : « o » + « n/m » + voyelle → téléphone /« o » + « n/m » + « n/m » → fonctionne

Activité 25 – page 60
La personne qui parle est en colère.
Sa voix monte très haut sur la dernière syllabe des groupes de mots.

Activité 26 – page 60
Réponses **b**, **c** et **e**.

Activité 28 – page 61
1b – 2e – 3d – 4a – 5f – 6c

Activité 29 – page 61
a. 4 – **b.** 5 – **c.** 6 – **d.** 1 – **e.** 2 – **f.** 3

Activité 30 – page 61
Proposition de corrigé :
Bon, alors, pour commencer vous allez vous calmer. Reposez-vous un peu. Pendant ce temps, je vais vous expliquer comment nous allons gérer cette situation. Vous allez voir, il n'y a pas de quoi paniquer : d'accord votre bateau a coulé, mais ça pourrait être beaucoup plus grave. Vous vous trouvez sur l'île Pokotibana. Il fait beau 360 jours par an ici. Pas de voiture, pas de pollution. Nous sommes 200 habitants et nous vivons simplement. Vous allez apprendre à pêcher, à ramasser des fruits et à fabriquer des objets… Ne vous inquiétez pas, mes amis et moi allons vous aider.

Activité 31 – page 62
a. inventions, informatique, progrès, innovations
b. cependant, malgré
c. non, absolument pas, je ne suis pas d'accord, le contraire

Activité 32 – page 62
a. Sacha – **b.** Maryse – **c.** Claudia – **d.** Sacha

Activité 33 – page 62
Proposition de corrigé :
Je pense que toutes les révolutions sont les conséquences d'un changement de mentalité. Les technologies peuvent aussi jouer un rôle dans ce processus. Par exemple, la première révolution industrielle qui a inventé de nouveaux transports, de nouveaux modes de fabrication, est à l'origine d'un bouleversement immense dans la société : elle a modifié l'organisation

du travail, créé les grandes industries… C'est alors qu'on a vu apparaître des mouvements révolutionnaires contre le capitalisme.
À l'inverse, c'est parce qu'on prend conscience des enjeux écologiques que les ingénieurs travaillent sur la production d'énergies propres par exemple.
Il n'y a donc pas de réponse unique à cette question : les révolutions sociétales et les révolutions technologiques se complètent ou se suivent.

Activité 34 – page 62
Proposition de corrigé :
A. Vu la situation, je pense qu'on ne peut se faire entendre que si on utilise des moyens radicaux de protestation. Par exemple, la surveillance sur Internet est tellement puissante, que le seul moyen pour s'opposer au système c'est de faire la même chose et de pirater les sites officiels, comme l'a fait Wikileaks. Dans les entreprises c'est la même chose : souvent les travailleurs ne font pas grève parce qu'ils ont peur de perdre leur emploi. Pour qu'une grève ait un réel impact, il faut bloquer l'entreprise et interrompre la production. Les pétitions, ça ne sert vraiment à rien. Le seul intérêt c'est de savoir si une cause peut mobiliser beaucoup de monde, si la population est sensible ou non à un sujet. Il n'y a que de très rares cas où des pétitions avaient obtenu tellement de signatures que le gouvernement a eu peur de perdre les élections suivantes. Il a donc annulé sa réforme. Mais signer un bout de papier contre la faim dans le monde, ça n'a pas de sens…
B. Moi, je ne suis pas d'accord avec les modes de protestation illégaux. D'abord, certains sont dangereux. Par exemple, occuper un bâtiment peut amener à un drame : imagine qu'on te prenne pour un voleur ! Ensuite, la protestation est un choix, pas une obligation. Quand on bloque une usine, on empêche ceux qui ne font pas la grève de travailler. Ce n'est pas bien ! Des façons de s'exprimer légalement, il en existe plein. Et contrairement à ce que tu dis, elles permettent de sensibiliser l'opinion surtout quand elles touchent à des sujets sensibles - les enfants, la nature… Ou bien quand elles concernent des services quotidiens et qu'elles mobilisent beaucoup de monde. Une grève dans les transports peut avoir beaucoup d'impact et il n'est pas nécessaire d'utiliser des moyens illégaux pour ça. Une grande manifestation aussi : regarde ce qui se passe à Paris quand on bloque des rues pour laisser passer le défilé : on ne peut plus circuler en voiture !

Bilan 1 – page 63
1. a. révolution industrielle – **b.** tout le monde – **c.** fabriquer ses propres objets – **d.** est un registre de toutes les inventions – **e.** qui peut être réutilisé sans limitation ; qui est gratuit
2. nouveau genre, révolutionner, bouleverser, renverser la table, monde en mouvement

Bilan 2 – page 63
Proposition de corrigé :
Moi, j'adore cuisiner. Mais avant, lorsque je voulais essayer des plats un peu compliqués, j'avais deux difficultés : d'abord je n'avais pas les ustensiles qui coûtent assez cher, ensuite je ne connaissais pas les recettes exactes : ce sont des secrets de chef, qu'ils ne révèlent pas !
Le cuistolab à côté de chez moi a réglé ces deux problèmes. On y accède gratuitement, sur simple inscription, et on peut s'y rendre 7 jours sur 7 avec ses ingrédients. Le cuistolab met à notre disposition des appareils professionnels : on a même de quoi faire de la cuisine moléculaire : vous vous imaginez ? Quand on essaye une nouvelle recette, on la note dans le catalogue des cuistolab. De cette manière, tous les utilisateurs partout dans le monde peuvent la voir et la réutiliser. On peut même faire des propositions d'amélioration sur d'autres recettes. Par exemple, la semaine dernière j'ai reçu un message d'un utilisateur colombien : il avait testé mon gâteau aux poires et au chocolat et proposait une variante avec des fruits locaux. C'est fini les recettes jalousement cachées ou les « ingrédients secrets » de nos grands-mères : maintenant, on crée en communauté, on échange, on partage des techniques. Une vraie révolution pour la gastronomie !

Unité 6 : S'engager avec passion

Activité 1 – page 64
a. Faux – **b.** Vrai – **c.** Vrai – **d.** Faux – **e.** Vrai

Activité 2 – page 65
a. accorder des droits – **b.** a été élu – **c.** se rendre aux urnes

Activité 3 – page 65
Proposition de corrigé :
Je pense que voter, c'est très important. Quand il y a des élections, je prends donc le temps de m'informer, de lire les programmes des hommes et des femmes politiques qui se présentent. Je peux alors faire mon choix en respectant mes convictions.
En démocratie, tout le monde a le droit de voter et à mon avis, c'est très bien : la voix de mon voisin compte autant que la mienne, nous sommes tous égaux face à une urne. Décider que seules certaines personnes ont le droit de voter parce qu'elles exercent une profession bien payée, par exemple, serait dramatique : on commencerait par supprimer le droit de vote à certaines personnes et petit à petit, on leur supprimerait d'autres droits.

Activité 4 – page 65
a. Être motivé par un but précis. – **b.** C'est un engagement. – **c.** J'ai un goût très fort pour mon village. – **d.** Je vis la politique avec passion. – **e.** Je suis passionné. – **f.** Je suis fait pour être maire.

Activité 5 – page 65
a. Le soin du visage *Monmassage*, c'est exactement ce qu'il faut pour vous rendre plus beau !
b. Ce dont vous avez besoin, c'est simplement d'un bon shampooing *Monbonsoin* !
c. Ce que vous devez utiliser pour sentir bon toute la journée, c'est le parfum *Senteurs de bain* !
d. C'est le baume hydratant *Surbrillant* qui vous transformera en prince charmant !
e. Pour un sourire irrésistible, c'est le dentifrice *Nomalice* dont vous avez besoin !
f. Le gel coiffant *Fracassant*, c'est ce qui vous rendra attirant !

Activité 6 – page 66
ce dont – qui – qui – que – ce dont – Ce que – ce que

Activité 7 – page 66
a. Faire la rencontre de quelqu'un d'exceptionnel
b. Avoir le cœur qui s'accélère
c. Tomber amoureux immédiatement
d. Ne pas remarquer les défauts de l'être aimé
e. Regarder quelqu'un avec passion
f. Dire son amour à l'être aimé

Activité 8 – page 67
« Il » désigne un sujet réel (animé ou non animé) : 3 et 5.
« Il » est utilisé dans une tournure impersonnelle : 1, 2, 4 et 6.

Activité 9 – page 67
1b – 2a – 3d – 4f – 5c – 6e

Activité 10 – page 68
Proposition de corrigé :
Ma passion, c'est la musique. Avec elle, il est possible de tout ressentir : l'énergie avec le rock, la mélancolie avec le blues, la passion avec le rap et plein d'autres choses encore. Je joue de la guitare et j'aime tellement ça qu'il m'a suffi de 2 ans pour apprendre à bien en jouer. Il faut

dire que je m'entraînais tous les jours au moins pendant deux heures ! Il paraît qu'il y a des gens qui n'écoutent jamais de musique ! Je ne sais pas comment ils font ! Il existe tellement de richesses musicales ! Il est impossible de vivre sans ça !

Activité 11 – page 68
(1) une entreprise – (2) investir – (3) soutenir – (4) financer notre projet – (5) salariés – (6) rentable

Activité 12 – page 68
Phrases exprimant une cause : **b**, **c** et **e**.
Phrases exprimant une conséquence : **a**, **d** et **f**.

Activité 13 – page 69
a. Par conséquent – **b.** donc ; entraînera – **c.** en raison des – **d.** Grâce à ; si bien que

Activité 14 – page 69
a. Vrai – **b.** Faux – **c.** Vrai – **d.** Faux – **e.** Vrai

Activité 15 – page 69
(1) mécénat – (2) bénévolat – (3) association

Activité 16 – page 70
Proposition de corrigé :
Je suis dessinateur de bandes dessinées et je suis assez célèbre. J'ai été contacté il y a quelques mois par une grande maison d'édition qui voulait associer son image à des organisations qui luttent contre la pauvreté dans le monde. Pour cela, elle avait un projet bien précis : demander à 10 dessinateurs de représenter dans une BD collective ce problème et comment le résoudre.
Ça représentait un vrai défi à mes yeux et c'est pourquoi j'ai accepté de participer à ce projet. Mais pas seulement, bien sûr, l'idée était aussi très intéressante : tout l'argent gagné avec la vente de la BD allait être entièrement reversé à l'association partenaire. J'ai trouvé ça fantastique : travailler bénévolement comme ça, c'était l'occasion de faire une vraie bonne action désintéressée.
Pour résumer, je dirais que j'ai participé à un beau projet, que j'ai aidé les autres et que je n'ai rien reçu sauf une énorme satisfaction personnelle. Et ça, ça vaut tout l'argent du monde.

Activité 17 – page 70
a. sont les grands-parents d'Edgar, d'Oscar et de Gaspard.
b. forment une famille recomposée avec Edgar, Oscar, Gaspard et Armel.
c. le beau-père d'Armel.
d. est le demi-frère d'Armel.
e. la mère d'Armel.
f. est l'ex-belle-fille de Gérard et Sylvie.

Activité 18 – page 70
temps : 8 – lieu : 1, 2, 3, 6 et 7 – but : 4 et 5

Activité 19 – page 71
(1) de – (2) d' – (3) entre – (4) au – (5) Parmi – (6) par – (7) en – (8) sans – (9) au – (10) pour – (11) dans – (12) à

Activité 20 – page 71
[ɔ] : Bouche ouverte, Lèvres arrondies, Langue en arrière
[œ] : Bouche ouverte, Lèvres arrondies, Langue en avant

Activité 21 – page 71
[ɔ] : **b**, **c**, **d**, **e**, **f**.
[œ] : **a**, **d**, **f**.

Activité 23 – page 71
a. Horizontalement : note – phéromone – aveugle – odeur
Verticalement : période – sport – vote – code – cœur – âme sœur – corps – poche
b. un de perdu, dix de retrouvés !
c. [ɔ] : « o » + consonne prononcée dans la même syllabe (sauf [z])
[œ] : « eu/œu » + consonne prononcée dans la même syllabe (sauf [z] et [t]).

Activité 24 – page 72
(1) monte – (2) monte – (3) monte – (4) descend – (5) monte – (6) descend

Activité 25 – page 72
question : **a** et **d** – affirmation : **b** et **c**
opérateur : **a** et **c** – dernière syllabe : **b** et **d**

Activité 27 – page 72
1b – 2d – 3c – 4a

Activité 28 – page 73
1b – 2d – 3a – 4c

Activité 29 – page 73
Proposition de corrigé :
En effet, chaque époque a connu son grand footballeur : Zinedine Zidane dans les années quatre-vingt-dix, Ronaldinho dans les années 2000 et aujourd'hui Lionel Messi et Cristiano Ronaldo, dont on analyse les buts dans les moindres détails. Tant d'exemples prouvent bien que rien n'est fixe et que même si on peut *apprendre* à pratiquer un sport, il y a aussi une part d'innée, de style donc, comme pour l'art.

Activité 30 – page 73
Proposition de corrigé :
En conclusion, je dirais qu'une activité artistique se caractérise par les trois ingrédients suivants : maîtrise, précision et style.
Et pour vous, quels sont les ingrédients de l'art ?

Activité 31 – page 73
a. sont souvent énoncées au début d'un paragraphe. – sont reprises en conclusion d'un exposé.
b. sont souvent répétés. – sont mis en valeur par l'intonation de l'orateur.
c. Je dois utiliser toujours les mêmes codes. – Je peux écrire les nombres en chiffres.

Activité 32 – page 74
1e – 2d – 3g – 4h – 5c – 6a – 7b – 8f

Activité 33 – page 74
Proposition de corrigé :
J. Ouachi : *Engagez-vs* est 1 associat° pr aider gens à faire dons ou ê bénévoles.
Met en relat° gens et associat°. Associat° peuvent ê ONG et petites associat°.
Ex. : qqn qui aime escalade guidé vers associat° rénovat° infrastructures sports.
Légalemt pas poss. obliger gens aller ds associat° dc accueil public 25 rue des Joyeux, lund. et mer. 9h-12h, 14h-18h.

Activité 34 – page 74
Proposition de corrigé :
A. Moi, je milite dans une association qui s'appelle « Défense de la langue française ». Son objectif, c'est de contrôler l'introduction abusive de mots étrangers dans la langue française.
Je donne un exemple : on entend de plus en plus de gens employer le mot « cheese » à la place de fromage, c'est dommage.
Pour combattre cette nouvelle mode, j'écris beaucoup d'articles sur le site de mon association, au moins un par semaine. J'espère toucher tous les amoureux de la langue française, francophones natifs ou non, parce que je pense qu'elle est réellement menacée aujourd'hui.
B. Ah et bien moi, je suis bénévole dans une association qui s'appelle « Vive le franglais ! » : on voudrait que tous les mots empruntés à l'anglais qui sont utilisés en français soient enfin mis dans le dictionnaire.
Par exemple, le « cheese » c'est justement devenu, dans l'esprit des francophones, le nom du fromage spécifique aux hamburgers ou aux sandwiches. Ça permet de différencier encore un autre type de fromage, c'est une vraie richesse. C'est pour ça que, dans mon association, on se met en contact avec des professeurs dans des écoles ou des universités pour qu'ils transmettent notre message aux élèves et aux étudiants.
J'aime cette idée d'agir et pas seulement de parler ou d'écrire des articles sur un petit blog.

Bilan 1 – page 75
a. un ancien sportif de haut niveau.

b. parce qu'il s'est senti seul quand il a pris sa retraite.
c. est causée par le manque d'adrénaline.
d. chercher à améliorer ses performances.
e. trouver comment gagner de l'argent parce qu'ils n'ont plus de sponsors.
f. a fondé une association.

Bilan 2 – page 75
Proposition de corrigé :
Bonjour ! Moi, je ne vois vraiment pas où est le problème. Quand on se découvre une passion pour un sport, même si c'est une pratique à risques, il faut y aller parce que sans passion, la vie ne vaut rien. Par contre, oui, il est indispensable de s'adresser aux bonnes personnes, aux professionnels du sport en question, par exemple. Ce sont les mieux placés pour donner les meilleurs conseils. On peut s'adresser à une structure sportive et s'inscrire dans un club. Ainsi, on est assuré de pratiquer sans risque et avec l'encadrement adéquat.

Unité 7 : Se plonger dans l'histoire

Activité 1 – page 76
a. une critique gastronomique
b. des plats inspirés de la cuisine du Moyen Âge - un décor inspiré du Moyen Âge

Activité 2 – page 77
a. Faux – **b.** Vrai – **c.** Faux – **d.** Faux

Activité 3 – page 77
a. un gourmet – **b.** mitonner – **c.** un manuscrit – **d.** une taverne

Activité 4 – page 77
Proposition de corrigé :
Monsieur,
Suite à votre demande de travaux, j'ai visité votre taverne et constaté plusieurs problèmes : la peinture des murs est ancienne et de mauvaise qualité ; les parties en bois (poutres, bar, charpente) sont pourries ; les murs se lézardent, les fissures vont s'agrandir si nous ne faisons rien. Je vous propose donc d'intervenir sur les aspects suivants : nous remplaçons les boiseries, nous réparons les murs, nous agrandissons la salle, nous repeignons les murs. Nous pouvons peindre sur les murs une fresque d'inspiration médiévale, et accrocher à l'entrée des costumes traditionnels. Il faudra un mois pour renforcer la structure, trois semaines pour agrandir la salle, puis deux semaines pour la peinture et la décoration. Nous vous proposons un forfait à 20 000 euros.
Cordialement,
Jean Charpentier

Activité 5 – page 77
(1) Centenaire – (2) mémoire – (3) hommage – (4) guerre – (5) transmettre – (6) souvenir

Activité 6 – page 78
(1) Elle raconte qu'elle a croisé Pierre - (2) ajoute qu'il s'est marié – (3) qu'il a un bébé de deux ans – (4) te demande si tu peux lui donner ton nouveau numéro – (5) si tu peux la rappeler

Activité 7 – page 78
Proposition de corrigé :
a. Le Roi ordonne à ses ministres de faire appliquer ses décisions
b. Les suspects promettent aux policiers de dire la vérité.
c. L'employé en retard promet à son patron qu'il arrivera désormais toujours à l'heure.
d. Le candidat à l'élection promet de faire appliquer ses décisions.
e. La juge interroge les suspects sur leurs liens avec le crime.
f. La juge affirme qu'ils sont coupables.
g. Le professeur nous demande si nous avons des questions sur ce récit.

Activité 8 – page 78
verbe : mentir, bluffer, escroquer, arnaquer
action : un mensonge, un bluff, une escroquerie, une arnaque
la personne qui fait l'action : un menteur, un bluffeur, un escroc, un arnaqueur

Activité 9 – page 79
(1) avait – (2) voulait – (3) aller – (4) voulais – (5) avait dit – (6) racontait – (7) j'allais partir – (8) serait – (9) choisir – (10) allait raconter

Activité 10 – page 79
(1) quelle était sa situation familiale – (2) qu'il était marié – (3) que sa femme était formidable – (4) qu'ils allaient avoir leur deuxième enfant – (5) de nous parler de son enfance – (6) qu'il était très populaire – (7) qu'il avait beaucoup d'amis – (8) ce qu'il avait fait pendant ses dernières vacances – (9) que sa femme et lui s'étaient offert un voyage de noces au Mexique – (10) qu'il avait toujours été passionné par la culture mexicaine.

Activité 11 – page 80
Proposition de corrigé :
La dernière conversation que j'ai eue, c'était avec ma meilleure amie, il y a quelques jours. Nous avons parlé de nos projets de vacances. Je lui ai dit que j'allais visiter la Chine en juin. Elle m'a raconté qu'elle y était allée l'année dernière et qu'elle y retournerait dans quelques années. Je lui ai demandé de me parler un peu de ce pays...

Activité 12 – page 80
1. Suspect – **2.** Interrogatoire – **3.** Alibi – **4.** Preuve – **5.** Coupable – **6.** Avoué

Activité 13 – page 81
a. et perdit une de ses chaussures.
b. il y avait les richesses qu'ils avaient volées.
c. le loup avait mangé la grand-mère.
d. tomba endormie.

Activité 14 – page 81
(1) terrorisa – (2) fut – (3) l'avaient vue – (4) décrivaient – (5) était – (6) sauva – (7) tua – (8) a inspiré

Activité 15 – page 81
Proposition de corrigé :
Le Petit Poucet
1. Un soir, Les parents du Petit Poucet parlèrent d'abandonner leurs enfants dans la forêt.
2. Le Petit Poucet les entendit en parler.
3. En allant dans la forêt le lendemain, il laissa sur son chemin des morceaux de pain.
4. Les oiseaux mangèrent les morceaux de pain.
5. Le Petit Poucet et ses frères mirent très longtemps à retrouver leur maison.

Activité 16 – page 82
a. Faux – **b.** Vrai – **c.** Faux – **d.** Vrai – **e.** Faux – **f.** Vrai

Activité 17 – page 82
1d – 2b – 3f – 4c – 5a – 6e

Activité 18 – page 82
Proposition de corrigé :
J'ai lu *Les piliers de la Terre*, le best-seller du britannique Ken Follet. C'est un roman historique en trois tomes, qui raconte les aventures et le destin de plusieurs personnages dans l'Europe du Moyen Âge, à l'époque de la construction des cathédrales. J'ai adoré ce livre, je l'ai dévoré en quelques semaines. En le lisant, j'ai ressenti beaucoup d'empathie pour les personnages principaux : j'en suis venu à détester moi-même les « méchants » de l'histoire !
Ce livre a été vendu à 15 millions d'exemplaires dans le monde. Il a été traduit dans plusieurs langues. Il a été adapté en série télévisée, et même en jeu de société.
À mon avis, le succès s'explique à la fois par la qualité de la reconstitution historique, et par la simplicité du caractère des personnages : on peut s'identifier très facilement à eux.

Activité 19 – page 82
1b – 2d – 3a – 4c

Activité 20 – page 83
1e – 2a – 3f – 4b – 5c – 6d

Activité 21 – page 83
a. J'y suis tout à fait prêt, monsieur le juge.
b. Je le jure.
c. Je m'en souviens parfaitement.
d. J'y pense, en général, je suis une personne responsable.
e. Oui, je le pense vraiment.
f. J'y suis disposé.

Activité 22 – page 84
(1) ajout de [ø] – (2) suppression – (3) découpage – (4) inversion – (5) suppression – (6) verlanisation

Activité 23 – page 84
a. métro – **b.** flic – **c.** tomber – **d.** ça – **e.** fête – **f.** père – **g.** merci – **h.** moi – **i.** pied – **j.** pitié

Activité 25 – page 84
Je vais vous présenter ma famille : ma mère s'appelle Anna et mon père Lucas. J'ai deux sœurs et un frère. Mon frère, c'est trop un fou ! Parfois, il m'énerve…

Activité 26 – page 84
Eh bien moi, écoutez, je pense que le devoir de mémoire est important. Alors, bon, déjà parce qu'il permet à tous de se souvenir. Et puis, bon ben, du coup, il peut empêcher qu'on reproduise les mêmes erreurs que dans le passé.

Activité 27 – page 84
Réponses **a**, **c** et **d**.

Activité 29 – page 85
Proposition de corrigé :
Dans la nuit de samedi à dimanche, je n'étais pas avec mes amis. Je suis allé au mariage de mon cousin. C'était à Bordeaux, donc à 500 kilomètres d'ici. J'ai quitté la ville vendredi soir à 22 heures en train, et j'y suis revenu lundi matin, en train également. J'ai été le témoin de mariage, j'ai donc signé le registre du mariage. Ce document, ainsi que de nombreuses photos, certifient que j'étais absent samedi soir.

Activité 30 – page 85
Proposition de corrigé :
Le suspect a de la laine fraîche sur ses vêtements. Deux tickets de tramway usagés ont été trouvés dans la poche du suspect.

Activité 31 – page 85
Proposition de corrigé :
a. - Où étiez-vous dans la nuit du 14 au 15 décembre dernier ?
- Quelle est l'origine de l'énorme somme d'argent qui a été versée sur votre compte en banque le 20 décembre ?
- Nous avons retrouvé un morceau de tissu dans le salon de Mme Delaunay, après le cambriolage du 20 novembre. Ce morceau correspond au trou dans votre costume !
- Vous avez une fracture au bras droit : comment cela est-il arrivé ?

b.- Mon passeport montre bien que je ne m'appelle pas Arsène Lupin.
- Comme vous le constatez, je ne porte pas de moustache.
- Je ne suis vraiment pas sportif, donc je ne peux pas entrer discrètement chez les gens.
- Dans la nuit du 14 au 15 décembre, j'étais à l'Opéra Garnier, pour la première de *Carmen*, en présence de Mme l'Ambassadeur. Nous avons passé le reste de la nuit au cabaret « Le Chat sauvage », elle peut en témoigner.

Activité 32 – page 86
1d – 2e – 3f – 4b – 5c – 6a

Activité 33 – page 86
Proposition de corrigé :
J'ai vu le film *Néandertal et Sapiens*. L'histoire se passe il y a environ 30 000 ans en Europe occidentale. Ce film raconte comment l'homme de Néandertal, installé depuis 10 000 ans, a rencontré l'homo Sapiens qui arrivait en Europe. Ça m'a aidé à mieux comprendre pourquoi les homo sapiens ont progressivement dominé la nature et pris la place des Néandertaliens. Ça m'a ouvert les yeux sur le développement de ces sociétés que l'on considère tous comme très primitives. Le film décrit de manière très réaliste la façon dont les hommes doivent survivre dans un univers hostile. Pour ce qui est des émotions, il y a beaucoup d'humanité dans ce film, et aussi de la tendresse.

Activité 34 – page 86
Proposition de corrigé :
A : Ce spectacle était fascinant ! Il a réussi à faire flotter son assistante en l'air, à trois mètres du sol !
B : Mais enfin, ce n'est pas possible ! Il y a forcément un trucage ! Il y avait une corde, non ?
A : Oui, peut-être, mais comment a-t-il pu deviner la date de naissance d'une dame dans la salle ? Et la couleur de ses chaussettes, hein ? Tu peux me l'expliquer ?
B : Ah ça, je n'y crois pas une seconde ! C'est un gros mensonge ! Ils se connaissaient, elle travaille pour lui, c'est sûr !
A : Bon, d'accord, mais explique-moi comment il a pu endormir trente personnes dans la salle avec son regard ?
B : Comme tu es naïf/naïve ! Ouvre les yeux ! C'est faux, tout ça ! C'est de la comédie !

Bilan 1 – page 87
a. un extrait de journal – **b.** d'un petit événement lié à la grande Histoire – **c.** a réellement appartenu à Napoléon – **d.** comme un grand homme dans l'Histoire – comme un exemple pour les hommes d'affaires d'aujourd'hui – **e.** pour l'exposer et communiquer l'esprit d'entreprise au public

Bilan 2 – page 87
Proposition de corrigé :
Bonjour,
J'ai entendu il y a quelques jours l'annonce de la vente aux enchères d'un « bicorne de Napoléon » pour près de deux millions d'euros. Dans le reportage, M. Merlu, commissaire-priseur, disait qu'il était surpris du succès de cette vente. Il indiquait que ce chapeau était authentique, et que Napoléon l'avait porté à la fois sur le tableau peint par David, et le jour de son couronnement peint par David. Enfin, il prétendait que le chapeau était vendu par un certain Jacques-Louis-Simon Bonaparte, arrière-petit-fils de l'empereur.
Je souhaiterais exprimer mes doutes sur cette affaire : je crois qu'il s'agit d'un mensonge. Tout d'abord, le bicorne porté par Bonaparte dans le fameux tableau de David ne ressemble pas du tout à la photo publiée dans la presse ! Ensuite, Napoléon ne portait pas de bicorne le jour de son couronnement. Enfin, Jacques-Louis-Simon Bonaparte n'existe pas, ou s'il existe, il n'est absolument pas l'arrière-petit-fils de l'empereur. Je ne crois pas du tout à l'authenticité de ce bicorne. M. Merlu n'est pas sérieux, il se trompe même de deux ans dans la date du couronnement ! Donc, soit M. Merlu est un menteur qui essaie de profiter de la crédulité de M. Birambeau, soit il est lui-même victime d'une arnaque. Pour un bluff à deux millions d'euros, il serait intéressant d'approfondir l'enquête, je crois.
Cordialement,
Un admirateur de l'Empereur.

Unité 8 : Protéger le patrimoine

Activité 1 – page 88
a. Faux – **b.** Vrai – **c.** Faux – **d.** Faux

Activité 2 – page 89
1c – 2a – 3b – 4e – 5d

Activité 3 – page 89
Proposition de corrigé :
Même si les toits de Paris font partie du paysage de cette ville et lui donnent une atmosphère particulière, je pense qu'ils ne méritent pas d'être classés au patrimoine mondial parce

qu'ils ne sont pas le résultat d'un savoir-faire exceptionnel. De plus, classer les toits de Paris signifierait classer tous les édifices parisiens au patrimoine mondial, ce qui impliquerait, par la suite, des complications pour détruire ou rénover des bâtiments en mauvais état.
La Statue de la Liberté et la Tour Eiffel sont des symboles nationaux importants et méritent, selon moi, d'être classées au patrimoine mondial de l'Unesco. Ces deux monuments sont des chefs-d'œuvre emblématiques du génie humain.

Activité 4 – page 89
Le kimjang : traditions, pratiques/savoir-faire du quotidien
Le fado : traditions, arts du spectacle
Le découpage du papier chinois : traditions, pratiques/savoir-faire du quotidien
La danse des ciseaux : traditions, arts du spectacle, rites

Activité 5 – page 90
première personne : jugement très positif
deuxième personne : jugement assez négatif
troisième personne : jugement très positif
quatrième personne : jugement assez négatif
cinquième personne : jugement très négatif
sixième personne : jugement assez positif

Activité 6 – page 90
Pour donner un sens positif :
(1) agréablement – (2) adroitement / admirablement – (3) admirablement / fabuleusement bien – (4) fabuleusement bien / admirablement - (5) vraiment
Pour donner un sens négatif :
(1) désagréablement – (2) malhabilement / lourdement – (3) très mal / lourdement / malhabilement – (4) lourdement / très mal / malhabilement – (5) plus ou moins réussi !

Activité 7 – page 91
a. ● b. ★ c. ▲ d. ■

Activité 8 – page 92
a. ce monument – **b.** la nouvelle génération – **c.** cette salle de spectacle – **d.** l'Hexagone

Activité 9 – page 92
a. cet artisan – **b.** ce professionnel passionné d'art et d'histoire – **c.** ce scientifique – **d.** ce représentant de l'État

Activité 10 – page 92
notaire : 1, 3 et 4
légataire : 2, 5 et 6

Activité 11 – page 93
a. vous les – **b.** vous y – **c.** leur en – **d.** les y – **e.** vous en – **f.** les y

Activité 12 – page 93
a. Oui, elle veut la leur léguer.
b. Vraiment ? Tu vas nous les offrir ?
c. Non, je ne le leur ai pas dit.
d. Non, il ne nous en a pas parlé.
e. Ah oui, c'est une bonne idée de les y emmener !
f. J'espère que tu ne vas pas lui en prêter !

Activité 13 – page 94
a. Faux – b. Vrai – c. Faux – d. Vrai

Activité 14 – page 94
1. a. architectural historique – **b.** industriel – **c.** vivant
2. La France possède un patrimoine historique riche et varié.

Activité 15 – page 94
Proposition de corrigé :
Il me semble que dans mon pays, les gens ne sont pas vraiment conscients de l'importance du patrimoine. Contrairement aux Français, ils ne sont pas passionnés de patrimoine.
De nombreux sites sont malheureusement détruits pour laisser la place à des centres commerciaux ou à des routes. Je trouve cela tout à fait dommage. Je pense que c'est plutôt au gouvernement de sauvegarder les monuments et les vieux quartiers.

Activité 16 – page 94
1a – 2d – 3b – 4e – 5f – 6c

Activité 17 – page 95
téléphoné – appelés – parlé – disputés – imaginé – aperçue – tue – excusée – dit

Activité 18 – page 95
(1) je me suis assis – (2) elle s'est installée – (3) Nous nous sommes regardés – (4) nous nous sommes souri. – (5) nous nous sommes plongés – (6) Nous nous sommes parlé – (7) nous nous sommes échangé – (8) nous nous sommes serré – (9) nous nous sommes appelés – (10) nous nous sommes donné

Activité 19 – page 95
Proposition de corrigé :
verbes pronominaux où le pronom réfléchi est COD : se coiffer, se lever, se promener, se rencontrer, se disputer, se séparer…
3 verbes pronominaux où le pronom réfléchi est COI : se téléphoner, se dire, se parler, s'écrire, se sourire, se ressembler…
3 verbes toujours pronominaux : s'enfuir, s'évanouir, s'absenter, se soucier, se méfier, se souvenir…
3 verbes pronominaux suivis d'un COD : se laver les mains, se brosser les dents, se casser la jambe, se sécher les cheveux, se couper le doigt, se tordre la cheville…

Activité 20 – page 96
[j] : Bouche très fermée - Langue en avant
[ɥ] : Bouche très fermée - Lèvres arrondies - Langue en avant
[w] : Bouche très fermée - Lèvres arrondies - Langue en arrière

(1) syllabe - (2) voyelle

Activité 21 – page 96
[ɥ] : **a**, **d** et **f**
[w] : **b**, **c** et **e**.

Activité 23 – page 96
a. fric – **b.** fortune – **c.** soupeser
[j] : « i »/ « y » +voyelle, « ill »
[i] : « i » + consonne
[ɥ] : « u »+ voyelle
[y] : « u » + consonne
[w] : « ou »+voyelle, « oi »
[u] : « ou » + consonne

Activité 24 – page 96
La première syllabe est plus haute et plus forte.

Activité 25 – page 96
Réponses a, d et f.

Activité 27 – page 97
Pour exprimer son opinion : il me parait - Selon moi - à mon avis - je trouve que - Il me semble que - Je pense que
Pour dire qu'on est favorable à une idée : je ne suis pas opposé à - Je suis donc totalement favorable à
Pour dire qu'on est opposé à une idée : Personnellement, je suis contre

Activité 28 – page 97
Expressions pour prendre la parole : Écoutez… / Ah, excusez-moi ! Je dois réagir ! / Vous permettez que je précise … ?
Expressions pour garder la parole : Monsieur Lassalle, je n'ai pas fini… / Laissez-moi terminer, s'il vous plaît !

Activité 29 – page 97
Proposition de corrigé :
Écoutez, je pense que le patrimoine est vivant et doit évoluer. Il me semble qu'il ne doit pas être figé dans le passé. Il y a de nombreux exemples de chapelles transformées en salles d'exposition ou de châteaux aménagés en hôtels… Si cela permet de récolter de l'argent pour rénover le bâtiment, alors, je suis favorable à une transformation de ces bâtiments. Cependant,

je trouve qu'il est très important de respecter le style de l'édifice. Je ne suis pas contre l'utilisation de matériaux modernes mais il faut garder l'allure générale du bâtiment.

Activité 30 – page 98
1h – 2i – 3d – 4a – 5f – 6e – 7c – 8g – 9b

Activité 31 – page 98
(1) Je viens de recevoir votre facture en date du 3 juin 2015 / Je fais suite à votre facture du 3 juin 2015 – (2) j'ai eu le désagrément de / j'ai été étonné de – (3) je vous serai reconnaissant de bien vouloir / je vous serai donc obligé de

Activité 32 – page 99
Proposition de corrigé :
De : Marco ROSSI
À : Arizon
Envoyé le : 23 février 2015
Objet : Demande de remplacement d'un article

Madame, Monsieur,
Le 20 février, j'ai commandé le livre *Un patrimoine, des patrimoines* sur votre site. Cet article m'a été livré le 22 février.
Lorsque j'ai ouvert le colis, j'ai eu la surprise de constater qu'il était abîmé. En effet, la couverture du livre est endommagée et les 20 dernières pages sont déchirées.
Dans ces conditions, je vous serai reconnaissant de me livrer un produit en parfait état dans les plus brefs délais. Par ailleurs, je tiens le livre abîmé à votre disposition.
Dans cette attente, veuillez agréer, Madame, Monsieur, l'expression de mes salutations distinguées.
Marco ROSSI

Activité 33 – page 99
Proposition de corrigé :
A. Sur cette image, on peut voir un château en ruine. Je pense que c'était un très joli château autrefois mais aujourd'hui, il est en très mauvais état. La toiture s'effondre, les murs s'affaissent et le jardin est abandonné. Il faudrait sauvegarder ce château avant qu'il disparaisse. Ce château devrait être classé monument historique. Cela permettrait au propriétaire de recevoir des fonds pour le restaurer. Il faudrait faire de grands travaux, refaire le toit et les murs et aménager le jardin. Enfin, pourquoi ne pas transformer ce château en salle de réception ou en hôtel ?
B. Cette image représente une salle de bains en très mauvais état. Il y a de la moisissure à cause de l'humidité. Le plafond tombe en miettes, le carrelage se décolle et les peintures sont endommagées. Je pense que cette salle de bains est irrécupérable. Il faut tout détruire pour en refaire une neuve. Il faut enlever la baignoire et le lavabo, démolir les murs dégradés et tout reconstruire.

Bilan 1 – page 100
a. citoyens mauriciens. – **b.** préserver le patrimoine existant – **c.** proposer d'inscrire de nouveaux sites mauriciens au patrimoine de l'Unesco – **d.** demander au gouvernement d'entreprendre une campagne d'information auprès des enfants

Bilan 2 – page 100
Proposition de corrigé :
Le dernier film que j'ai vu est un dessin animé. Il s'agit de *La Légende de Manolo*. Pour moi, l'histoire, inspirée du folklore mexicain, est vraiment dépaysante. Les graphismes sont très réussis, originaux et colorés, les personnages sont attachants et la musique est absolument géniale ! Bref je vous le conseille vivement, je suis sûre que vous passerez un bon moment !

Unité 9 : Nourrir son quotidien

Activité 1 – page 101
Réponses **a**, **c**, **d**, **f**, **g**, **h**, **j** et **k**.

Activité 2 – page 102
Proposition de corrigé :
Depuis une quarantaine d'années, la façon de se nourrir au Japon a considérablement évolué. C'est vrai que la plupart des femmes vont encore faire les courses quotidiennement et cuisinent donc avec des produits frais, mais, qu'on ne s'y trompe pas, les étudiants et les personnes qui travaillent consomment beaucoup de produits tout prêts.
Des rayons entiers de supermarchés proposent des produits lyophilisés (nouilles et soupes principalement). D'ailleurs, les nouilles instantanées en bol ont été inventées au Japon ! En ce qui concerne les produits surgelés, les Japonais sont de grands consommateurs de glaces, que ce soit de la glace pilée avec du sirop ou bien des crèmes glacées. Enfin, il existe une grande variété de produits en bocaux ou en boîte : petits poissons, légumes marinés, fruits… Bref, les progrès technologiques ont permis de développer, au Japon, des produits qui correspondent bien au rythme de vie (aliments instantanés) et au goût pour les produits occidentaux (glaces).

Activité 3 – page 102
1. Favoriser les produits locaux
2. Refuser les OGM
3. Favoriser une agriculture diversifiée
4. Exiger des produits bio de qualité
5. Proposer des produits de saison
6. Développer le commerce équitable

Activité 4 – page 102
a. Pour commencer – **b.** Ensuite ; Puis ; Enfin – **c.** En effet – **d.** D'un côté ; d'un autre côté – **e.** car – **f.** alors – **g.** au contraire

Activité 5 – page 103
a. Certains dorment comme des bébés tandis que d'autres n'arrivent pas à fermer l'œil de la nuit.
b. Les études montrent que nous avons tous besoin de dormir au minimum sept heures. Pourtant, de nombreuses personnes estiment que six heures de sommeil leur suffisent.
c. Pour bien dormir, commencez par adopter de bonnes habitudes alimentaires. En effet, les aliments que nous consommons ont une influence directe sur la qualité de notre sommeil.
d. Par exemple, la caféine a un effet excitant jusqu'à six heures après sa consommation. Par conséquent, il est conseillé de ne pas boire de café après 17 heures.
e. D'abord, assurez-vous de vous coucher l'esprit tranquille. Ensuite, fermez les yeux. Puis, respirez profondément pendant quelques minutes.
f. Veillez à votre environnement de sommeil en évitant autant que possible de vous coucher dans le bruit. Par ailleurs, éloignez toutes les sources de lumière, comme les tablettes ou les réveils lumineux.

Activité 6 – page 104
(1) baisse de vigilance – (2) insomnies – (3) malbouffe – (4) surpoids – (5) diabète – (6) l'inactivité

Activité 7 – page 104
a. j'avais su ; j'aurais répondu – **b.** tu aurais dû ; tu as pu – **c.** nous ne l'ayons pas prévenue ; de ne pas l'avoir appelée.

Activité 8 – page 104
Proposition de corrigé :
Regret : Quel dommage que je sois si timide ! – Je m'en veux d'avoir manqué de confiance. – Si j'avais été moins stressé, j'aurais mieux répondu à leurs questions.
Reproche : Il fallait que je me montre plus dynamique. – J'aurais dû être moins distrait. – Je me demande comment j'ai pu arriver en retard.

Activité 9 – page 105
Proposition de corrigé :
Reproche : Tu devais arriver à 9 heures ! – Tu aurais pu me prévenir de ton retard. – Comment oses-tu me dire que ce n'est pas de ta faute ?
Regret : Je regrette d'être arrivée si tard.
– Je regrette que tu sois en colère. – Si j'avais su, je t'aurais prévenu.

Activité 10 – page 105
a. Il est distrait, il a du mal à se concentrer.
b. Il est maladroit, il casse tout ce qu'il touche.
c. Il est médisant, il dit souvent du mal des autres.
d. Il a l'habitude d'aller au lit très tôt.
e. Il est paresseux, il ne fait rien de la journée.
f. Il a du mal à se souvenir des choses.

Activité 11 – page 106
(1) toutes – (2) la plupart – (3) Beaucoup – (4) Certaines – (5) quelques-unes – (6) personne

Activité 12 – page 106
a. mêmes – **b.** n'importe quoi – **c.** quelqu'un – **d.** Chacun – **e.** Quelques – **f.** Quelque chose

Activité 13 – page 107
a. une interview – **b.** enseignant-chercheur
c. ont étudié l'influence de la musique sur le bonheur.
d. le bonheur vient du fait de choisir soi-même la musique qu'on écoute.
e. faire des choses qui nous plaisent et qui sont en accord avec nous-mêmes rend heureux.

Activité 14 – page 107
1a – 2c – 3e – 4b – 5d

Activité 15 – page 107
Proposition de corrigé :
J'ai aussi l'impression que la musique me rend heureux. Souvent, la musique est associée à des souvenirs et les musiques associées à des souvenirs agréables me rendent heureux, même si ce n'est pas moi qui ai choisi ces musiques-là. Beaucoup d'autres choses me rendent heureux. J'aime beaucoup dessiner, cette activité me détend et me permet de m'évader. Quand je dessine, le temps s'arrête et je me laisse complètement aller. Le dessin me permet de sortir de la routine et me procure beaucoup de bien-être.

Activité 16 – page 107
a. Markus : 1 – **b.** Lisette : 3 – **c.** Sophie : 4

Activité 17 – page 108
propositions infinitives : travailler, s'épanouir
Préposition (à ou de) + infinitif : faire, conseiller, observer
Infinitif utilisé comme sujet : marcher

Activité 18 – page 108
a. J'adore regarder les bateaux naviguer au loin.
b. J'aime entendre mes enfants rire ensemble.
c. Je ne vois plus les heures passer.
d. Je sens l'air caresser mon visage.

Activité 19 – page 108
Proposition de corrigé :
J'aime me retrouver seul dans la nature et regarder les feuilles des arbres bouger.
J'aime me retrouver seul dans la nature et entendre les oiseaux chanter.
J'aime me retrouver seul dans la nature et sentir le vent souffler.

Activité 20 – page 109
(1) consonnes – (2) consonne – (3) longue – (4) [ə]

Activité 21 – page 109
a. Ils s'en sortent toujours ! – **b.** Il s'en sort toujours ! – **c.** Elles défendent des projets bios. – **d.** Elle défend des projets bio. – **e.** Elle ne prend ni médicament ni homéopathie. – **f.** Elles ne prennent ni médicament ni homéopathie.

Activité 23 – page 109
a. On a un problème matériel. – **b.** La malbouffe fait des ravages. – **c.** Ne mange jamais d'OGM ! – **d.** Le diabète tue ! – **e.** C'est une humoriste talentueuse.

Activité 24 – page 109
Une onomatopée est un mot qui imite un son produit par un être vivant ou par un objet.

Activité 25 – page 109
Réponses **a**, **c** et **d**.

Activité 26 – page 109
1c – 2a – 3h – 4e – 5f – 6i – 7b – 8d – 9g

Activité 27 – page 110
a. Je me demande comment vous pouvez tondre votre pelouse à cette heure-ci ?
b. Comment osez-vous faire un tel vacarme alors qu'il est 23 heures ?
c. Vous pourriez faire attention à respecter le silence !
d. Vous auriez dû commencer à tondre plus tôt, il est 23 heures !

Activité 28 – page 110
Réponses **a**, **b**, **e**, **f** et **h**.

Activité 29 – page 110
Proposition de corrigé :
- Bonjour Monsieur Michu !
- Ah, bonjour !
- Dites donc, je voulais vous voir parce que samedi vous avez fait un barbecue…
- Oui, et alors ?
- Et bien, écoutez, la fenêtre de ma chambre est juste au-dessus de votre barbecue et moi, j'en ai assez de dormir dans l'odeur de viande et de poisson grillé ! Vous pourriez faire attention et déplacer un peu votre barbecue !
- Elle est bien bonne celle-là ! Vous exagérez ! Vous n'avez qu'à fermer vos fenêtres !
- Fermer mes fenêtres ? Mais il fait plus de 30 °C en ce moment ! Je dis seulement que ce serait bien de faire un effort et de déplacer votre barbecue. Votre jardin est assez grand, non ? Je vais aller me renseigner à la mairie pour savoir si vous avez le droit de cuisiner sous ma fenêtre.
- Bien, bien, calmez-vous ! Je vais le mettre plus près de ma maison, comme ça, je n'aurai pas besoin de traverser tout le jardin pour aller faire griller mes saucisses…
- Bah oui, en fait, ça arrange tout le monde ! Je ne comprends pas pourquoi vous ne l'avez pas rapproché de chez vous plus tôt…
- Pourquoi je ne l'ai pas fait avant ? Ben, pour que les odeurs ne rentrent pas chez moi…

Activité 30 – page 111
1b – 2c – 3a – 4d

Activité 31 – page 111
(1) je suis scandalisée – (2) c'est totalement injuste – (3) C'est un non-sens – (4) Ce serait plus logique

Activité 32 – page 111
Proposition de corrigé :
Je viens de lire l'interview d'Amel Alaoui et je souhaiterais réagir.
Personnellement, pour des raisons pratiques, je vais plus souvent au supermarché qu'au marché. En effet, je travaille à temps plein, tous les jours de la semaine, de 9 heures à 18 heures. Je fais généralement mes courses un soir de la semaine, mon week-end étant réservé à la détente et au sport. Au supermarché, tous les produits alimentaires sont regroupés dans un même endroit. C'est un gain de temps précieux ! J'ai du mal à m'imaginer aller d'abord chez le boucher, puis chez le boulanger, chez le marchand de fruits et légumes et enfin chez le charcutier… comme le faisait ma grand-mère. Lorsqu'Amel Alaoui mentionne le rôle des médias dans le fait que les gens vont plus au supermarché qu'au marché, elle a sans doute raison. Mais je pense surtout que les gens voient les courses comme une corvée, qu'il faut terminer le plus vite possible et qu'ils préfèrent le supermarché pour cette raison.
Par ailleurs, je suis tout à fait d'accord avec elle : les produits du marché sont plus frais, pas

nécessairement plus chers, et leur traçabilité peut être assurée de manière quasi certaine. Mais, moi (comme beaucoup d'autres), j'en profiterai… quand je serai à la retraite !
Steph. B. – Grenoble

Activité 33 – page 112
Proposition de corrigé :

A. Sur la première image, on voit des collègues, ils travaillent en équipe et ont l'air heureux. Sur la deuxième image, on voit une femme, assise sur son canapé, seule devant la télé. Elle s'ennuie. Ces images nous présentent les bienfaits du travail. En effet, une activité professionnelle permet de sortir de chez soi et d'avoir une vie sociale. Parfois, le travail peut permettre d'exprimer ses talents et de ressentir une certaine satisfaction.

B. La première image représente une femme qui lit, cette image dégage une impression de calme et de bien-être. Sur la deuxième image, un homme est dans son bureau, on lui apporte du travail. Il a l'air épuisé et stressé. Pour moi, ces images nous montrent les bienfaits de la lenteur et de l'oisiveté. Alors que le travail est souvent source de stress, la paresse permet de se redécouvrir et de prendre le temps de profiter de la vie.

Bilan 1 – page 113

1. a. Faux – **b.** Faux – **c.** Vrai – **d.** Vrai – **e.** Faux
2. Réponse b.

Bilan 2 – page 113
Proposition de corrigé :

C'est vrai que les idées reçues sur les jeux vidéo sont nombreuses. Cependant, ils peuvent aussi avoir des effets bénéfiques.
D'abord, après une journée stressante, les jeux vidéo permettent de se délasser et de s'évader. Ils nous entraînent souvent dans des mondes imaginaires, loin des réalités de la vie quotidienne.
Ensuite, les jeux vidéo stimulent l'activité cérébrale. Ils permettent de développer certaines capacités comme l'orientation dans l'espace ou la mémoire. Ils sont d'ailleurs parfois utilisés pour traiter certains troubles mentaux comme la maladie d'Alzheimer.
Puis, les jeux violents représentent une infime partie des jeux existants. Il en existe de nombreux autres types : jeux de simulation, jeux éducatifs, jeux d'entraînement physique…
Ces catégories de jeux ont un effet bénéfique sur le développement intellectuel et corporel.
Enfin, contrairement à ce que l'on croit habituellement, les jeux vidéo n'entraînent pas nécessairement l'isolement du joueur. En effet, la plupart des jeux ont un mode multi-joueur et il est tout à fait possible de jouer aux jeux vidéo ensemble. Cette pratique collective permet de vivre des expériences avec les autres et d'entretenir notre réseau amical.

Grille d'auto-évaluation

	Très bien	Assez bien	Difficilement
Bilan unité 1			
Dans une conversation, je suis capable de comprendre des informations liées au temps qui passe et au temps qu'il fait.			
À l'écrit, je suis capable d'utiliser des expressions de but.			
À l'écrit, je suis capable d'utiliser des expressions de souhait.			
À l'écrit, je suis capable d'utiliser des expressions se rapportant au temps.			
Bilan unité 2			
Dans un texte, je suis capable de saisir des informations liées à l'apprentissage.			
Dans un texte, je suis capable de saisir les différences entre plusieurs types d'apprentissages.			
À l'oral, je suis capable de raconter une expérience au passé.			
À l'oral, je suis capable de d'exprimer mon accord et mon désaccord.			
Bilan unité 3			
Dans un document audio, je suis capable de comprendre si une personne est en accord ou en désaccord avec un thème.			
Dans un document audio, je suis capable de comprendre les principaux arguments sur le thème de la science.			
À l'écrit, je suis capable d'utiliser des expressions permettant de vérifier la validité d'une information.			
À l'écrit, je suis capable d'utiliser les signes de ponctuation adaptés au texte.			
Bilan unité 4			
Dans un texte, je suis capable de comprendre des informations liées à l'identité.			
À l'oral, je suis capable d'utiliser le lexique de l'identité.			
À l'oral, je suis capable d'évoquer mes origines.			
À l'oral, je suis capable d'utiliser des expressions se rapportant à la personnalité.			
Bilan unité 5			
Dans un texte, je suis capable de comprendre le fonctionnement d'un nouveau lieu.			
Dans un texte, je suis capable de distinguer les enjeux liés à un changement important.			
À l'oral, je suis capable d'expliquer le fonctionnement d'un espace.			
À l'oral, je suis capable d'exprimer un changement.			
Bilan unité 6			
Dans un texte, je suis capable de comprendre des informations liées aux sensations physiques.			
Dans un texte, je suis capable de comprendre les types de situations qui demandent un engagement.			
À l'oral, je suis capable de décrire les motivations d'une prise de risque.			
À l'oral, je suis capable de parler des conséquences d'une prise de risque.			
Bilan unité 7			
Dans un document audio, je suis capable de distinguer les différents sens du mot « histoire ».			
Dans un document audio, je suis capable de comprendre des informations relatives à un personnage historique.			
À l'écrit, je suis capable de résumer un discours au style indirect.			
À l'écrit, je suis capable de réagir à ce que je considère comme un mensonge.			
Bilan unité 8			
Dans un texte, je suis capable de comprendre des informations liées à la préservation du patrimoine.			
Dans un texte, je suis capable de comprendre le but d'une association.			
À l'oral, je suis capable d'utiliser des expressions d'opinion.			
À l'oral, je suis capable d'utiliser des adverbes pour renforcer mon jugement.			
Bilan unité 9			
Dans une conversation, je suis capable de comprendre des expressions évoquant une incapacité et un trouble.			
Dans une conversation, je suis capable de comprendre une description de bienfaits.			
À l'écrit, je suis capable d'exprimer des bienfaits.			
À l'écrit, je suis capable d'utiliser des articulateurs logiques pour structurer mon discours.			